Ava: Geistliche

Maike Claußnitzer / Kassandra

RELECTIONES

Herausgegeben von Frank Bezner, Nathanael Busch, Robert Fajen,

Wolfram Keller, Björn Reich und Markus Schürer

Band 3

Ava: Geistliche Dichtungen

Maike Claußnitzer / Kassandra Sperl (Hg.)

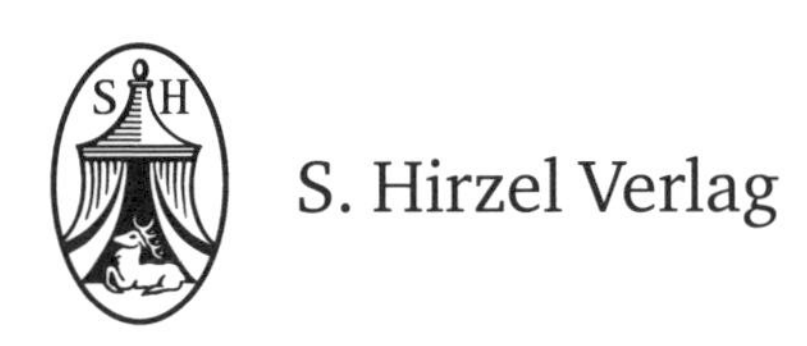

S. Hirzel Verlag

Signet auf dem Umschlag:
The Pierpont Morgan Library, New York. MS M.754, fol. 9v.
Umschlagabbildung:
Vorau Stiftsbibliothek, Cod. 276, Bl. 125r

Bibliografische Information der Deutschen Nationalbibliothek:
Die Deutsche Nationalbibliothek verzeichnet diese Publikation in der Deutschen Nationalbibliografie; detaillierte bibliografische Daten sind im Internet über <http://dnb.d-nb.de> abrufbar.

Druck: Hubert & Co, Göttingen
Gedruckt auf säurefreiem, alterungsbeständigem Papier.
Printed in Germany.
ISBN 978-3-7776-2382-5 (Print)
ISBN 978-3-7776-2461-7 (E-Book)

INHALTSVERZEICHNIS

EINLEITUNG

1 DIE DICHTERIN UND IHR HISTORISCHES UMFELD

Daz ist Ava – mit dieser Selbstnennung der Verfasserin schließt der vorliegende, im ersten Viertel des 12. Jahrhunderts entstandene Zyklus von Bibelepik. Es ist eine Ironie der Literaturgeschichte, dass Ava[1] als erste namentlich fassbare deutschsprachige Dichterin zwar einen höheren Bekanntheitsgrad als manch besser dokumentierter mittelalterlicher Autor genießt, jedoch kaum etwas über ihr Leben in Erfahrung zu bringen ist. Beginnend mit JOSEPH DIEMER, einem der ersten Herausgeber ihrer Werke, hat die Forschung sie in aller Regel mit der am 6. oder 7. Februar 1127 verstorbenen, in den Annalen mehrerer Klöster erwähnten *Ava inclusa* identifiziert.[2] Zur Attraktivität dieser These trägt sicher auch der Umstand bei, dass der Erwerb und die weitere Vertiefung der religiösen und literarischen Bildung, die aus Avas Werk spricht, zu ihrer Zeit wohl am wahrscheinlichsten in einem klösterlichen Umfeld erfolgen konnte:[3] Neben einer innigen Vertrautheit mit dem Kirchenjahr und liturgischen Texten sowie biblischen und apokryphen Schriften verraten die Gedichte auch ein gewisses Maß an Lateinkenntnissen und möglicherweise auch die Rezeption verschiedener geistlicher Dichtungen.

Über die Namensgleichheit hinaus fehlen jedoch sichere Anhaltspunkte. Die autobiographischen Angaben, die Ava selbst in den Text einfließen lässt, sind spärlich: Sie bezeichnet sich als *zweier chinde muoter* (JG V. 394), die einen ihrer beiden Söhne zum Zeitpunkt der Vollendung der Gedichte bereits überlebt hatte.[4] Weder der Vater bzw. die Väter der Kinder noch Avas Herkunftsfamilie finden

1 Die Bezeichnung „Frau Ava" ist in der Überlieferung nicht vorgeprägt und eine Anomalie im wissenschaftlichen Sprachgebrauch, der mittelalterliche Verfasser in aller Regel nur mit ihrem Namen (und ggf. Beinamen) bezeichnet; wir schreiben durchgängig ‚Ava'.

2 Zentral ist der Eintrag in den Melker Annalen: *1127. Ava inclusa obiit* (MGH SS 9, S. 502); das Todesdatum wird entweder aus dem Zwettler Codex mit dem *8. Idus Februarii* (6. Februar) ergänzt (ebd.) oder nach dem Melker Nekrolog mit dem *VII. Idus Feb.* (7. Februar) angegeben (MGH Necr 5, S. 552); die Angabe für den 7. Februar wird vom Lambacher Nekrolog gestützt (vgl. MGH Necr 4, S. 409). Die Erwähnung einer an einem 23. Februar verstorbenen *Ava sanctimonialis* im Nekrolog des 1143 gegründeten Klosters Neustift bei Brixen (MGH Necr 3, S. 30) bezieht sich wohl auf eine andere Person (es sei denn, mit dem Datum – den VII. Kalenden des März – läge eine Verschreibung für die VII. Iden des Februar vor). Die Identifizierung der Inkluse mit der Dichterin ist nicht zu belegen und wird in Standardwerken nur unter Vorbehalt vorgenommen (vgl. etwa PAPP, Ava, Sp. 560, SCHULZE, Ava, Sp. 1281, oder HEINZLE, Mittelalter, S. 349).

3 Vgl. ARNOLD, Autorin, S. 724, und PARISSE, Frauenklöster, S. 480.

4 Vgl. JG V. 398.

Erwähnung;[5] auch trifft Ava keine Aussage über ihre konkrete Lebenssituation oder den Ort, an dem sie schreibt.[6]

Letztgültig belegen lässt sich die Identität der Dichterin mit der in den Nekrologien erwähnten Frau daher nicht, zumal Ava kein einzigartiger oder äußerst seltener Name gewesen zu sein scheint.[7] Doch man kann immerhin festhalten, dass in anderen Fällen tatsächlich eine schriftstellerische Tätigkeit von Inklusen dokumentiert ist.[8] Ava mag also eine schreibende Klausnerin gewesen sein, doch die teilweise sehr weitreichenden Spekulationen, die einzelne Wissenschaftler aus dieser Möglichkeit abgeleitet haben, sind bestenfalls mit Vorsicht zu genießen.[9]

Während die Dichterin selbst für den modernen Leser eine nur schemenhaft fassbare Gestalt bleibt, lässt sich umso mehr über die historische Situation, in der sie schrieb, und das geistes- wie literaturgeschichtliche Umfeld ihrer Werke sagen. Die religiösen Entwicklungen der Salierzeit werden in der allgemeinen Wahrnehmung häufig allein auf den Investiturstreit reduziert, der im Frühherbst 1122, also etwa viereinhalb Jahre vor Avas möglichem Todesdatum, mit dem Wormser Konkordat seinen Abschluss fand.[10] Oft übersehen wird dagegen, dass dieser Konflikt in einem größeren Kontext von Kirchenreformen stand, zu denen unter anderem auch klösterliche Bestrebungen gehörten, den seit der Karolingerzeit in Teilen vergleichsweise weltzugewandten Tendenzen des Mönchtums entgegenzutreten.[11] Als wirkmächtigste dieser Bewegungen kann die nach ihrem Ursprungsort, der burgundischen Benediktinerabtei Cluny, benannte cluniazensische Reform des 10. und 11. Jahrhunderts gelten, die eine strengere Einhaltung der ursprünglichen Benediktsregel forderte und Glaubenspraxis und Weltentsagung des Einzelnen in den Mittelpunkt stellte.[12] Die Reform fand zunächst vor allem im französischen Raum großen Zulauf und entfaltete ab dem letzten Viertel des 11. Jahrhunderts, als das im Nordschwarzwald gelegene Kloster Hirsau die

5 Auf diese Auslassung verweist schon MASSER, Bibelepik, S. 63.

6 Vgl. dazu auch DRONKE, Women Writers, S. 84.

7 Vgl. EHRISMANN, Mittelhochdeutsche Literatur, S. 116, der gleichwohl von der Identität der Dichterin mit der Inkluse überzeugt ist. DORIA führt aus, dass in Österreich im fraglichen Zeitraum mehrere Frauen namens Ava nachweisbar sind, etwa „eine Nonne in St. Lambrecht und zwei in Admont, die mit unserer Dichterin identifiziert werden könnten“ (DORIA, Frau Ava, S. 25). Sowohl SOCIN als auch FÖRSTEMANN verzeichnen jeweils mehrere Namensnennungen (vgl. SOCIN, Mhd. Namenbuch, S. 51, 195 und 230, sowie FÖRSTEMANN, Altd. Namenbuch, S. 189), von denen die einer *Adelberga quae cognominabatur Ava* (FÖRSTEMANN, Altd. Namenbuch, S. 189) darauf hindeutet, dass ‚Ava‘ auch als Kosename einer in offiziellem Kontext unter anderem Namen erscheinenden Frau denkbar ist.

8 Vgl. STEIN, Literarhistorische Beobachtungen, S. 45); auch in späterer Zeit sind schreibende Anachoretinnen belegt, etwa Juliana von Norwich im 14. Jh. (vgl. RIEHLE, Juliana v. Norwich, Sp. 800).

9 Überlegungen ohne sichere Faktenbasis finden sich insbesondere bei DIEMER, der Ava und ihre Söhne als höchst produktive Dichterfamilie sah (vgl. DIEMER, Deutsche Gedichte, S. XVI – XXV).

10 Zum Wormser Konkordat vgl. LAUDAGE, Salier, S. 114f.

11 Vgl. HAIM / SCHWEIGER, Orden, S. 37.

12 Vgl. ebd., S. 30f.

cluniazensische Observanz übernahm, auch ihren Einfluss auf Deutschland.[13] Die Betonung der individuellen Frömmigkeit fand ihren Niederschlag auch in einer spirituellen Aufbruchsstimmung unter Laien, für die religiös geprägte Daseinsformen zunehmend an Attraktivität gewannen.[14] Wenngleich offen bleiben muss, wie stark Avas eigene Lebenswirklichkeit sich an solchen Idealen orientierte, flossen die entsprechenden Überzeugungen bis zu einem gewissen Grade in ihr Schaffen ein und prägten ihre Ausgestaltung einer traditionellen Literaturform.[15]

Bibelepik war zu Avas Zeit keine neue Gattung, sondern stand in einer bis in die Spätantike reichenden Tradition. Die frühe lateinische Bibelepik nimmt ihren Ausgang im 4. Jahrhundert mit den *Evangeliorum libri quattuor* des Juvencus und reicht über das *Carmen paschale* des Sedulius und *De spiritalis historiae gestis* des Avitus von Vienne bis zur *Historia Apostolica* des Arator im 6. Jahrhundert. Stilistisch sind diese Hexameterdichtungen, die stark der antiken Bildungstradition verhaftet sind, nicht mit der geistlichen Epik der alt- und frühmittelhochdeutschen Zeit zu vergleichen. Allerdings ist etwa aus dem Prolog des *Annolieds* zu ersehen, dass sich auch mittelalterliche Autoren die z. B. bei Sedulius breit ausgeführte Aussage zu eigen machten, dass eine beliebte Gedichtform heidnischen oder profanen Ursprungs besser in den Dienst der als höherwertig betrachteten christlichen Inhalte gestellt werden solle.[16] Volkssprachige Bibelepik entstand bereits unter den Karolingern. Die bekanntesten Beispiele dürften der *Liber Evangeliorum* Otfrids von Weißenburg und der altsächsische *Heliand* sein. In frühmittelhochdeutscher Zeit entstanden neben Avas Gedichtzyklus zudem verschiedene Bibelepen vor allem zu alttestamentarischen Themen, etwa die *Altdeutsche Genesis* als Nachdichtung des ersten Buchs Mose.[17] Neben diesen primär narrativen Gestaltungen biblischer Stoffe umfasste die geistliche Dichtung der Zeit jedoch

13 Die Übernahme der cluniazensischen Observanz durch das Kloster Hirsau wird von der Forschung auf verschiedene Zeitpunkte zwischen den frühen 1070er (vgl. HAIM / SCHWEIGER, Orden, S. 31) und 1080er Jahren (vgl. NOTHHELFER, Hirsau, Sp. 35–36) datiert. In den folgenden Jahrzehnten breitete sich die Reform in Süddeutschland und Österreich aus (vgl. IRTENKAUF, Hirsau, S. 28). Das oft mit Ava in Verbindung gebrachte Kloster Melk übernahm die Hirsauer Reform zwischen 1116 und 1121 (vgl. RÖCKELEIN, Frauen, Tabelle S. 317).

14 Zum Aufkommen des Instituts der Laienbrüder im Zuge der Reformen des 10. und 11. Jhs. vgl. SCHRÖDER, Reformbewegungen, S. 254, und GOETZ, Leben im Mittelalter, S. 69. Neben dem Leben in der klösterlichen Gemeinschaft spielte nach einem Rückgang in früheren Jahrhunderten auch das Einsiedlerdasein wieder eine stärkere Rolle (vgl. HAIM / SCHWEIGER, Orden, S. 32). Zu Eremitinnen und Reklusen im Umkreis der Reform vgl. RÖCKELEIN, Frauen, S. 293.

15 Zum Einfluss cluniazensischen Gedankenguts auf Ava vgl. WOELFERT, Wandel der religiösen Epik, S. 1, sowie DORIA, Frau Ava, S. 12; zur Bedeutung der klösterlichen Reformbewegungen für die frühmittelhochdeutsche Literatur allgemein auch SCHRÖDER, Reformbewegungen, S. 253, und SOETEMAN, Geistliche Dichtung, S. 1–13.

16 Vgl. AL 1,1–10, sowie CP I, 17–59. – Zur lateinischen Tradition vgl. WEHRLI, Sacra Poesis, S. 54-58.

17 RUSHING gibt allerdings zu bedenken, dass epische Dichtung zu Avas Zeit zumindest in Schriftform noch weniger verbreitet war, als man es in der Rückschau aus Kenntnis der weitaus reicheren Produktion ab dem 12. und 13. Jh. fälschlich annehmen mag (vgl. RUSHING, Ava's New Testament Narratives, S. 12).

auch exegetisch und paränetisch ausgerichtete Werke, die theologische Lehrmeinungen zu vermitteln suchten.[18] Zu denken ist hier etwa an das *Memento Mori*, aber auch an Ezzos *Gesang*, das *St. Trudperter Hohelied* oder die frühmittelhochdeutsche *Summa Theologiae.*

Avas spezifische Leistung kann darin gesehen werden, dass sie in ihren Gedichten diese beiden literarischen Strömungen zusammenführte und sich bemühte, den biblischen Stoff nicht nur nachzuerzählen, sondern für die individuelle Glaubenspraxis zu erschließen und auch diffizile religiöse Gedankengänge zugänglich und nachvollziehbar zu machen. Ein einführender Blick auf Aufbau und Inhalt des Gedichtzyklus mag dies verdeutlichen.

2 AUFBAU, INHALT UND PUBLIKUM DES GEDICHTZYKLUS

Wie bereits die Überlieferung jeweils als geschlossenes Textkorpus belegt,[19] ist Avas Zyklus von Bibelepik nur als Gesamtkunstwerk sinnvoll zu deuten. Die traditionell vorgenommene Aufspaltung in vier[20] Gedichte ist zwar eine sinnvolle Gliederungshilfe, sollte aber nicht dazu verführen, die einzelnen Partien als gänzlich voneinander zu trennende Werke zu verkennen.

Als erstes und mit 446 Versen zweitlängstes der Teilgedichte setzt der *Johannes* mit der Absichtserklärung ein, darzulegen, *wie die zît aneviench / daz di alte ê zergiench* (J V. 3f.), und schildert Johannes den Täufer als letzten Exponenten des Alten Bundes und zugleich *gotes vorloufære* (J V. 36), der durch seine wundersame Geburt, sein Wirken und seinen Märtyrertod auf Christus vorausweist.

Das Leben Jesu – mit 2268 Versen der Hauptteil des Zyklus – befasst sich mit dem irdischen Dasein des Gottessohns von der Verkündigung an Maria bis zur Himmelfahrt und setzt dabei einen bemerkenswerten Schwerpunkt: Während die Lehrtätigkeit Jesu kaum gewürdigt wird und auch Wunder nur selektiv erscheinen, steht Christus in seiner Rolle als Erlöser und Retter der Menschen im Vordergrund. Die Schlusspassage des *Lebens Jesu* (die bisweilen unter dem Titel *Die Sieben Gaben des Heiligen Geistes* als separates Gedicht von 150 Versen gewertet wird) unterstreicht diese Tendenz, wenn in anspruchsvollen theologisch-philosophischen Überlegungen ausgeführt wird, in welcher Weise göttlicher Beistand zur

18 Eine tabellarische Übersicht über die aus frühmittelhochdeutscher Zeit erhaltene geistliche Dichtung findet sich bei SOETEMAN, Geistliche Dichtung, S. 43–45.

19 Zur Überlieferung der Texte s. u. (Abschnitt 4 der Einleitung). In Hs V markieren eine Leerzeile und eine gut vier Zeilen hohe Initiale den Beginn des *Lebens Jesu* (fol. 115va); eine zwei Zeilen hohe Initiale hebt den Beginn des Epilogs mit Avas Selbstnennung hervor (fol. 125ra). Innerhalb des Gedichtzyklus zeigen nur eine Zeile hohe Initialen den Beginn neuer Sinnabschnitte an, denen am Anfang von *Antichrist* (fol. 123ra) und *Jüngstem Gericht* (fol. 123va) zusätzlich ein kleines Kreuzzeichen vorausgeht, das am Anfang der *Sieben Gaben* (fol. 122va) fehlt.

20 Nach anderer Zählung fünf, da manche Wissenschaftler – etwa SCHACKS in seiner Ausgabe – den Schlussteil des *Lebens Jesu* ab LJ V. 2269 unter der Bezeichnung *Die Sieben Gaben des Heiligen Geistes* als eigenständiges Werk werten.

Überwindung menschlicher Schwächen und damit zur Erlangung des Seelenheils beitragen kann.

Dieser Bezug der religiösen Lehren auf die Gegenwart der Gläubigen wird in den letzten beiden Gedichten des Zyklus um die eschatologische Perspektive erweitert. So wie der *Johannes* als Ankündigung des Neuen Bundes dem *Leben Jesu* vorgeschaltet ist, wird *Der Antichrist*, der in 118 Versen schildert, wie die titelgebende Gestalt bis zu ihrem letztendlichen Sturz ihr Unwesen treibt, als Gedicht über den Anbruch der Endzeit dem *Jüngsten Gericht* (406 Verse) vorangestellt. Das *Jüngste Gericht* beschreibt in einprägsamen Bildern den eigentlichen Weltuntergang, das göttliche Strafgericht und die den Menschen je nach ihrer Lebensführung bestimmten Höllenqualen oder himmlischen Freuden. Den Schlusspunkt bildet die Selbstnennung der Dichterin mitsamt ihrem Wunsch nach Fürbitte für ihre Söhne und sie selbst.

Das starke Heilsverlangen, das aus dieser Coda spricht, durchzieht leitmotivisch das gesamte Werk und sollte als Schlüssel zum Verständnis nicht unterschätzt werden. Nicht alle Interpretationsansätze haben diesen Blickwinkel in den Vordergrund gerückt. Während RUSHING ihn ebenso wie GUTFLEISCH-ZICHE dezidiert hervorhebt und Avas Dichtung vor allem als Epos der Heilsgeschichte verstanden wissen will,[21] betont KIENAST stärker den Aspekt der Kirchengeschichte.[22] GREINEMANN dagegen verwirft KIENASTs Ansatz explizit und sieht die Person Christi selbst als zentrales Thema der Gedichte.[23]

Die Heilsgeschichte als übergeordnetes Deutungsmuster des christlichen Glaubens kann man in der Tat als die Klammer begreifen, die den Gedichtzyklus zusammenhält. Sie muss jedoch um eine weitere zentrale Beobachtung ergänzt werden: Ava gestaltet ihre um Lehrdichtungselemente bereicherte Paraphrase des Neuen Testaments als eine Geschichte fein beobachteter zwischenmenschlicher Beziehungen, auch und vor allem in der Interaktion zwischen gewöhnlichen Menschen und dem menschgewordenen Gott. Ihre Formulierungskunst gewinnt besonders dann eine berückende Intensität, wenn sie theologisch relevante Sachverhalte durch das Inbeziehungsetzen der Figuren prägnant einfängt. So gestaltet sie etwa die durch die Geburt Jesu ermöglichte Überwindung der Erbsünde als raffiniertes Wechselspiel zwischen Eva und Maria:

> *wan diu magit ungeborne*
> *vil manic werlde tet verlorne,*
> *daz daz widertân wurte*
> *mit der magitlîchen geburte.* (LJ V. 11–14)

21 Vgl. RUSHING, Ava's New Testament Narratives, S. 14–16, sowie GUTFLEISCH-ZICHE, Bildliches Erzählen, S. 140.

22 Vgl. KIENAST I, S. 34; seine These einer ekklesiologischen Thematik wird jedoch nur durch zwei Stellen wirklich gestützt: LJ V. 527–532 und LJ V. 831f.

23 Vgl. GREINEMANN, Quellenfrage, S. 131.

Dass dabei immer wieder Frauen in den Vordergrund treten, ist sicher kein Zufall.[24] Man sollte nicht vergessen, dass die Verfasserin immerhin Wert darauf legt, sich, bevor sie auch nur ihren Namen nennt, als zweifache Mutter einzuführen und ihre gute Beziehung zu ihren Kindern zu betonen, sich also dezidiert nicht nur in einer weiblichen, sondern auch in einer höchst weltlichen Rolle zu präsentieren. So passend der Forschung die Vorstellung eines Rückzugs der Verfasserin geistlicher Dichtung in eine Klause erschienen sein mag, für ihr Selbstbild spielte er – wenn er denn tatsächlich stattgefunden hat – offensichtlich eine geringere Rolle als ihr vorausgegangenes Leben. Daher nimmt es nicht wunder, dass aus ihrem Werk ein reges Interesse an den in der Welt lebenden biblischen Frauen spricht, die sich als Identifikationsfiguren für sie angeboten haben mögen.[25] Selbst die eher negativ konnotierte Tochter der Herodias wird einer acht Verse langen Einführung (J V. 285–292) gewürdigt, die ihre sorgfältige Ausbildung und körperliche Gewandtheit preist und damit weit über alles hinausgeht, was in der Bibel über das Mädchen ausgesagt wird. Die mehr oder minder positiv besetzten Frauengestalten dagegen erscheinen bisweilen weniger ambivalent als in der Bibel selbst: So klammert Ava z. B. bei der Begegnung Jesu mit der Samariterin am Brunnen deren bewegtes Vorleben[26] völlig aus.

Nicht nur hier lässt die Auslassung von Details vermuten, dass Ava von umfangreichem Vorwissen bei ihrem Publikum ausging. Wie GUTFLEISCH-ZICHE hervorhebt, wird immerhin im Schlussteil des *Jüngsten Gerichts* angesprochen, *swer dize buoch lese* (JG V. 401), mithin also ein lesekundiger und damit für die damalige Zeit schon überdurchschnittlich gebildeter Rezipient vorausgesetzt. Avas Vorliebe für lateinische Einsprengsel, die oft unübersetzt bleiben, ist ein weiteres Indiz für den Anspruch an den Leser.[27] Darüber hinaus belegen die überwiegend grammatikalisch korrekte Einbindung dieser lateinischen Begriffe und ihre präzise Verwendung zum Zweck der Erläuterung und Deutung nicht nur, dass die Dichterin „relativ souverän diese sprachliche und die damit verbundene theologisch-exegetische Tradition beherrscht haben muß“[28], sondern auch, dass sie über die liturgischen Texte hinausreichende Bibelkenntnisse und sogar die Inhalte der Bibelkommentare bei ihren Rezipienten voraussetzte. Wer Avas Gedichte lesen oder hören wollte, musste in der Lage sein, sie nicht nur sprachlich, sondern gedanklich nachvollziehen und verstehen zu können – und das ist, wie sich zeigt, nicht immer

24 Zu Avas Interesse an der Darstellung von Frauen und weiblicher Lebenswirklichkeit im Kontext des Wirkens Jesu vgl. EHRISMANN, Mittelhochdeutsche Literatur, S. 118, BJØRNSKAU, Dichterin, S. 221, und THORNTON, Poems, S. 14f.

25 Vgl. EHRISMANN, Mittelhochdeutsche Literatur, S. 118.

26 Im Johannesevangelium sagt Jesus zu der Samariterin: „Fünf Männer hast du gehabt, und der, den du jetzt hast, ist nicht dein Mann“ (Joh 4,16); Ava dagegen spricht nur verhüllend von den *vil manegen worten* (LJ V. 717), die beide wechseln, bevor Jesus sich als Messias zu erkennen gibt, und lässt die Frau auch später nur ohne Nennung von Einzelheiten äußern: *der sagte mir allez, daz ich hân getan* (LJ V. 732).

27 Vgl. STEIN, Literarhistorische Beobachtungen, S. 32, KIENAST II, S. 297, und RUSHING, Ava's New Testament Narratives, S. 11.

28 Vgl. STEIN, Literarhistorische Beobachtungen, S. 24; siehe auch Kapitel 3 der Einleitung.

einfach. Deutlich wird dies vor allem an der regelmäßigen Verknüpfung von Erzählung und (oft verkürzendem und ohne theologische Bildung unverständlichem) Erzählerkommentar, einem mitunter trügerisch schlicht formulierten Schreibstil, der aber inhaltlich komplexe theologische Zusammenhänge und Auslegungen präsentiert.

Das Forschungsurteil, dass es sich bei Avas Gedichten um „Volkskatechismen, Volkspredigten, Laienfibeln“[29] handele, führt also ein wenig in die Irre, weil es eine so gewiss nicht intendierte Breitenwirkung suggeriert. Zutreffender dürfte die schon von EHRISMANN aufgestellte Vermutung sein, dass sich Ava zumindest unter anderem an ein religiös interessiertes adliges Laienpublikum gewandt haben könnte.[30] Vor dem Hintergrund der Annahme einer als Inkluse an einem Kloster wirkenden Ava ist insbesondere von STEIN jedoch auch die Theorie ins Spiel gebracht worden, dass sich ihre Werke hauptsächlich an Laienbrüder richteten.[31]

Gegen solch ein ausschließlich klösterliches Publikum spricht der Tenor der praktischen Ratschläge für ein gottgefälliges Leben, die Ava im *Jüngsten Gericht* (JG V. 205–226) erteilt. Viele Aspekte des angemahnten Handelns sind allgemeingültig und erlauben keinerlei Rückschlüsse auf die Adressaten,[32] doch andere lassen aufhorchen, da sie ein weltliches Publikum voraussetzen, so etwa die Aufforderung, unbestechlich Gericht zu halten (JG V. 216), die Warnung vor Kleiderluxus (JG V. 211) und die mehrfache Betonung des einem zur Armut verpflichteten Klosterinsassen kaum individuell möglichen Almosengebens (JG V. 210 und 222). Gerade die Erwähnung der Ausübung einer wie auch immer gearteten Rechtsprechung und die mehrfache Hervorhebung der Wichtigkeit des barmherzigen Umgangs mit sozial Unterlegenen wie Waisen (JG V. 213), Gefangenen (JG V. 214), Armen (JG V. 217) und Heimatlosen (JG V. 218) lässt an einen intendierten Rezipientenkreis in gesicherter und nicht unbedingt niederer gesellschaftlicher Stellung denken. Wenn man Ava nicht unterstellen will, hier nur einen mehr oder minder konventionellen Katalog wünschenswerter Verhaltensweisen aufgestellt zu haben, ist dabei nicht an Laienbrüder als primäre Zielgruppe zu denken.

Hinzu kommt eine weitere Auffälligkeit. Ava ist erkennbar bemüht, die Glaubwürdigkeit des Wundersamen und schwer Vorstellbaren für ihr Publikum zu erhöhen, ganz besonders, wenn es sich dabei um Zentralstellen der Heilsge-

29 SOETEMAN, Geistliche Dichtung, S. 59, unter Aufgreifen einer Formulierung FRIEDRICH HEERS.

30 Vgl. EHRISMANN, Mittelhochdeutsche Literatur, S. 120, und mit Einschränkungen RUSHING, Ava’s New Testament Narratives, S. 11.

31 STEIN, Literarhistorische Beobachtungen, S. 51. Hauptargument dafür, die Rezipienten in klösterlichen Kreisen zu suchen, ist der hohe Anspruch der Dichtung (vgl. STEIN, Literarhistorische Beobachtungen, S. 38, und GUTFLEISCH-ZICHE, Bildliches Erzählen, S. 150).

32 So z. B. Liebe zu Gott, JG V. 205–208; Aufrichtigkeit, JG V. 209; Kirchgang, JG V. 219; Beichte und Buße, JG V. 220; Fasten, JG V. 221; Selbstgeißelung, JG V. 224f.

schichte und damit des christlichen Glaubens handelt.[33] Gelegentlich mutet ihre Argumentation angesichts ihrer Neigung, auf sich selbst zurückzuverweisen, für heutige Leser kurios an: So wird mehr als einmal die Aussage einer biblischen Gestalt herangezogen, um die Glaubwürdigkeit einer anderen zu unterstreichen.[34] Trotz aller scheinbaren Naivität zeugt diese Vorgehensweise von der Vorwegnahme möglicher Zweifel, denen die Dichterin begegnet, indem sie sich auf die absolute Wahrheit der Heiligen Schrift und den kulturellen Wissenshintergrund ihrer Zeit beruft. Dass Ava die Notwendigkeit dazu sah, überrascht nicht. Die von ihr beschworene intensive Frömmigkeit, die in der praktischen Umsetzung bis hin zur physischen Selbstgeißelung gehen soll,[35] bedarf natürlich einer Plausibilisierung, zumal es falsch wäre, für das Mittelalter pauschal von einem allgemein starken und unhinterfragten Glauben auszugehen.[36]

Ob aber gerade Laienbrüder, die, anders als viele Klerikermönche, in aller Regel nicht schon als Kinder (*pueri oblati*) für ein geistliches Leben bestimmt wurden, sondern meist erst im Erwachsenenalter aus eigener Überzeugung ins Kloster eintraten,[37] in besonderem Maße solch einer Glaubensvergewisserung bedurften, ist fraglich. Eher könnte sie auf Hörer oder Leser gemünzt gewesen sein, die einer *vita religiosa* fernstanden.

Als wahrscheinlichste Annahme erscheint daher weiterhin die, dass Ava ihren Gedichtzyklus als erbauliches und didaktisches Werk für in der Welt lebende, gebildete Laien konzipierte,[38] was jedoch einer Rezeption in Klöstern keinen Abbruch getan haben muss.[39] So bleibt abschließend festzuhalten, dass Avas Werk in seiner Gesamtheit einerseits erzählte Heilsgeschichte ist,[40] andererseits aber eine Lehre des rechten Umgangs mit Gott, den Mitmenschen und sich selbst im Hinblick auf das Ewige Leben bildet – eine Lehre, die bei aller Weltflucht, die aus ihr spricht, auch und vor allem an Menschen gerichtet war, die im weltlichen Leben verwurzelt waren.

33 Zu Avas Wahrheitsanspruch und ihren Quellenverweisen vgl. GUTFLEISCH-ZICHE, Bildliches Erzählen, S. 145, und EHRISMANN, Mittelhochdeutsche Literatur, S. 120; Auflistung der Belege bei STEIN, Literarhistorische Beobachtungen, S. 25ff. Indem sie sich als Glied in der Kette biblischer Überlieferung darstellt, verleiht Ava dem Erzählten Glaubwürdigkeit. Darüber hinaus greift sie auf die Plausibilisierungsstrategie zurück, das Wunderbare gar nicht erst für menschliche Begriffe wahrscheinlich zu machen, sondern in seiner spezifischen Qualität als Ausdruck der Allmacht Gottes zu schildern (vgl. etwa LJ V. 1–10).

34 So bürgt für Johannes den Täufer, der als Zeuge einer Erscheinung bei der Taufe Christi benannt wird, die Aussage des Zacharias über die Rolle des Johannes als *herhorn* (vgl. LJ V. 460–462).

35 Vgl. JG V. 224f.

36 Zu Unglauben und Glaubenszweifeln im Mittelalter vgl. DINZELBACHER, Unglaube, S. IX – XI, und WEINFURTER, Canossa, S. 207f.

37 Vgl. GOETZ, Leben im Mittelalter, S. 69.

38 Es muss sich dabei nicht zwingend um Adlige gehandelt haben. In Avas Epoche wird eine Intensivierung der Laienreligiosität auch in Ministerialität und bürgerlicher Elite fassbar (RÖCKELEIN, Frauen, S. 305f.).

39 Vgl. GUTFLEISCH-ZICHE, Bildliches Erzählen, S. 152.

40 Vgl. RUSHING, Ava's New Testament Narratives, S. 14.

3 QUELLEN

Die Fragen nach Person und Publikum der Dichterin sind eng mit denen nach ihren Quellen und ihrem Bildungsstand, ihrer Sprache und ihrem Stil verknüpft und sowohl in der älteren als auch in der jüngeren Forschung kontrovers diskutiert worden. Vielleicht trägt die Tatsache, dass es trotz zahlreicher Versuche nie gelungen ist, eindeutige Antworten zu finden, sogar zum Reiz von Avas Dichtung bei.[41]

Bereits KIENAST postulierte „verschiedene Quellenbezirke“[42], neben der Bibel selbst vor allem Kommentare zu den einzelnen Evangelien,[43] aber auch schriftlich nicht (mehr) überlieferte Einflüsse wie etwa Predigten. MASSER hingegen sieht vor allem das liturgische Perikopensystem als Vorlage der Auswahl der zugrundeliegenden Evangelientexte.[44] GREINEMANN wiederum, die sich speziell der Quellenfrage widmet, sieht neben den Evangelien ebenfalls Liturgie und Predigt als prägende Einflüsse und weist Verbindungen zu unterschiedlichen theologischen Texten nach, nimmt aber an, dass Ava nicht nach direkten schriftlichen Vorlagen, sondern aus dem Gedächtnis arbeitete.[45] Gegen diese Einschätzung und für den Rückgriff auch auf Geschriebenes spricht allerdings, dass sich neben mehr oder minder bekannten Bibelzitaten auch wörtliche Parallelen zu deutschsprachigen Dichtungen (unter anderem zum *St. Trudperter Hohelied* und zur *Altdeutschen Genesis*) nachweisen lassen,[46] bei denen eine Arbeit mit einer niedergeschriebenen Fassung zumindest denkbar erscheint. Einen weiteren Quellenbereich bilden szenische Aufführungen und die ihnen zugrundeliegenden Texte. Schon SCHRÖDER nahm 1908 für Avas Dichtung Einflüsse geistlicher Spiele an,[47] DE BOOR – und in seiner Folge THORAN – wies nach, dass in Avas *Leben Jesu* Reminiszenzen an eine lateinische Osterfeier vom Typus III eingeflossen sind.[48] Als Belege führt THORAN jene Textstellen an, in denen Avas Angaben nachweislich nicht der Bibel entnommen sind, sondern Parallelen in der Aufführungspraxis von Osterfeiern finden: So ist etwa einer der Engel am Grab Christi rot gekleidet, und die zurück-

41 Zu den Schwierigkeiten der Quellenermittlung vgl. PRICA, Frau Ava, S. 83, und GUTFLEISCH-ZICHE, Bildliches Erzählen, S. 15ff., mit einem Abriss über „Ergebnisse und Grenzen der traditionellen Quellenforschung“ ebd., S. 152–155.

42 KIENAST I, S. 28.

43 Anzunehmen ist eine Vertrautheit Avas mit Werken des Hrabanus Maurus, des Beda Venerabilis und des Alkuin (vgl. KIENAST I, S. 28–32 mit ausführlichen Beispielen, und BJØRNSKAU, Dichterin, S. 214f).

44 Vgl. MASSER, Kindheit, S. 34; zu Kritik an diesem Ansatz vgl. GUTFLEISCH-ZICHE, Bildliches Erzählen, S. 231.

45 GREINEMANN, Quellenfrage, S. 48.

46 Vgl. Anm. LJ V. 38f. (*St. Trudperter Hohelied*) bzw. A V. 9f. und 61 (*Altdeutsche Genesis*).

47 Vgl. SCHRÖDER, Osterfeier, S. 313, und darauf aufbauend KIENAST I, S. 31f.

48 THORAN, Quellen und Einflüsse, S. 322; Typus III umfasst Visitatio, Jüngerlauf und Hortulanusszene, vgl. ebd., S. 324.

gelassenen Leichentücher werden zum Beweis der Auferstehung vorgezeigt.[49] Diese anzunehmende Kenntnis lateinischer Osterfeiern allein erklärt jedoch nicht einige auffällige Textstellen, die unleugbare Parallelen zu den erst aus wesentlich jüngerer Zeit überlieferten Osterspielen[50] aufweisen[51] und belegen, dass Ava mit speziellen Formulierungen vertraut war, die über die erhaltenen Osterfeiern hinausgehen.[52] Neben wie auch immer gearteten dramatischen Umsetzungen biblischer Geschichten entfaltete jedoch offensichtlich auch deren Darstellung in der bildenden Kunst einen Einfluss auf das Werk der Dichterin. Bereits GREINEMANN wies auf eine Ähnlichkeit zwischen Leben-Jesu-Bilderzyklen und Avas *Leben Jesu* hin, die von GUTFLEISCH-ZICHE durch einen näheren Vergleich mit zeitgenössischen narrativen Bildprogrammen punktuell bestätigt werden konnte.[53] Zwar ist auch unter den außerliterarischen Inspirationsquellen kein einzelnes Vorbild sicher auszumachen,[54] doch es ist wahrscheinlich, dass sie sich insbesondere in der um chronologisch-historische Genauigkeit bemühten Struktur von Avas Dichtung niederschlagen.[55]

Keine der bisherigen Quellenuntersuchungen kann exklusive Gültigkeit beanspruchen: Die teils weit auseinandergehenden Forschermeinungen ergeben kein einheitliches, sondern vielmehr ein breit aufgefächertes Bild von möglichen Quellenbereichen für Avas Dichtung, von denen keiner allein Stoffauswahl, Konzeption und Detailkenntnisse der Dichterin erschöpfend erklären kann. Man wird der Dichterin also durchaus den Willen und die Fähigkeit zu einer eigenen Auswahl, Komposition und Akzentuierung des Stoffes im Rahmen einer vielfältigen heilsgeschichtlichen Erzähltradition zutrauen dürfen.[56]

Bereits diese Bandbreite von schriftlichen, mündlichen und bildlichen Inspirationsquellen und Avas Umgang mit ihnen[57] widerlegen zwingend die in der Forschung gelegentlich geäußerte Annahme, es habe sich bei der Dichterin um eine

49 Vgl. THORAN, Quellen und Einflüsse, S. 323, und zu den Belegen auch SCHRÖDER, Osterfeier, S. 312f. Die genannten Details finden sich in der *Osterfeier von Mont St. Michel* und im *Benediktbeurer Osterspiel* (vgl. die ausführliche Beweisführung bei DE BOOR, Osterfeiern, S. 302f., und in der Folge THORAN, Quellen und Einflüsse, S. 323ff.)

50 Für den Anfang des 13. Jhs. sind in lateinischer Sprache das *Osterspiel von Klosterneuburg* und das *Benediktbeurer Osterspiel* belegt, ältestes deutschsprachiges Beispiel ist das *Osterspiel von Muri* aus der Mitte des 13. Jhs. Osterspiele aus der Salierzeit sind nicht überliefert.

51 Vgl. hierzu allgemein den Aufsatz von THORAN und SOETEMAN, Geistliche Dichtung, S. 59.

52 Vgl. THORAN, Quellen und Einflüsse, S. 330f. Der Befund ist ein Indiz dafür, dass Vorformen von Osterspielen früher als bisher angenommen existierten (vgl. ebd., S. 330).

53 Vgl. GUTFLEISCH-ZICHE, Bildliches Erzählen, S. 155, Anm. 372, sowie S. 194, und GREINEMANN, Quellenfrage, S. 8–11. GUTFLEISCH-ZICHE bezieht sich vor allem auf die bebilderte Hs G, doch ihre Ergebnisse lassen Rückschlüsse auf die allgemeine Quellenlage zu.

54 Vgl. GUTFLEISCH-ZICHEe, Bildliches Erzählen, S. 195.

55 Zu Motiven aus Apokryphen und Legenden in Avas Werk vgl. KNAPP, Literatur, S. 121, und GUTFLEISCH-ZICHE, Bildliches Erzählen, S. 196 und 202.

56 Vgl. BJØRNSKAU, Dichterin, S. 215, sowie GREINEMANN, Quellenfrage, S. 7.

57 Avas Konzeption liegt das aus heutiger Sicht nicht überraschende, für damalige Verhältnisse jedoch nicht selbstverständliche Bemühen zugrunde, die biblischen Ereignisse in genauer chronologischer Abfolge zu schildern (vgl. STEIN, Literarhistorische Beobachtungen, S. 32f.; MASSER, Kindheit, S. 37–46, mit ausführlicher Beweisführung für das *Leben Jesu*).

eher unbedarfte, von Dritten Vermitteltes unbeholfen reproduzierende Frau gehandelt. Dieser Schluss wurde gern aus jenen Versen gezogen, die Avas Selbstnennung vorausgehen:

> *Dizze buoch dihtôte*
> *zweier chinde muoter.*
> *diu sageten ir disen sin.* (JG V. 393ff.)

Zwar ging nicht jeder so weit wie DE BOOR, der Ava ihr Werk absprach, um stattdessen den Söhnen nicht nur die Vermittlung theologischer Inhalte, sondern auch einen Gutteil der Autorschaft zuzuschreiben,[58] doch findet sich nicht selten die Tendenz, Avas Leistung im Zweifelsfalle eher zu unterschätzen.[59] Damit wird der Anspruch außer Acht gelassen, der im ersten dieser drei Epilogverse mitschwingt: Indem Ava betont, dass sie *dizze buoch dihtôte*, also dichterisch-schöpferisch umsetzte, wählt sie eine Formulierung, mit der sie sich deutlich in eine Reihe stellt mit den Evangelisten,[60] die

> *tihten unt scrîben,*
> *die cristenheit lêren*
> *de vita unseres herren.* (LJ V. 2196ff.)

Mit dieser selbstbewussten Einreihung in die heilsgeschichtliche Überlieferung geht ein Verzicht auf die sonst gerade bei weiblichen Autoren ausgeprägte Bescheidenheitstopik einher,[61] der in der Tendenz damit übereinstimmt, dass Ava ihren Namen als letztes Wort des Gedichtzyklus an außergewöhnlich exponierter Stelle platziert. Die Dichterin ist sich ihrer Kenntnisse gewiss, die sie zwar auch mit direkten Quellenberufungen untermauert, aber insgesamt eher dadurch belegt, dass sie lateinische Zitate oder theologische Fachtermini, die über den aus Gottesdienst und geläufigen Bibelstellen vertrauten Wortschatz hinausgehen, in den volkssprachigen Kontext einbindet.[62] Entscheidend für sie selbst ist, sich als Teil

58 Vgl. DE BOOR, Fmhd. Studien, S. 182; vgl. BJØRNSKAU, Dichterin, S. 214.

59 Vgl. etwa SCHACKS, Dichtungen, S. 370, der Ava allenfalls dürftige Lateinkenntnisse und daher auch keine Möglichkeit, selbst auf das theologische Schrifttum ihrer Zeit zuzugreifen, zubilligt. Seinem Beleg, dem vermeintlich fehlerhaften Kasus *Barraban* (LJ V. 1547, vgl. Anm. zu LJ V. 1544), stehen zahlreiche geschickt und grammatikalisch korrekt in den Satzbau eingebundene lateinische Formulierungen gegenüber.

60 Vgl. dazu auch Kommentar zu LJ V. 2185–2268 und ausführlich PRICA, Frau Ava, S. 89f.

61 Zur Bescheidenheitstopik bei mittelalterlichen Dichterinnen vgl. ARNOLD, Autorin, S. 711f., GÖSSMANN, Selbstverfremdung, S. 193–198, und allgemein zum Thema weiblicher Autorschaft GUTFLEISCH-ZICHE, Bildliches Erzählen, S. 141–149.

62 Da mittelalterlichen Autoren die biblischen Sprachen Hebräisch, Griechisch und Latein als heilig galten (vgl. BORST, Turmbau von Babel IV, S. 1983), ist ein Sprachwechsel ins Lateinische in einem volkssprachlichen religiösen Text immer auch als Berufung auf die Wahrheit der Heiligen Schrift zu verstehen (vgl. dazu auch REHBERG, Weltrepräsentanz, S. 30, und GUTFLEISCH-ZICHE, Bildliches Erzählen, S. 145, Anm. 333). In besonderem Maße gilt dies für lateinische Einsprengsel, die unübersetzt bleiben (wobei manche nur in Hs V überliefert, in Hs G hingegen durch Übersetzungen ins Mhd. ersetzt sind, vgl. STEIN, Literarhistorische Beobachtungen, S. 19, mit einer Auflistung der Belege S. 20). Neben lateinischen Zitaten finden sich Latinismen (*cruce*, *corone*), die jeweils eine besondere Heiligkeit des benannten

und Vermittlerin einer umfassenden Glaubens- und Gelehrsamkeitstradition zu präsentieren, auf deren Basis sie das Erzählte theologischen Konventionen folgend, aber auch durchaus eigenständig deutet.[63] Gerade vor diesem Hintergrund erweist sich die Suche nach der einen Inspirationsquelle oder Vorlage der Gedichte als wenig zielführend. Vielmehr sollte man sie als Einblick in das heterogene Wissensspektrum würdigen, das zu Avas Zeit eine Art gehobene Allgemeinbildung dargestellt haben könnte.

4 ÜBERLIEFERUNG, BISHERIGE AUSGABEN UND EDITIONSPRINZIPIEN

Avas Gedichte sind nur in zwei Handschriften[64] überliefert, von denen eine heute verloren ist. Ihr Inhalt ist nur aus früheren Editionen bekannt. Keines der beiden Manuskripte teilt seinen Entstehungszeitraum mit dem der Gedichte, sondern es handelt sich jeweils um Abschriften, die unabhängig voneinander auf ältere Textzeugen zurückgehen.[65]

Älterer Textzeuge ist die bis heute erhaltene Vorauer Handschrift (Stiftsbibliothek Vorau, Cod. 276 – früher Cod. XI; im Folgenden: Hs V), eine im letzten Viertel des 12. Jahrhunderts wohl im Augustiner-Chorherrenstift Vorau entstandene Sammelhandschrift, die noch 183 zweispaltig beschriebene Pergamentblätter umfasst. Neben der *Kaiserchronik* und mehreren epischen frühmittelhochdeutschen Gedichten vorwiegend geistlichen Inhalts enthält sie die lateinischen *Gesta Friderici* Ottos von Freising.[66] Avas Gedichte sind auf fol. 115v–125r überliefert, allerdings nicht vollständig: Neben dem *Leben Jesu* (einschließlich der *Sieben Gaben des Heiligen Geistes*) sind der *Antichrist* und *Das Jüngste Gericht* enthalten, der *Johannes* hingegen fehlt. Auch das *Leben Jesu* ist nicht komplett überliefert: Aufgrund eines Blattverlusts (zwischen 116v und 117r) fehlen hier die Verse 405–668 (vom zwölfjährigen Jesus im Tempel bis zur Verklärung Jesu). Der Text der frühmittelhochdeutschen Gedichte der Hs V ist durch die Faksimileausgabe von POLHEIM zugänglich und, soweit er Avas Gedichte umfasst, zudem durch den diplomatischen Abdruck bei SCHACKS erschlossen.

Gegenstands ausdrücken.

63 Zu Avas Erzählerrolle vgl. BJØRNSKAU, Dichterin, S. 230f., und STEIN, Literarhistorische Beobachtungen, S. 25ff.

64 In die kodikologischen Angaben sind neben den Hinweisen aus bisherigen Ausgaben und Faksimile auch die im Handschriftencensus (http://www.handschriftencensus.de/) abrufbaren Daten eingeflossen.

65 Vgl. MAURER, Dichtungen der Frau Ava, S. Xf.; MAURER setzt sich ausführlich mit KIENASTs Überlegungen zum Verhältnis beider Handschriften auseinander. KIENAST gelangte über Spekulationen zu gemeinsamen Fehlern und zusätzlichen Versen in Hs G (vgl. KIENAST I, S. 3–5) zu der Ansicht eines „Archetypus [*VG] als Vorlage für beide" (ebd., S. 4) Handschriften, die „nicht aus derselben Vorlage abgeschrieben" worden seien (ebd., S. 5; neuere Untersuchungen von SCHACKS bestätigen diesen Befund, vgl. SCHACKS, Dichtungen, S. 365).

66 Vgl. POLHEIM, Vorauer Handschrift, S. V.

Den jüngeren Textzeugen bildet die seit dem Zweiten Weltkrieg verschollene[67] und daher möglicherweise zerstörte Görlitzer Handschrift (ehemals Görlitz, Bibliothek der Oberlausitzischen Gesellschaft der Wissenschaften, Cod. A III.1.10; im Folgenden: Hs G). Es handelt sich ebenfalls um eine zweispaltig auf Pergament geschriebene Sammelhandschrift, die allerdings erst im 14. Jahrhundert entstand. Über den Schreibort herrscht in der Forschung keine Einigkeit.[68] Auf 56 Blättern enthielt sie neben sämtlichen Gedichten Avas (fol. 1r–24r) noch eine deutsche Apokryphenbearbeitung, das *Evangelium Nicodemi* Heinrichs von Hesler. Der Epilog des *Jüngsten Gerichts* mit Avas Selbstnennung (JG V. 393–406) fehlte. Avas Werke waren in Hs G mit relativ schlicht gestalteten Federzeichnungen illustriert.[69] Da kein Faksimile von Hs G existiert, ist der Inhalt nur noch aus den bestehenden Textausgaben zu rekonstruieren.

Die Görlitzer Handschrift wurde zur ersten Grundlage editorischer Bemühungen um Avas Werk, ohne dass diese schon als Autorin bekannt gewesen wäre. Eine erste Teilausgabe, die den *Johannes* und einen Teil des *Lebens Jesu* umfasste,

67 Vgl. SCHACKS, Dichtungen, S. 365; GUTFLEISCH-ZICHE dagegen weist darauf hin, dass auch ein Verlust von Hs G schon vor dem Krieg denkbar ist, da SCHRÖDERs Erwähnung seiner „neuerdings“ (SCHRÖDER, Gelehrsamkeit, S. 171) erfolgten Einsichtnahme in Hs G anscheinend den letzten Beleg für die direkte Arbeit eines Forschers mit der Handschrift bildet (vgl. GUTFLEISCH-ZICHE, Bildliches Erzählen, S. 135, Anm. 291, und RUSHING, Ava's New Testament Narratives, S. 17, Anm. 33). In der Oberlausitzischen Bibliothek der Wissenschaften ist derzeit nichts über den Verbleib der Handschrift bekannt (e-Mail von Ilona Kuba-Träger, 27.11.2013).

68 Während WILL eine Herkunft aus Franken (vgl. WILL, Beschreibungen, S. 4) und HELM und KIENAST eine Entstehung im oberdeutschen, vermutlich bayrischen Raum annehmen (vgl. HELM, Evangelium Nicodemi, S. 90f., sowie KIENAST I, S. 2), plädiert GUTFLEISCH-ZICHE für eine Herkunft aus Böhmen (GUTFLEISCH-ZICHE, Bildliches Erzählen, S. 139). Die Provenienz von Hs G lässt sich nur bis ins 18. Jh. zurückverfolgen (vgl. HOFFMANN, Fundgruben, S. 127, PIPER, Gedichte der Ava, S. 317, sowie GUTFLEISCH-ZICHE, Bildliches Erzählen, S. 135), so dass alle Aussagen über den Entstehungskontext sich auf Vermutungen beschränken.

69 Über die Anzahl der Illustrationen finden sich unterschiedliche Angaben. WILL, der erste Herausgeber, nennt 28 Bilder (vgl. WILL, Beschreibungen, S. 2), von denen nur die ersten vier malerisch ausgestaltet waren, während die übrigen rein aus der Zeichnung bestanden. Zusätzlich erwähnt er drei anscheinend mutwillig beschädigte Teufelsdarstellungen (vgl. ebd.), was auf eine Gesamtzahl von 31 Illustrationen schließen lässt. RUSHING spricht von „thirty simple colored pen drawings“ (RUSHING, Ava's New Testament Narratives, S. 17). Moderne Reproduktionen der Zeichnungen basieren auf PIPERs Wiedergabe von zwanzig Illustrationen (PIPER, Geistliche Dichtung, S. 224–234). Eines der Bilder (Christus und die Samariterin am Brunnen, fol. 9r) ist zudem durch ein Foto der entsprechenden Seite der Handschrift dokumentiert (vgl. GUTFLEISCH-ZICHE, Bildliches Erzählen, S. 135; aus den Angaben geht leider nicht hervor, ob es sich um eines der Fotos der Serie, die PIPER anfertigen ließ, oder um eine unabhängige Aufnahme handelt). GUTFLEISCH-ZICHE (ebd., S. 315–326) und RUSHING (Ava's New Testament Narratives, S. 72f., 78f., 96f., 114f., 136f., 150f., 160f., 166f., 178f., 200 und 208) drucken die 20 Illustrationen ab. KÖNNECKE bietet nur den zwölfjährigen Christus im Tempel (fol. 6v) und Maria Magdalenas Begegnung mit dem Auferstandenen (fol. 17v; beide KÖNNECKE, Bilderatlas, S. 22).

erfolgte 1763–1765 in mehreren Folgen durch GEORG ANDREAS WILL, der anhand sprachlicher Kriterien auf eine Entstehung im 12. Jahrhundert schloss,[70] die Dichtungen jedoch aufgrund der in Hs G fehlenden Schlussverse noch keinem Autor zuweisen konnte.

Eine Ausgabe des gesamten Gedichtzyklus nach Hs G erfolgte 1830 durch AUGUST HEINRICH HOFFMANN VON FALLERSLEBEN, der zwar um einen diplomatischen Abdruck bemüht, allerdings durch technische Schwierigkeiten eingeschränkt war.[71] Auch er konnte noch keine Verfasserzuordnung vornehmen, schloss sich aber der Datierung ins 12. Jahrhundert an.[72] Erst 19 Jahre später wurden durch JOSEPH DIEMER die Gedichte der Vorauer Handschrift publiziert und damit auch die dort dem *Jüngsten Gericht* beigefügten autobiographischen Angaben der Dichterin bekannt. Auf Basis der Vorarbeiten von HOFFMANN und DIEMER gab PAUL PIPER 1887 in Zusammenschau der beiden Handschriften den gesamten Zyklus als *Die Gedichte der Ava* heraus und versah die einzelnen Gedichte mit den bis heute gängigen Überschriften *Johannes*, *Das Leben Jesu*, *Der Antichrist* und *Das Jüngste Gericht*. Bereits im Zuge seiner Arbeit an der Textausgabe ließ er Fotografien der Illustrationen der Görlitzer Handschrift anfertigen[73] und publizierte sie im Folgejahr.

Während ein von RICHARD KIENAST, dem die Ava-Forschung wichtige Impulse verdankt, in den 1930er Jahren geplantes Editionsprojekt nie zum Abschluss kam,[74] wurde die 1966 von FRIEDRICH MAURER besorgte kritische Ausgabe für die weitere Rezeption der Texte ungemein einflussreich. MAURER räumte dabei Hs G größeres Gewicht ein, als PIPER es getan hatte.[75] Ein Kennzeichen seiner Ausgabe sind jedoch auch recht weitreichende Eingriffe in das überlieferte Material, vor allem die von ihm vorgenommene Gliederung in „sinnvolle und deutliche Langzeilenstrophen“[76]. Für diese Einteilung finden sich in keiner der beiden Handschriften Indizien. So ist es nicht verwunderlich, dass KURT SCHACKS in seiner 1986 publizierten kritischen Ausgabe wieder zu einem fortlaufenden Druck der Gedichte zurückkehrte. SCHACKS sprach sich im Gegensatz zu MAURER wieder für einen Vorrang der Hs V aus.[77] Das große Verdienst seiner Edition besteht vor allem in dem minutiösen diplomatischen Abdruck der Textüberlieferung. Der eigentliche Editionstext ist aufgrund einiger recht idiosynkratischer Transkriptionsentscheidungen, die von der Überlieferung ebenso weit entfernt sind wie von

70 Vgl. WILL, Beschreibungen, o. S. (nach eigener Zählung S. 3).

71 „Der nachfolg. Abdruck ist treu bis auf die Interpunction, Abkürzungen und Doppelvocale, jene habe ich, so gut es eben gehn wollte, hinzugefügt, und was diese beiden letzten anbetrifft, so bemerke ich Folgendes darüber: da in der Druckerei für beide keine Typen vorhanden waren, so musste ich mir auch diesmal durch Auflösung helfen“ (HOFFMANN, Fundgruben, S. 129f.).

72 Vgl. ebd., S. 127.

73 Vgl. PIPER, Gedichte der Ava, S. 318.

74 Vgl. MAURER, Dichtungen der Frau Ava, S. IX, und SCHACKS, Dichtungen, S. 365.

75 Vgl. MAURER, Dichtungen der Frau Ava, S. XI.

76 Ebd., S. XV.

77 Vgl. SCHACKS, Dichtungen, S. 365.

modernen Lesegewohnheiten (z. B. durchgängig *äi* für *ei*), weniger zugänglich gestaltet. Jüngere Ausgaben und Übersetzungen orientieren sich am Text dieser beiden Editionen (so folgen JAMES A. RUSHING und GISELA VOLLMANN-PROFE MAURER, während THORNTONS englischer Übersetzung der Text von SCHACKS zugrundeliegt).

Zusammengenommen erscheinen die Textteile von Hs G und Hs V als durchkonzipierter, vielleicht nicht in allen Details originalgetreu und von späteren Bearbeitern unverfälschter, aber nichtsdestotrotz einheitlicher Gedichtzyklus, als *dizze buoch*, gerahmt von Pro- und Epilog, die sich auf alle Teile beziehen und die Dichtung mit einer Hinwendung an ihr Publikum beginnen und enden lassen. Im Laufe der Überlieferung haben diese Gedichte verschiedene Bearbeitungen, Anpassungen, Glättungen, Ergänzungen und Streichungen erfahren, auch in jüngster Zeit durch eben jene Forscher, denen wir heute den Zugang zu Avas Gedichten verdanken: So hatten insbesondere KIENAST, MAURER und SCHACKS ihre eigenen Vorstellungen von der Textgestalt der Gedichte, und in ihrem Bemühen, sich möglichst dem Archetypus oder dem ‚Original' zu nähern, haben sie ihrerseits in die überlieferten Texte eingegriffen. Auch wir haben uns behutsame Veränderungen erlaubt, jedoch haben wir weniger versucht, dem ursprünglichen Text nachzuspüren, als vielmehr den einzigen mittelalterlichen Textzeugen so getreu wie möglich zu entsprechen und so die Überlieferungsträger in ihrer Eigenständigkeit und ihrem Wert stärker zu würdigen, statt Spekulationen über die Echtheit einzelner Passagen anzustellen.

Die hier vorliegende Edition kann und soll daher die bisherigen kritischen Ausgaben nicht verdrängen; sie ist vor allem als praktischer Lesetext gedacht, der auch Nichtfachleuten einen Zugang zu Avas Werk eröffnet. Diesem Zweck dient nicht nur die Übersetzung (die den mittelhochdeutschen Originaltext zwar nicht ersetzen, aber hoffentlich erschließen und verständlicher machen kann), sondern auch die Entscheidung, eine behutsame Angleichung der Schreibweisen im mittelhochdeutschen Text an die Formen vorzunehmen, die aus dem Wörterbuch und universitären Unterricht vertraut sind. Unterlassen haben wir dies, wann immer die atypische Version als leicht verständliche Eigenheit der Vorlage (z. B. *pluot* statt *bluot*) oder als gezielt gebrauchtes Stilmittel erscheint.[78] Die mhd. Handschriften enthalten kaum oder gar keine Interpunktion, weshalb wir auch diese den heutigen Konventionen angenähert haben, um den Editionstext zu gliedern und um Lesbarkeit und Verständlichkeit zu gewährleisten. Wo beides nicht gefährdet ist oder aber mehrere Sinnbezüge der Verse denkbar sind, kann es zu Diskrepanzen gegenüber der vereindeutigenden Zeichensetzung der Übersetzung kommen. So können etwa die zahlreichen Apokoinu-Formulierungen im mhd. Text schlicht mit Kommata abgegrenzt werden, um deutlich zu machen, dass ein Bezug in beide Richtungen möglich ist. In der Übersetzung ist dieser Effekt nicht immer nachzubilden, so dass Syntax und Zeichensetzung entsprechend abweichen. Pro-

78 So etwa bei dem mehrfach begegnenden *cruce* (statt *kriuze*) für „Kreuz"; vgl. dazu ausführlich Kommentar zu LJ V. 1588.

und Enklisen oder Wortzusammenschreibungen wurden, wo sie nicht allgemein verständlich erscheinen, durch Trennung der Einzelworte aufgelöst (z. B. *unzer* > *unz er*), um Schreibweise und Schriftbild des Vorlagentextes möglichst zu erhalten. Abkürzungen, Kürzel und diakritische Zeichen wurden in der Regel aufgelöst, Graphemvarianzen hingegen zumeist beibehalten, wo sie nicht zu Missverständnissen führen. Eckige Klammern innerhalb der Übersetzung enthalten sinnerklärende Ergänzungen unsererseits, im Editionstext markieren sie Textabschnitte, an deren Echtheit seitens der Forschung Zweifel bestehen, oder aber syntaktisch und/oder inhaltlich notwendige Besserungen; insgesamt folgen Emendationen überwiegend den Ausgaben von SCHACKS und MAURER. Auf einen ausführlichen kritischen Apparat wurde deshalb bewusst verzichtet.[79] Diejenigen Angaben zu Lesarten oder Eingriffen in die Überlieferung, die uns für Erstellung und Nachvollziehbarkeit der Edition wichtig erscheinen und die Ansätze für Textverständnis und Deutung bieten, befinden sich als ‚kommentierter Apparat' unter dem Text bzw. als Stellenkommentare unter der Übersetzung. Generell orientieren wir uns – so weit möglich – überwiegend an Hs V und geben damit in Zweifelsfällen bewusst dem ältesten erhaltenen Textzeugen gegenüber Emendationen und Konjekturen der modernen Herausgeber den Vorzug.[80]

79 Diesbezüglich sei auf die Ausgabe von SCHACKS verwiesen, die mit ihrem diplomatischen Abdruck des Vorauer Texts bzw. der in Hs V nicht enthaltenen Gedichtpartien nach MAURER und ihrem erschöpfenden Nachweis von Varianten und Lesarten einen hervorragenden Überblick über die Überlieferung bietet. Dem diplomatischen Abdruck bei SCHACKS folgen auch Verweise auf Hs G im Apparat.

80 Beispielhaft lässt sich dies an V. 1904 aus dem *Leben Jesu* illustrieren, der schildert, wie sich Maria Magdalena an den auferstandenen Christus wendet. In Hs V lautet der Vers *si sprach ó bone rabi* (fol. 121rb). Sowohl MAURER als auch SCHACKS geben ihn unter Rückgriff auf Hs G als *si sprach: „rabboni!"* (MAURER, Dichtungen der Frau Ava) bzw. *si sprach: „Rabboni!"* (SCHACKS, Dichtungen) wieder und setzen die Anrede ein, die in der Vulgata (Joh 20,16) gebraucht wird. Dieser Eingriff scheint uns von der Erwartungshaltung geprägt zu sein, Bekanntes und am vertrauten Bibeltext Orientiertes wiederzufinden. Wir geben im Sinne der *lectio difficilior* der interpretatorisch reizvolleren Variante aus Hs V den Vorzug (vgl. dazu auch den Kommentar zu LJ V. 1904).

AVA: GEISTLICHE DICHTUNGEN

Nu sule wir mit sinnen
sagen von den dingen,
wie die zît aneviench
daz di alte ê zergiench.
5 daz gescach in terra promissionis,
daz rîche was dô Herodis.
in dem zîte gescach
micheles wunders gemach.
in Galilea was ein guot man,
10 Zacharias was sîn nam,
bî der burch ze Nazareth,

4 alte] *Das in G nicht überlieferte* alte *wird von* KIENAST *(vgl.* KIENAST *II, S. 279),* MAURER *und* SCHACKS *zur Verdeutlichung ergänzt, denn gemeint ist der Alte Bund Gottes mit den Menschen.*

JOHANNES

Nun sollen wir mit Bedacht
von den Ereignissen erzählen,
mit denen die Zeit begann,
in der der alte Bund zerbrach.
5 Das geschah in *terra promissionis*,
das Reich unterstand damals Herodes.
In dieser Zeit geschah
ein sehr großes Wunder.
In Galilea lebte ein guter Mann,
10 Zacharias war sein Name,
nahe der befestigten Stadt Nazareth,

2 *von ... erzählen.* Parallele zu den Anfangsversen des Gedichts *Vom himmlischen Jerusalem*, das ebenfalls in V überliefert ist: *Nu sule wir beginnen / mit tifen gesinnen / ein(e) rede duten iouhc besten / von dere hieliscen iersl'm* („Nun sollen wir beginnen, / euch Besten mit tiefsinnigen Gedanken / eine Rede zu deuten / von dem himmlischen Jerusalem"; vgl. GREINEMANN, Quellenfrage, S. 29, Anm. 4). **3** *mit ... 4 zerbrach.* Die hauptsächliche Grundlage des *Johannes* bilden die Evangelien, besonders das Lukasevangelium. Während das Leben Johannes' des Täufers dort nur als Teil der Geschichte Jesu und eng mit dieser verflochten dargestellt wird, bildet Avas erstes Gedicht eine in sich abgeschlossene Erzählung um das Ende des Alten Bundes, die, wie ihr Wegfall in V zeigt, von den Rezipienten mitunter als verzichtbar wahrgenommen wurde (vgl. KIENAST I, S. 19). **5** *terra promissionis.* Lat.: Das Land der Verheißung, das gelobte Land. – Dies ist die erste von vielen lateinischen Wendungen, die Ava in den Text einbettet. Der Ausdruck *terra promissionis* fehlt im Evangelientext und tritt in der Vulgata lediglich in der Form *terra repromissionis* in Hebr 11,9 auf, häufiger hingegen bei Augustinus (z. B. in *De civitate Dei* XVI, cap. 43, Absatz 2; vgl. hierzu KIENAST II, S. 277–279). **8** *ein ... Wunder.* Die Anfangsverse 1–8 des *Johannes* als Einleitung des gesamten Zyklus (vgl. BJØRNSKAU, Dichterin, S. 218 und zu diesem Zusammenhang besonders KIENAST II, S. 277–279) gehen über die nur Ort und Zeit des Geschehens nennende Evangelienstelle Lk 1,5 hinaus (*Fuit in diebus Herodis, regis Judaeae, sacerdos quidam nomine Zacharias* – „Zur Zeit des Herodes, des Königs von Judäa, lebte ein Priester namens Zacharias"; lat. Bibelstellen zitieren wir nach der Vulgata, die entsprechende dt. Übersetzung in aller Regel nach der Einheitsübersetzung; auf den Gebrauch anderer Übersetzungen weisen wir im Einzelfall gesondert hin). Die Wunder verweisen „über die Gestalt des Vorläufers hinaus auf den Größeren" (KIENAST II, S. 277), also auf Christus. **9** *Galilea.* Die Lokalisierung in Galiläa scheint von Ava eingeführt worden zu sein, da laut Lk 1,39 und 1,65 Zacharias und Elisabeth in Judäa lebten (vgl. THORNTON, Poems, S. 20, Anm. 1, und BJØRNSKAU, Dichterin, S. 218; zu etwaigen Vorbildern der Abweichung vgl. KIENAST II, S. 280, BJØRNSKAU, Dichterin, S. 219, und GREINEMANN, Quellenfrage, S. 33). Denkbar ist, dass Ava Judäa nicht als Landstrich, sondern als Stadtnamen verstand, wird doch in LJ V. 79 erläutert, dass sich Maria *in di burch Juda* begibt, um Elisabeth zu besuchen (auffällig ist jedoch, dass in der Wendung das *ze* fehlt, das bei Ava sonst Stadtnamen vorgeschaltet ist; zur möglichen Deutung vgl. Kommentar zu LJ V. 79). **11** *befestigten Stadt.* Der Begriff *burc* ist im Frühmhd. vieldeutiger als seine nhd. Entsprechung *Burg* und kann außer dieser auch jegliche andere Art von befestigtem Ort bezeichnen (zur Begriffsgeschichte vgl. GROTEN, Stadt, S. 24f. und 88–90).

sîn wîp hiez Elizabeth.
iz wâren iriu tougen
rain vor gotes ougen.
15 den liuten wâren si minnesam,
diu tugent in von gote quam.
wir sagen iu von rehte
von ir beider geslæhte.
Er was zuo einem êwart erchorn
20 von grôzen vorderen geborn.
zuo Jherusalem in daz templum
22 dâ solte er gote dienen nâch frum
25 sîne wochen an der ahtoden stete,
got gewerte in sîner bete.
diu stat hiez Abyas,
alsô saget uns Lucas.
diu vrowe diu was tugenthaft,
30 in ir jungede unberhaft.
wir sagen iz vil rehte,
si was von Aarones geslæhte.
in ir alter si gewan
den aller grôzisten man,
35 der was ze wâre
gotes vorloufære.
er was ein herhorn des himeles
unde ein vaner des êwigen chuniges.
In dem selben zîte,
40 dô sameten sich diu liute,
dô gie der vil guot man
in daz gotes hûs dan.
al eine beslozzen,
got het sin niht vergezzen.

22 dâ … frum] *Auslassung bzw. Anpassung V. 23–24 nach MAURER (vgl. auch KIENAST II, S. 280f., und SCHACKS, Dichtungen, S. 12f., Anm., Apparat und krit. Text zu V. 22); G (Schreibweise an Editionstext angepasst):* dienen sîn wochen / er hêt sîn gebet gesprochen. *Um reibungslose Vergleiche mit der gängigen Verszählung in der Forschungsliteratur zu ermöglichen, zählen wir die beiden Leerverse wie in den bisherigen Editionen mit.* **27** diu … Abyas] *G* diu stat hiez im Abyas*; wir folgen SCHACKS' kritischem Text entsprechend der Vorlage Lk 1,5 (vgl. SCHACKS, Dichtungen, S. 12f., Anm., Apparat und krit. Text zu V. 27).* **41** dô … 44 vergezzen] *SCHACKS geht von einer späten Erweiterung von zwei Versen zu vieren aus, die dem Wegfall der ursprünglich vollen Endsilbe des Wortes* beslozzan *zu mhd.* beslozzen *geschuldet sei (vgl. SCHACKS, Dichtungen, S. 12, Anm., Apparat und krit. Text zu V. 42). Er rekonstruiert eine Kurzfassung:* dô gie der vil guote man / in daz gotes hûs aläine beslozzan; *ähnlich auch MAURER*: dô gie der vil guot man / in daz gotes hûs al eine beslozzen.

seine Ehefrau hieß Elisabeth.
Was im Stillen zwischen ihnen geschah,
war vor Gottes Augen rein.
15 Den Leuten gegenüber waren sie freundlich,
die Tugend war ihnen von Gott gegeben.
Wir erzählen euch wahrheitsgemäß
von ihrer beider Herkunft.
Er war als Priester auserkoren worden
20 und stammte von bedeutenden Vorfahren ab.
Im Tempel zu Jerusalem
22 sollte er Gott zum allgemeinen Besten
25 mehrere Wochen lang als Priester der achten Dienstklasse dienen,
Gott gewährte ihm, worum er bat.
Die Priesterklasse hieß Abia,
so erzählt uns Lukas.
Die Dame, die war tugendhaft
30 und in ihrer Jugend unfruchtbar.
Wir berichten es völlig wahrheitsgemäß:
Sie war vom Geschlechte Aarons.
Im [fortgeschrittenen] Alter gebar sie
den allergrößten Mann,
35 der war wahrlich
Gottes Vorläufer.
Er war ein Heerhorn des Himmels
und ein Bannerträger des ewigen Königs.
In derselben Zeit,
40 als sich die Leute sammelten,
da ging der überaus gute Mann
fort in das Gotteshaus.
Als er allein eingeschlossen war,
hatte Gott ihn nicht vergessen.

15 *Den ... freundlich.* Der Begriff *minnesam* kann sowohl aktiv als auch passiv zu verstehen sein und neben dem liebenswürdigen Verhalten des Paares auch seine allgemeine Beliebtheit betonen. **25** *Priester ... dienen.* Vgl. Lk 1,5. Zur Einteilung der unter den Nachkommen Aarons erblichen jüdischen Priesterschaft in verschiedene Dienstklassen vgl. 1. Chronik 24,3–19. **36** *Gottes Vorläufer.* GREINEMANN weist auf die Ähnlichkeit dieser Verse mit den „Responsorien (...) des Nachtgottesdienstes" (GREINEMANN, Quellenfrage, S. 33) hin, die sie nach Breviarium Monasticum, Mecheln 1926, Pars Aestivalis, 24. Juni, S. 440 zitiert: *Elisabeth Zachariae magnum virum genuit / Joannem Baptistam, praecursorem Domini / Hic est praecursor dilectus et lucerna lucens ante Dominum* (GREINEMANN, Quellenfrage S. 34 – „Elisabeth, [die Frau] des Zacharias, gebar einen großen Mann, Johannes den Täufer, den Vorläufer des Herrn. / Dieser ist der geliebte Vorläufer und die Leuchte, die vor dem Herrn leuchtet"). **37** *Heerhorn ... Himmels.* Anspielung auf Lk 1,69, *et erexit cornu salutis nobis in domo David pueri sui* (vgl. THORNTON, Poems, S. 21, Anm. 3; unter den gängigsten modernen Bibelübersetzungen arbeitet nur die Elberfelder Bibel mit dem Begriff „Horn", der dem lat. *cornu* entspricht: „Er hat uns ein Horn des Heils aufgerichtet im Hause Davids, seines Knechtes").

45 er betete umbe di liute
mit micheler guote.
dô sach der altherre
einen engel hêre
zesewenthalben sîn stân,
50 er sprach ze dem heiligen man:
„niht nefurhte du dir,
ze wâre ich sage iz dir,
du solt einen sune gewinnen,
des sich manige mendent.
55 wînes trinchet er niht
unde von diu trunchenhait gesciht.
ze wâre sage ich dir daz,
sîn tugent ist alse Helyas.
du solt des gewis sîn:
60 Johannes ist der name sîn.“
Der herre im furhten began,
er sprach: „ich bin ein alt man.
mîn wîp ist unberhaft,
vil lange âne mannes winescaft,
65 wie mag ich gelouben
diu grôzen gotes tougen?“
der engel sprach zuo den stunden:
„dîn zunge sî gebunden,
ez sî dir lieb oder lait,
70 ich sage dir diu wârhait.
ê iz allez sî ergân,
du nemaht der rede niht gewalt hân.“
danne gie her Zacharias,
daz liut allez dâ vor was.
75 dô solt der herre bredigen,
dô maht er niht gereden.
des nam dâ alle besunder
diu liute michel wunder.
Dâ in dem lande was ein maget,

45 Er betete mit großer Güte
um das Wohl der Menschen.
Da sah der Patriarch
einen herrlichen Engel
zu seiner Rechten stehen,
50 dieser sprach zu dem heiligen Mann:
„Fürchte dich nicht,
wahrlich ich sage dir,
du sollst einen Sohn bekommen,
um dessentwillen sich viele freuen werden.
55 Er wird keinen Wein trinken
und nichts, was Trunkenheit verursacht.
Wahrlich sage ich dir dies,
seine Vortrefflichkeit wird der des Elias gleichkommen.
Dessen sollst du gewiss sein:
60 Johannes ist sein Name."
Der Herr begann ihn zu fürchten,
er sprach: „Ich bin ein alter Mann.
Meine Frau ist unfruchtbar
und entbehrt schon sehr lange der Liebe eines Mannes.
65 Wie kann ich an
die großen Mysterien Gottes glauben?"
Der Engel erwiderte sogleich:
„Deine Zunge sei gebunden!
Mag es dir nun lieb sein oder nicht,
70 ich sage dir die Wahrheit!
Bis das alles geschehen ist,
wirst du keine Gewalt über deine Sprache haben."
Herr Zacharias ging hinaus,
das ganze Volk war dort vor [dem Tempel].
75 Als der Herr dann predigen sollte,
da konnte er nicht sprechen.
Das wunderte
die Leute dort alle sehr.
Dort in dem Land lebte eine Jungfrau,

67 *Der ... 72 haben.* Neben der Wiedergabe des biblischen Geschehens schwingt hier schon früh im Gedichtzyklus eine Mahnung zur adäquaten Haltung gegenüber der geoffenbarten Wahrheit mit: Unglaube wird bestraft (vgl. dazu ausführlich HINTZ, Learning, S. 107f.). **79** *Dort ... Jungfrau.* Vgl. Lk 1,26–38. J V. 79–158 bilden die erste Schilderung der Verkündigung an Maria; ein zweites Mal wird der Vorgang in LJ V. 15–76 unter heilsgeschichtlichem Aspekt thematisiert (vgl. MASSER, Kindheit, S. 127). Innerhalb des *Johannes* dient die Szene als kontrastierende Parallele zur Verkündigung der Geburt des Johannes: Die unvollkommene und damit menschliche Reaktion des Zacharias harmoniert damit, dass sein Sohn zwar im Leben wie im Tod vorbildlich, aber eben doch menschlichen Beschränkungen unterworfen ist. Marias Bereitschaft zu völliger

80 daz ist uns dicke gesaget,
diu was von sipper triwe,
chunne dirre frowen.
si was geborn von Yesse stamme,
sît wart si gotis amme
85 in magetlîcher reine:
daz newart nie wîp deheine.
Dâr nâch wart ze wâre
an dem sehsten mânôde
der engel gesant,
90 Gabriel der wîgant,
in di burch ze Nazareth,
alse iz hie geschriben stêt,
zuo der chuniginne,
diu het hûs dâr inne
95 unde ouch cheiserlîch chunne,
si ist aller wîbe wunne.
dô der engel în gie,
alsô er iz an gevie,
er sprach: „ave, gratia plena,
100 gegruozzet wis du, Maria!
got wil mit dir wonen,
102 gesegenot sîstu under anderen chonen.“
105 Wunder nam daz magedîn,
waz diu rede mohte sîn.
diu rede dûhte si âne wâne
sô harte seltsâne,
di ir der engel brâhte.
110 vil stille si gedâhte
mit solher diemuote,
dô erchom diu guote.
dô der engel daz gesach,
sus er ir zuo sprach:
115 „niene enfurhte du dir,

94 diu… 95 chunne] *Das Verspaar 94f. wird von MAURER und RUSHING gestrichen, von SCHACKS in Klammern gesetzt, da sie es für unecht halten (vgl. SCHACKS, Dichtungen, S. 16f., Anm., Apparat und krit. Text zu V. 94f.).* **101** got… 102 chonen] *G (Schreibweise dem Editionstext angeglichen):* Got wil wonen mit dir, / gesegent sîstu von mir / In allen zîten / under anderen wîben. *MAURER und SCHACKS halten diese Verse für „sehr unglückliche [...] Erweiterungen“ (SCHACKS, Dichtungen, S. 16, Anm. zu V. 101–104, vgl. Apparat S. 17), da sie in V. 116–118 ohne tieferen Sinn fast wörtlich wiederholt werden. Wir folgen SCHACKS.* **115** niene… 120 funden] *Der Editionstext V. 115–120 folgt mit geringer Abweichung G (dort V. 115* Ninen furhtu dír*). SCHACKS schreibt, wie es Lk 1,30 am nächsten käme: „*niene vurhte du dir! / gesaget sî dir von mir: / du hâst äine besunder / vor gote gnâde vunden.*“ (SCHACKS, Dichtungen, S. 19, V. 115–120 unter Auslassung von V. 117–118).*

80 das wird uns oft berichtet,
die war ihrer Familie treu ergeben,
eine Verwandte dieser Dame [Elisabeth].
Sie war von Jesses Stamm geboren,
später wurde sie
85 in jungfräulicher Reinheit Gottes Amme:
Das wurde niemals irgendeine andere Frau.
Danach wurde wahrlich
im sechsten Monat [der Schwangerschaft Elisabeths]
der Engel,
90 Gabriel der Krieger,
in die Stadt Nazareth gesandt –
genauso wie es hier geschrieben steht –
zu der Königin
die besaß dort ein Haus
95 und auch kaiserliche Verwandte,
welche die Freude aller Frauen ist.
Als der Engel hineinging,
begann er folgendermaßen,
er sprach: „*Ave gratia plena*,
100 gegrüßet seist du, Maria!
Gott will mit dir wohnen,
102 gesegnet seist du unter anderen Frauen!“
105 Die Jungfrau wunderte sich,
was diese Rede bedeuten mochte.
Die Nachricht,
die ihr der Engel überbrachte,
kam ihr wirklich überaus seltsam vor.
110 Ganz still dachte sie
in aller Demut darüber nach;
daraufhin erschrak die Gute.
Als der Engel das sah,
sprach er folgendermaßen zu ihr:
115 „Fürchte dich nicht,

Glaubenshingabe dagegen weist darauf voraus, dass ihr Sohn Mensch und Gott zugleich sein und reines Menschenmaß übersteigen wird.

99 *Ave ... plena*. Lat.: Sei gegrüßt, Gnadenreiche (vgl. Lk 1,28). Die Eingangsworte des als Gebets- und Liedtexts weitverbreiteten *Ave Maria* schlagen eine Brücke zwischen biblischer Erzählung und Glaubenspraxis (vgl. MASSER, Kindheit, S. 128).

gesegent sîstu von mir!
ze allen zîten
vor allen wîben
hâstu ain besunder
120 vor gote genâde funden."
Dô sprach der angelus:
„uber dich chumet spiritus sanctus,
er bescatewet dîne wamben.
du hâst ein chint enphangen.
125 ecce concipies et paries filium,
er wirt geheizzen der gotis sun,
Jesus genennet,
elliu werlt sich sîn mendet.
er wirt ze wâre
130 ein gewaltich heilâre,
im gît got ze êren
den Davidis sedem,
in Jacobes hûs
dâ rîchesent inne Jhesus
135 in eternum et ultra,
daz geloube mir, Maria!"
„Wie mach daz sîn", sprach diu maget,
„daz du mir hâst vor gesaget,
daz ich chint gewinne?
140 mannes ich niht erchenne.
von diu hât mich michel wunder,
sol ich werden muoter dâr under."
dô sprach der angelus:
„daz wurchet spiritus sanctus.
145 ich hân dir mêr ze sagene:
Elizabet dîn gelegene
von alten dingen
daz si sol chint gewinnen.
daz ist der sehste mânôd,
150 daz ist gotes gebôt.
von der maht du wizzen dâbî,
daz got niht unmugelîch sî."

150 daz … gebôt] *nach* MAURER; *G* iz *statt* ist. KIENAST *und in seiner Folge* SCHACKS *(*SCHACKS*, Dichtungen, S. 23f., Anm., Apparat und krit. Text zu V. 150) deuten V. 150 anders:* daz iz gottes wille gebôt. *(„[Dies ist der sechste Monat,] dass Gottes Wille es befahl.")*

gesegnet seist du von mir!
Zu allen Zeiten
vor allen [anderen] Frauen
hast du ganz allein
120 vor Gott Gnade gefunden.“
Da sprach der *angelus*:
„Über dich kommt *spiritus sanctus*,
er überschattet deinen Leib.
Du hast ein Kind empfangen.
125 *Ecce concipies et paries filium*,
er wird der Sohn Gottes geheißen
und Jesus genannt werden,
die ganze Welt wird sich seinetwegen freuen.
Er wird fürwahr
130 ein machtvoller Heiler,
ihm wird Gott zu seiner Ehre
den *Davidis sedem* geben.
Dort in Jakobs Haus
wird Jesus herrschen
135 *in eternum et ultra*,
das glaube mir, Maria!“
„Auf welche Weise kann das geschehen“, sprach die Jungfrau,
„was du mir vorhergesagt hast,
dass ich ein Kind bekomme?
140 Ich habe mit keinem Mann geschlafen.
Deshalb verwundert es mich sehr,
dass ich trotzdem Mutter werden soll.“
Darauf sprach der *angelus*:
„Das bewirkt *spiritus sanctus*.
145 Ich habe dir mehr zu sagen, nämlich
dass Elisabeth, deine Verwandte
von hohem Alter,
ein Kind bekommen soll.
Das ist der sechste Monat [ihrer Schwangerschaft],
150 dies ist Gottes Gebot.
An ihr kannst du somit erkennen,
dass Gott nichts unmöglich ist.“

121 *angelus*. Lat.: Engel. **122** *spiritus sanctus*. Lat.: der Heilige Geist. **125** *Ecce ... filium*. Lat.: „Siehe, du wirst schwanger werden und einen Sohn gebären“ (Lk 1,31 [Lutherbibel]). **132** *Davidis sedem*. Lat.: den Thron Davids. **135** *in ... ultra*. Lat.: in Ewigkeit und darüber hinaus. **137** *Auf ... Jungfrau*. Vgl. Lk 1,34–37: Der Unterschied zwischen Marias Frage (*Quomodo fiet istud [...]?*– „Wie soll das geschehen [...]?“) und der Zacharias’ (*Unde hoc sciam?* – „Woran soll ich erkennen, dass das wahr ist?“, Lk 1,18, vgl. V. 65–66) wird in der Exegese der entsprechenden Bibelstellen gern betont, denn Zacharias zweifelt an der Engelsbotschaft, Maria hingegen nicht, sie fragt nur, auf welche Weise es geschehen solle (vgl. MASSER, Kindheit, S. 130).

Dô sprach Sante Marîe:
„an gote bin ich zwîveles vrîe.
155 ich geloube sînen gewalt
uber junge unde uber alt.“
si sprach: „ecce ancilla domini,
nâch dînen warten gescehe mir!“
diu frowe huob sich dannen,
160 chom in ein ander burch gegangen,
in ein hûs dâ inne was
daz wîp Zacharias.
dâ woneten di guoten,
di reinisten muoter,
165 unze got wolde,
daz Elizabet gebern solde.
Dô si daz chindelîn gewan,
des froute sich vil manich man.
friunde unde mâge,
170 di sameten sich dar ze wâre.
si nanden in Zacharias,
vil sciere iz verwandelot was:
sîn muoter hiez biten des,
si hiezzen in Johannes.
175 dâ wart ein strît umbe den namen
von den di dar warn chomen.
si sprâchen: „der name seltsæn ist,
in dem geslæhte niemen sô geheizzen ist.“

178 in…ist] *V. 178 gemäß G mit geringen Anpassungen an heutige Schreibkonventionen. Dagegen rekonstruiert* MAURER, *Frau Ava, S. 5, Str. 11,6:* si sprachen: „der name ist seltsæn, / in deme geslahte ist niemen so geheizzen.“

Da sprach *Sante Marie*:
„Ich bin frei von Zweifeln an Gott.
155 Ich glaube an seine Macht
über Jung und Alt.“
Sie sprach: „*Ecce ancilla domini*,
mir geschehe, wie du es gesagt hast!“
Die Herrin machte sich auf
160 und ging in eine andere Stadt,
in ein Haus, in dem
die Frau des Zacharias lebte.
Dort wohnten die Guten,
die keuschesten Mütter,
165 bis Gott wollte,
dass Elisabeth gebären sollte.
Als sie das Kindlein bekam,
freuten sich sehr viele Menschen darüber.
Freunde und Verwandte
170 versammelten sich dort fürwahr.
Sie nannten ihn Zacharias,
[doch] das wurde sehr bald geändert:
Seine Mutter ließ nachdrücklich darum bitten,
ihn Johannes zu nennen.
175 Da entstand ein Streit um den Namen
ausgehend von denen, die dorthin gekommen waren.
Sie sprachen: „Der Name ist ungewöhnlich,
in diesem Geschlecht heißt niemand so.“

153 *Sante Marie.* Keine in diesem Kontext grammatikalisch korrekte lateinische Form, aber vermutlich ein Latinismus für „die heilige Maria“. **155** *Ich ... Macht.* Marias Glaube gilt als Vorbedingung ihrer Schwangerschaft (vgl. ausführlich MASSER, Kindheit, S. 141f.). Allerdings lässt Ava Gabriel die Aussage *du hâst ein chint enphangen* treffen, bevor Maria ihre Zustimmung bekundet, und wiederholt diese Verkündigung im Perfekt im *Leben Jesu* (LJ V. 62). Die Beteiligung von Marias Glauben an der Empfängnis ist in Avas Darstellung daher subtiler zu denken als in einer linearen Ereignisabfolge. Maria ist von Anfang an als Frau eingeführt worden, die würdig ist, *gotes amme* (V. 84) zu werden, sowohl ständisch (sie ist eine *chuniginne*, V. 93, von bester Abstammung, vgl. V. 83), als auch durch ihre spezifischen innerlichen Qualitäten – neben ihrer Jungfräulichkeit zeichnet sie die *diemuote* (V. 111) aus, mit der sie auf den Besuch des Engels reagiert. Maria ist also für die ihr überbrachte Botschaft empfänglich und damit auch empfängnisbereit, so dass sich Glauben und Empfängnis schon in dem Moment vollziehen, in dem Gabriel spricht (vgl. auch Kommentar LJ V. 62). **157** *Ecce ... domini.* Lat.: Siehe die Magd des Herrn (vgl. Lk 1,38). **159** *Die ... 166 sollte.* Vgl. Lk 1,39–79. – Ava bezeichnet Maria die ganze Verkündigungsszene hindurch als *maget* oder *magedin*, nach Eintritt der Schwangerschaft aber als *frouwe,* als hochgestellte (adlige) Dame bzw. Herrin. Der Bezeichnungswechsel markiert die Statuserhöhung der nun mit dem Gottessohn schwangeren Maria. Zur Herausstellung der heilsgeschichtlichen Bedeutung Marias und der von ihr aufgesuchten Elisabeth vgl. KIENAST II, S. 282. **160** *in*[1] *... Stadt.* Zu Avas Abweichung von der Angabe in Lk 1,39, dass Elisabeth und Zacharias „im Bergland von Judäa“ (*in montana [...] in civitatem Juda*) lebten, siehe Kommentar zu V. 9.

dô winchte Zacharias,
180 want iz im wol chunt was.
der herre niht erwant,
er nam ein tavel in di hant.
er screib den namen des chindes:
„er heizzet Johannes.“
185 Dô daz chint wart besniten,
alse iz was dô bî den siten,
an den selben stunden
sîn zunge wart enbunden.
dô sprach Zacharias –
190 des heiligen geistes er vol was –
er wîssagete alsus
den salme benedictus.
ze mettîn singet man daz lobesanch,
nu sage wir sîn gote danch.
195 Nu wuohs daz chint, daz ist wâr,
unz iz chom vur ahte jâr.
dô huob er sich in die wuoste,
got nam er ze trôste.
daz was ein michel wunder
200 an eineme jungen chinde,
niewan daz in erliuhte der gotes scîn,
daz iz wol mohte sîn.
vil junch was im der lîp,
iedoch huob er den strît

Daraufhin winkte Zacharias,
180 denn es war ihm wohl bekannt.
Der Herr ließ nicht davon ab,
er nahm eine Tafel in die Hand.
Er schrieb den Namen des Kindes:
„Er heißt Johannes.“
185 Als das Kind beschnitten wurde,
wie es damals der Sitte entsprach,
wurde im selben Augenblick
seine [Zacharias’] Zunge gelöst.
Da sprach Zacharias –
190 er war vom Heiligen Geist erfüllt –,
er weissagte auf diese Weise
den Psalm *Benedictus*,
den man zur Frühmesse als Lobgesang singt;
jetzt sagen wir Gott Dank dafür.
195 Nun wuchs das Kind, das ist wahr,
bis es an sein achtes Jahr kam.
Dann begab er sich in die Wüste
und vertraute dabei ganz auf Gott.
Das war ein großes Wunder
200 bei einem jungen Kind.
Allerdings hatte ihn Gottes Licht erleuchtet,
und so konnte es sehr wohl geschehen.
Sehr jung war er,
dennoch nahm er den Kampf

179 *Daraufhin ... Zacharias.* Abweichung von Lk 1,62, wo Zacharias nicht wie hier energisch selbst die Initiative ergreift, sondern nach seinem Wunsch gefragt wird. **185** *Als ... 188 gelöst.* Auch V. 185–188 weichen von Lk 1,63–64 ab (im Evangelium werden Zacharias’ Mund und Zunge im Augenblick der Namensnennung gelöst). Die Verlegung des Zeitpunkts auf die Beschneidung des Johannes mag eine bewusste Parallele zur Darstellung Christi im Tempel sein, bei der ebenfalls ein liturgischer Gesang zitiert wird (vgl. LJ V. 332). **192** *den*[1] *... 193 singt.* ‚Psalm‘ ist hier Gattungsbezeichnung für die Form des religiösen Lieds, nicht etwa ein Verweis auf das Buch der Psalmen. Zum Gebrauch des *Benedictus*, Lk 1,68–79 („Gepriesen sei [der Herr]“ etc.) in der Liturgie vgl. GREINEMANN, Quellenfrage, S. 38, Anm. 21. Anders als in V. 99 geht Ava hier über das bloße Zitat hinaus und unterbricht den Erzählfluss für einen expliziten Gegenwartsbezug. **195** *Nun ... wahr.* V. 195–220 schildern das Einsiedlerleben des heiligen Kindes (vgl. Lk 1,80, Mk 1,1–8 und Mt 3,1–4). Über die korrekte Versreihenfolge besteht eine Forschungskontroverse: KIENAST nimmt eine recht spekulative Umstellung vor (vgl. KIENAST I, S. 11f.), gegen die sich GREINEMANN (vgl. GREINEMANN, Quellenfrage, S. 40f.) und SCHACKS (vgl. SCHACKS, Dichtungen, S. 24/26, Anm. zu V. 195–220) wenden. **196** *bis ... kam.* Eine Quelle für diese genaue Altersangabe ist nicht auszumachen, der Matutinteil des Paulus Diaconus zugeschriebene Johannes-Hymnus (*Antra deserti teneris sub annis* - „[In die] Höhlen der Ödnis in jungen Jahren“) erwähnt jedoch einen Rückzug des Johannes in die Wüste schon in zartem Alter (vgl. GREINEMANN, Quellenfrage, S. 39). **201** *Allerdings ... erleuchtet.* Zur Lichtmetaphorik in Bezug auf Johannes den Täufer vgl. THORNTON, Poems, S. 27, Anm. 14.

205 mit sînem fleisce:
daz chom von dem heiligen geiste.
man liset von sîner wæte,
daz er niht gewandes hæte
wan ûz olwenten hâr geflohten,
210 dar zuo sterchete in mîn trahtîn.
Man liset von Johanne,
dem heiligen manne,
er huotte sîner sinne,
got wonete dâr inne.
215 er âz unchundigez maz,
ja hât bezaichenunge daz:
hewscrichen unde rôrhonich,
dar zuo sterchete in der heilige Christ.
lutzel was daz fleisc an sînem lîbe,
220 daz liez er durch di gotis liebe.
Man liset von Johanne,
dem heiligen manne:
zuo im chom der gotisun,
mit im began er chôson,
225 daz er toufen gienge
unde di riuwesære enphienge.
er sprach: „sô du toufest in dem wazzer,
sô nesoltu des niht vergezzen,
ob sweme du sehest diu tûben,
230 daz soltu mir gelouben,
daz ist der allermeiste,
der dâ toufet in dem heiligen geiste.“

205 mit seinem Fleisch auf:
Das bewirkte der Heilige Geist.
Man liest von seiner Kleidung,
dass er kein Gewand hatte
außer einem, das aus Kamelhaar geflochten war,
210 dazu gab mein Herrgott ihm die Kraft.
Man liest von Johannes,
dem heiligen Mann,
dass er seine Gedanken in Zaum hielt
und Gott ihnen innewohnte.
215 Er aß fremdartige Speisen,
ja, das hat eine Bedeutung:
Heuschrecken und wilden Honig,
dazu stärkte ihn der heilige Christus.
Er hatte wenig Fleisch am Körper,
220 gab sich aber aus Liebe zu Gott damit zufrieden.
Man liest von Johannes,
dem heiligen Mann:
Zu ihm kam der Gottessohn,
und begann mit ihm [darüber] zu sprechen,
225 dass er taufen gehen
und die Reuigen empfangen sollte.
Er sprach: „Wenn du mit Wasser taufst,
so sollst du dies nicht vergessen:
Über wem auch immer du die Taube siehst,
230 der, das glaube mir,
ist der Allerhöchste,
der da tauft mit dem Heiligen Geist."

211 *Man ... 212 Mann.* Es muss offen bleiben, ob Ava durch die später wiederkehrende beglaubigende Formel zugleich den Übergang zwischen Kindheit und Erwachsenenleben markiert oder nur allgemein ihre Erzählung durch den Verweis auf bekanntes Evangelienwissen legitimiert. KIENAST hält das Verspaar an dieser Stelle für einen unechten Einschub (vgl. KIENAST I, S. 12f.). **217** *Heuschrecken ... Honig.* Vgl. Mk 1,6; KIENAST diskutiert ausführlich, dass *rôrhonich* sich nicht auf den in der Bibel genannten wilden Honig, sondern auf das durch die Kreuzzüge auch in Mitteleuropa bekannt gewordene Zuckerrohr beziehen könnte (vgl. KIENAST II, S. 283). **223** *Zu ... Gottessohn.* Zu V. 221–276 vgl. Joh 1,19–34, Mt 3 und Lk 3,2. – Abweichend von der Bibel wird der Taufauftrag Johannes direkt von Jesus erteilt (vgl. THORNTON, Poems, S. 28, Anm. 15). **229** *Über ... siehst.* Die Passage V. 221–232 bildet eine Verschmelzung der verschiedenen Evangelienberichte Joh 1,29–33, Mt 3,16, Mk 1,9–10 und Lk 3,21–22, sei es nun in Form einer bewussten Harmonisierung oder als Nacherzählung aus dem Gedächtnis ohne direkte schriftliche Vorlage (vgl. zu der These GREINEMANN, Quellenfrage, S. 41f., und SCHACKS, Dichtungen, S. 26, Anm. zu V. 221–232). Ein weiteres Beispiel für diese Technik bieten die Verse LJ 1913–1918, die allerdings in der Forschung bisweilen für unecht gehalten werden (vgl. SCHACKS, Dichtungen, S. 198, Anm. zu V. 1913–1918).

Wir lesen von Johanne,
dem heiligen manne:
235 er gie in die wuoste,
di menige er trôste.
er sprach: „swer mit der riwe
besuochet gotes triwe,
dem nâhent wærlîche
240 diu himeliscen rîche.“
Jerusalemære
di hôrten diu guoten mære
von Johanne,
dem heiligen manne.
245 si sanden dar zwêne man,
sacerdotem unde levitan,
daz si erfuoren die mære,
ob er iz Christ wære
oder her Helyas
250 oder Jeremias
oder deheiner der wîssagen:
„wâ fur sul wir in haben?“
Des antwurte in iesâ
Johannes baptista:
255 „ich sage iu daz wâr ist,
ich nebin iz niht Christ.
ich nebin iz niht Helyas
noch ouch Jeremias.
nu vernemet iz mit sinne:
260 ich bin iz ein ruoffende stimme
in der wuoste der riwe
unde chunde gotes triwe.“

243 von … 244 manne] *Die Verse werden von* KIENAST *und* SCHACKS *als Interpolation betrachtet (vgl.* SCHACKS, *Dichtungen, S. 28, Anm. zu V. 243f.).*

Wir lesen von Johannes,
dem heiligen Mann:
235 Er ging in die Wüste
und flößte der Menge Zuversicht ein.
Er sprach: „Wer auch immer sich voller Reue
Gottes Verheißung anheimgibt,
für den liegen wahrhaftig
240 die himmlischen Königreiche in greifbarer Nähe.“
Die Bewohner Jerusalems
hörten die frohe Kunde
von Johannes,
dem heiligen Mann.
245 Sie sandten zwei Männer dorthin,
einen *sacerdotem* und einen Leviten,
damit sie das Gerücht erkundeten,
ob er Christus wäre
oder Herr Elias
250 oder Jeremias
oder irgendeiner der Propheten:
„Wofür sollen wir ihn halten?“
Darauf antwortete ihnen sogleich
Johannes baptista:
255 „Ich sage euch, was die Wahrheit ist:
Ich bin nicht Christus.
Ich bin auch weder Elias
noch Jeremias.
Nun vernehmt es mit Bedacht:
260 Ich bin eine rufende Stimme
in der Wüste der Reue
und verkünde Gottes Verheißung.“

233 *Wir … Johannes*. Der Formulierungswechsel gegenüber V. 211 und V. 221 (jeweils *Man liset von Johanne*) erfolgt als gezieltes Identifikationsangebot genau dort, wo von der Darstellung der Person des Johannes auf seine allgemeingültigen Lehren übergeleitet wird (vgl. HINTZ, Learning, S. 108). Auch sonst wechselt Ava oft zum *wir*, wenn sie die persönliche Betroffenheit aller Menschen akzentuiert, und reiht sich so selbst mit in den Rezipientenkreis ein (etwa fast durchgängig, nur gelegentlich durch die direkte Anrede *ir* oder ein unpersönliches *si* durchbrochen, in JG V. 267–371 bei der eindringlichen Schilderung von Hölle und Himmel). **246** *sacerdotem … Leviten*. Lat. *sacerdos*: Priester; Levit: Tempeldiener im A. T. – In Joh 1,19 werden mehrere *sacerdotes et levitas* („Priester und Leviten“) ausgesandt (vgl. THORNTON S. 28, Anm. 16). Avas Lateinkenntnisse reichten aus, abweichend von der Vorlage den Akkusativ Singular zu bilden, wobei das ungewöhnliche *levitan* (statt *levitam*) dasselbe Prinzip wie die in der Forschung vielkritisierte Form *Barraban* (LJ V. 1544 und 1547) verrät und so durchaus folgerichtig wirkt. **254** *Johannes baptista*. Lat.: Johannes der Täufer. **257** *Ich … 258 Jeremias*. In Avas auf Joh 1,19–22 basierende Schilderung ist die Angabe aus Mt 16,14 eingeflossen, dass Jesus für Johannes den Täufer, Elias oder Jeremias gehalten worden sei (vgl. GREINEMANN, Quellenfrage, S. 42 f., und THORNTON, Poems, S. 29, Anm. 18). **261** *in … Reue*. Vgl. Joh 1,23.

Dô frâgeten si den guoten man,
warumbe er gienge toufen.
265 des antwurte iesâ
Johannes baptista:
„ich toufe in dem wazzer,
ich wil mich nihtes vermezzen.
swie si varen durch di unde,
270 ich vergibe niht di sunde.
der di mag vergeben,
der ist gehaizzen daz êwig leben.
des erchennet ir niht,
ouch bin ich des wirdich niht,
275 daz ich an sînem gescuohe
zerlôse daz gerieme.“
277 Zwêne fursten dô wâren,
279 die des rîches phlâgen,
281 diu buoch nennent si sus:
Herodes unde Philippus.
der was einer gehît,
er hête ein scônez wîp,
285 bî der gewan er ein tohter,
diu im niht lieber sîn mohte.
di zôh er mit êren,
er hiez si vil wol lêren
wunders alsô vil,

277 Zwêne ... wâren] *Unsere Edition folgt MAURER und SCHACKS, die zwei Verse streichen (278/280), die ihrer Ansicht nach „nur Flickverse zur Erzielung reiner Reime, zur Zeit der Ava aber unmöglich sind“ (SCHACKS, Dichtungen, S. 30/32, Anm. zu V. 278–280; vgl. den zugehörigen Apparat S.31). G:* Zwêne fursten do waren, / die bî den selben iaren / des rîches pflagen, / als man noch hôret sagen; *(Dort lebten zwei Fürsten, / die in jenen Jahren / das Reich beherrschten, / wie man noch heute hört).* **283** der ... gehît] *Wir folgen KIENASTs Besserung* gehît *aus G* vergiht*; siehe dazu dessen Ava-Studien II, S. 284f.*

Darauf fragten sie den guten Mann,
warum er taufen ginge.
265 Darauf antwortete sogleich
Johannes baptista:
„Ich taufe mit Wasser,
ich will mir nichts anmaßen.
Wenn sie in die Wogen eintauchen,
270 vergebe nicht ich die Sünde.
Der die vergeben kann,
der wird das ewige Leben genannt.
Ihn erkennt ihr nicht,
aber auch ich bin dessen nicht würdig,
275 dass ich an seinen Schuhen
die Riemen löse."
277 Dort lebten zwei Fürsten,
279 die über das Reich herrschten,
281 die Bücher nennen sie folgendermaßen:
Herodes und Philippus.
Von ihnen war einer verheiratet,
er hatte eine schöne Frau,
285 mit der er eine Tochter hatte,
die ihm nicht lieber hätte sein können.
Die erzog er in hohem Ansehen,
er befahl, sie gründlich
in etwas ganz Wunderbarem zu unterweisen:

272 *der ... genannt.* GREINEMANN verweist auf eine Parallele in einer Homilie Gregors des Großen zum dritten Adventssonntag: *Joannes non spiritu, sed aqua baptizat, quia peccata solvere non valens, baptizatorum corpora per aquam lavat, sed tamen mentem per veniam non lavat* (PL 76, 1099.3, zitiert nach GREINEMANN, Quellenfrage, S. 43; „Johannes tauft nicht im Geiste, sondern im Wasser, weil es ihm nicht gegeben ist, die Sünden zu lösen, er wäscht die Körper der Täuflinge mit Wasser, doch den Geist wäscht er nicht durch die Gnade", Übers. d. Hgg.). Ob Johannes' Taufe eine sündentilgende Kraft besaß oder nicht, war unter Theologen umstritten (vgl. BJØRNSKAU, Dichterin, S. 219). Ava bezieht deutlich Stellung und erklärt ihren Rezipienten, wie Johannes' Tun und Selbstverständnis zu betrachten sind. **274** *aber ... 276 löse.* Vgl. Joh 1,26–27. Vielleicht hat Ava die Formulierung nicht direkt aus der Bibel, sondern aus der Liturgie übernommen, da das *Agnus Dei* (Lamm Gottes) Joh 1,27 und Joh 1,29 kombiniert. Ein auf den entsprechenden Versen basierendes Responsorium fand auch in geistlichen Spielen Verwendung (vgl. SCHOTTMANN, Redentiner Osterspiel, S. 192, Anm. 338a). **277** *Dort ... Fürsten.* Zu V. 277–318 vgl. Mt 14,3–12. **282** *Herodes ... Philippus.* Gemeint sind Herodes Antipas und der im N. T. unter dem Namen Philippus erscheinende Herodes Boethos, zwei Söhne Herodes' des Großen, nicht aber der historische Herodes Philippos (ein weiterer Bruder aus derselben Familie, der ebenfalls zeitweise als Tetrarch herrschte); zu den gelegentlich verwirrenden Beziehungen zwischen den verschiedenen Trägern des Namens Herodes vgl. auch Anm. zu LJ V. 363–386.

290 daz chunichlich saitspil.
si spranch alse ein spilwîp,
vil gevuoge was ir lîp.
Unlanch zîtes ergiench,
daz Philippus versciet.
295 Herodes was ein ubel man,
ich wæne in lusten began
sînes bruoder wîbes minne.
daz wâren unsinne.
daz was diu Herodia,
300 diu gehanchte im iesâ.
Johannes der gewære,
der hêre toufære,
diu hîrât er irrete,
mit fraste er si werte.
305 er sprach zuo Herode:
„iz geziuhet zuo dem tôde,
ze wâre des wart ûf mich,
si newirt dir nimmer muodich.“
daz was der frowen ungemach,
310 daz er dâ widere iht sprach.
von ir râte daz ergie,
daz man den heiligen vie.
man fuorte in dannen
zuo Herode gevangen.

304 mit…werte] *Kienast nimmt entsprechend Lk 3,19 einen Schreibfehler an und bessert:* mit rafste er si werte *(= mit Schelten verhinderte er sie; vgl. hierzu mit ausführlicher Herleitung Kienast II, S. 284f.). Schacks hingegen bleibt wie wir bei* fraste/vraste *(vgl. Schacks, Dichtungen, S. 32, Anm. zu V. 304).* **313** man…314 gevangen] *V. 313f. folgen den Editionen von Maurer und Schacks (vgl. Schacks, Dichtungen, S. 34f., Anm., Apparat und krit. Text zu V. 313f.);* G man fuort in dannen also fram / zuo Herode in ein insulam – *Man führte ihn von dort sogleich / zu Herodes auf eine* insulam *(lat.: Insel; zu letzterer Angabe vgl. Kommentar zu V. 370).*

290 dem königlichen Saitenspiel.
Sie tanzte wie eine Spielfrau,
sie war sehr kunstfertig.
Nach kurzer Zeit geschah es,
dass Philippus starb.
295 Herodes war ein übler Mann,
ich glaube, dass es ihn
nach der Liebe der Frau seines Bruders zu gelüsten begann.
Das war eine Torheit.
Bei der Frau handelte es sich um Herodias,
300 die ihm sogleich nachgab.
Johannes, der Wahrhaftige,
der erhabene Täufer,
widersetzte sich der Vermählung,
unbeugsam hintertrieb er sie.
305 Er sprach zu Herodes:
„Es wird den Tod nach sich ziehen,
wahrlich, höre auf mich:
Sie wird niemals eines Sinnes mit dir sein."
Es war der Dame unbequem,
310 dass er sich dagegen aussprach.
Auf ihren Ratschlag hin geschah es,
dass man den Heiligen festnahm.
Man führte ihn
gefangen fort zu Herodes.

290 *dem ... Saitenspiel.* Das *chunichlich saitspil* evoziert David, der in der Bibel als fähiger Harfenspieler geschildert wird (vgl. 1. Sam 16,16–23) und auch in bildlichen Darstellungen oft mit der Harfe erscheint (vgl. SEIBERT, Lexikon christlicher Kunst, S. 75). Die Zuordnung Davids zur negativ konnotierten Tochter der Herodias überrascht zunächst, doch David galt als typisches Beispiel für einen sündigen Heiligen (vgl. FREYTAG, Summa Theologiae, S. 151), so dass hier der Gedanke an die Fehlbarkeit auch von Mächtigen stärker im Vordergrund steht als alle positiven Assoziationen. **308** *Sie ... sein.* Der Begriff *muodich* ist sonst nirgendwo belegt und von den bisherigen Hgg. unterschiedlich interpretiert worden. Wir gehen von einer Ableitung vom Wortstamm *muot* („Empfinden, Gesinnung") und dem weiteren Kontext aus, in dem Herodias gegen den Wunsch des Königs die Hinrichtung des Johannes durchsetzt. Die Äußerung wäre damit eine zutreffende Vorhersage späterer Konflikte. Eine Herleitung von *muot* liegt wohl auch der Übersetzung „She will never make you happy" zugrunde (THORNTON, Poems, S. 31, V. 308). RUSHING übersetzt inhaltlich ähnlich wie wir „She will never be subservient to you" (RUSHING, Ava's New Testament Narratives, S. 43, V. 22,8), leitet *muodich* aber mit SCHACKS und KIENAST von ahd. *muodichila*, „arme, müde Frau", ab (vgl. ebd., S. 231). Daneben ist ein Zusammenhang mit lat.: *modicus*, „angemessen, passend" oder mhd. *muozlich*, „zukommend, zulässig" (dazu auch ahd. *muoza sin*, „erlaubt sein") denkbar, da die Argumentation des Johannes in Mt 14,4 und Mk 6,18 auf die legale und sittliche Unzulässigkeit dieser Ehe zielt. Alternativ kann man *muodich* auch nicht als auf Herodias bezogenes Adjektiv lesen, sondern als Variante von ahd. *muoding, muodinch*, „elender, törichter Mensch" als Beschimpfung des Königs. Der Rest des Satzes wäre dann als Gebrauch des Verbs *werden* mit Dativus Possessivus im Sinne von „zufallen, zuteilwerden" zu deuten: „Sie wird niemals [wirklich] dein sein, du erbärmlicher Wicht!"

315 in eines charchæres nôte
dô brahten si in ze dem tôde.
Dô Johannes got lêrte,
an die bredige sich niemen chêrte.
alse er wart gevangen,
320 dô chom got gegangen
unde lêrte alle gelîche
arme unde rîche.
in den burgen unde in der wuoste
vil manigen er dâ trôste.
325 dô Johannes daz vernam,
daz got selbe lêren began
in dem selben lande,
zwên junger er dar sande,
daz si daz erfuoren,
330 ob er iz der chunftig wære,
oder ob si in den zîten
eines anderen solten bîten.
Des antwurte in der hailant:
„iuch hât Johannes hergesant.
335 nu sehet alumbe
diu zaichen unde diu wunder.
di halzen werdent gênde,
di tôten erstênde,
di toupen gehôrent,
340 di armen werdent gelêret,
di blinden gesehende,
di menige ist worden diehende.
nu saget Johanne,
dem stætigen manne,
345 daz di vil sælig sint,
di an mir niht gewirsert sint.“
Dô chêrte er sich ze den anderen
unde sprach von Johanne:

342 diehende] *nach* MAURER, *G* dêhente, SCHACKS jehende.

315 In der Bedrängnis eines Kerkers
brachten sie ihn daraufhin zu Tode.
Als Johannes Gottes Botschaft lehrte,
kümmerte sich niemand um seine Predigt.
Als er gefangen genommen wurde,
320 da kam Gott
und lehrte
Arm und Reich alle gleichermaßen.
Dort in den Städten und in der Wüste
spendete er so manchem Trost.
325 Als Johannes dies vernahm,
dass Gott selbst zu lehren begann
in demselben Land,
sandte er zwei Jünger dorthin,
damit sie herausfänden,
330 ob er derjenige wäre, der kommen sollte,
oder ob sie in diesen Zeiten
auf einen anderen warten sollten.
Darauf antwortete ihnen der Heiland:
„Euch hat Johannes hergesandt.
335 Nun sehet ringsumher
die Zeichen und die Wunder.
Die Lahmen werden gehen,
die Toten erstehen auf,
die Tauben werden hören,
340 die Armen werden gelehrt,
die Blinden sehen,
die Anhängerschar ist gewachsen.
Nun sagt Johannes,
dem beständigen Mann,
345 dass jene überaus selig sind,
die an mir keinen Anstoß nehmen."
Da wandte er sich zu den anderen
und sprach von Johannes:

319 *Als ... wurde.* Zu V. 319–366 vgl. Mt 11,1–15. **323** *Dort ... Wüste.* Das weltumspannende Handeln Christi in Stadt und Land wird mit dem Wirken des Johannes allein in der Ödnis kontrastiert; das Wiederaufgreifen des Reims *wuoste / trôste* verbindet die Schilderungen. **340** *die*[1] ... *gelehrt.* Den Armen wird das Evangelium verkündet, vgl. Mt 11,5. **342** *die ... gewachsen.* Der Begriff *diehende* ist nicht eindeutig. Wir sehen unsere Ableitung von *dîen, dîhen* („gedeihen, wachsen") durch RUSHINGs Übersetzung gestützt („The multitudes are flourishing", RUSHING, Ava's New Testament Narratives, S. 45, V. 24,10; vgl. auch KIENAST II, S. 286). Es ist aber auch mit SCHACKS ein Verständnis als Form von *jehen* denkbar, womit der Vers dann etwa als „Die Schar bekennt sich" zu übersetzen wäre. THORNTON übersetzt „the many are affirming it" (THORNTON, Poems, S. 32, V. 342) und bezieht den Vers auf die zuvor geschilderten Wunder zurück. – V. 337–342 haben Mt 11,4–6 und ähnlich Lk 7,22–23 zur Grundlage.

„wen suochet ir in der wuoste,
350 der iuch sô wol trôste
mit sîner heiligen lêre,
er enist niht ein rôre,
der sich nâch den unden neiget
unde von den winden weibet.
355 er ist ein stætiger man,
er hât sînem strîte wol getân.
er lebete vil harte
mit lutzelem zarte
unde was vil stæte
360 mit scerphim gewæte.
swer di linden wât hât,
in der chunige hofe er gât.
des entet Johannes niht,
von diu ist er gote liep.
365 ir nemuget under wîbe chinden
neheinen grôzeren man vinden.“
Dô in den zîten gelach
Herodis geburde tach.
dô fuor der wuoterich tyrannus
370 in die burch Herodis
zuo der wirtscefte,
die begiench er mit chrefte,
mit spil unde mit sange,

„Wen sucht ihr in der Wüste,
350 der euch ebenso gut Trost zusprechen könnte
mit seiner heiligen Lehre?
Er ist kein Schilfrohr,
das sich in Richtung der Wellen neigt
und mit den Winden hin und her schwankt.
355 Er ist ein beständiger Mann,
er hat seinen Kampf gut geführt.
Er lebte überaus hart,
mit wenig Bequemlichkeit,
und war sehr standhaft
360 in rauer Kleidung.
Wer auch immer die weichen Gewänder besitzt,
der bewegt sich am Hofe der Könige.
Das tat Johannes nicht,
deshalb ist er Gott lieb.
365 Ihr könnt unter den Kindern der Frauen
keinen größeren Mann finden."
Damals in diesen Zeiten lag
Herodes' Geburtstag.
Da begab sich der Wüterich *tyrannus*
370 in die Burg Herodion
zu einem Festmahl,
das er mit großer Üppigkeit beging,
mit Spiel und Gesang,

352 *Er ... Schilfrohr.* GREINEMANN vermutet den Einfluss einer Homilie Gregors des Großen für die Matutin des 2. Adventssonntags und zitiert nach PL 76, 1095: *Sed arundo vento agitata Joannes non erat, quia hunc nec blandum gratia nec cuius libet detractio ira asperum faciebat. Nec prospera hunc erigere, nec adversa noverant inclinare. Arundo ergo vento agitata Joannes non erat, quem a status sui rectitudine nulla rerum varietas inflectebat* (GREINEMANN, Quellenfrage, S. 45 und ebd. Anm. 38: „Doch so ein windbewegtes Rohr war Johannes nicht. Ihn machte Menschengunst nicht zum Schmeichler noch irgend eines Verleumders Wut zum Hasser. Glück konnte ihn nicht hochmütig, Unglück nicht klein-mütig machen. Kein windbewegtes Rohr war der, den kein Wechsel der Verhältnisse aus seiner rechten Haltung bringen konnte."), vgl. auch Mt 11,7. **367** *Damals ... lag.* Für V. 367–446 vgl. Mt 14,3–12 und die ausführlichere Schilderung Mk 6,17–29. **369** *tyrannus.* Lat.: Tyrann, Gewaltherrscher. **370** *in ... Herodion.* Es ist nicht eindeutig festzustellen, ob an dieser Stelle einfach „die (bzw. eine) Stadt/Burg des Herodes" oder die Festung Herodion gemeint ist. Möglicherweise ist Ortsangabe gezielt unspezifisch (vgl. KIENAST II, S. 287), nennt doch auch die Bibel nicht den Todesort (vgl. HARTMANN, Tod Johannes' des Täufers, S. 113). Dagegen lokalisiert Flavius Josephus ihn in den *Jüdischen Altertümern* auf der Festung Machaerus am Toten Meer (vgl. AJ 18,5). In dieser Angabe, die in der Forschung als historisch wahrscheinlich gilt (vgl. HARTMANN, Tod Johannes' des Täufers, S. 239), ist vielleicht auch der Grund dafür zu suchen, dass G die eigenartige Aussage enthält, der gefangene Johannes sei *in ein insulam* (V. 314) gebracht worden, denn eine Verwechslung einer am Ufer des Toten Meers gelegenen Burg mit einer Insel(-Festung) erscheint denkbar. **373** *Spiel.* Der Begriff *spil* meint Unterhaltung und Zeitvertreib aller Art, von Musik über Tanz bis hin zu Schau- und Kampfspielen, hier vermutlich vor allem das Saitenspiel.

mit phelle wol bevangen.
375 in sîner geburt zîte
– daz mære chom vil wîte –,
dô der chunich ze tisce gesaz,
dâ scain vil manich goltvaz,
dô wart diu tohter furgeladet,
380 vil wol spilete diu maget.
si begunde wol singen,
snellichlîchen springen,
mit herphin unde mit gîgen,
mit orgenen unde mit lyren
385 in chunichlîchem gerwe
vor aller der menige.
Dô sprach der chunich Herodes,
enfraise sînes lîbes:
„wol gevellet mir dîn spil,
390 vernim, waz ich dir sagen wil:
nu bit mich mînes rîches,
swaz dir sîn gelîche,
ez sî [mir] lait oder liep,
daz wil ich dir versagen niht.“
395 dô sprach di tohter stille:
„muoter, waz ist dîn wille?“
des antwurte iesâ
diu vâlantinne Herodia:
„du bite niht anderes
400 wan daz houbet Johannes.
daz soltu biten abslahen,
in disen sal tragen
vor der menige ûf disen tisc
unde wizze, daz iz mîn wille ist.“
405 Danne gie di maget stân
fur den fraislîchen man.
si sprach: „chunich, ich bite dich,
des soltu gewern mich,
daz ne ist niht anderes

375 in…376] *Die Verse werden von KIENAST und SCHACKS als Interpolation betrachtet (vgl. SCHACKS, Dichtungen, S. 38, Anm. zu V. 375f.).* **391** nu…rîches] *Kienast schlägt unter Berufung auf Mk 6,23* nu bit mich halbes mînes rîches *vor (vgl. KIENAST II, S. 287); siehe dazu den Stellenkommentar.* **393** mir] *ergänzt von SCHACKS (vgl. SCHACKS, Dichtungen, S. 38, Anm. zu V. 393).*

und gut in [kostbare] Seidengewänder gekleidet.
375 Als anlässlich seines Geburtstags
– die Kunde hatte sich weit verbreitet –
der König zu Tische saß,
funkelten dort vielerlei goldene Gefäße.
Da wurde die Tochter nach vorn befohlen,
380 und die junge Frau tanzte überaus gut.
Sie begann schön zu singen,
[und dabei] schnell zu springen,
mit Harfen und mit Geigen,
mit Orgeln und mit Leiern,
385 in königlicher Kleidung
vor dem gesamten Hofstaat.
Darauf sprach der König Herodes
zu seinem Verderben:
„Dein Tanz gefällt mir sehr,
390 höre, was ich dir sagen will:
Nun bitte mich um mein Königreich
oder was auch immer dir diesem gleichwertig erscheint,
es sei mir lieb oder nicht,
das will ich dir nicht versagen."
395 Da sprach die Tochter leise:
„Mutter, was ist dein Wille?"
Darauf antwortete
die Teufelin Herodias sogleich:
„Du sollst nichts anderes erbitten
400 als das Haupt des Johannes.
Du sollst erbitten, es ihm abzuschlagen,
es in diesen Saal zu tragen
und vor der Menge auf diesen Tisch [zu setzen] –
und wisse, dass dies mein Wille ist."
405 Deshalb trat die junge Frau
vor den schrecklichen Mann hin.
Sie sprach: „König, ich bitte dich,
dieses sollst du mir gewähren:
Das ist nichts anderes,

374 *und ... gekleidet.* Die äußerliche Kontrastierung des prächtig gewandeten Königs mit dem jeglichem Kleiderluxus abholden Johannes (vgl. THORNTON, Poems, S. 33, Anm. 21) unterstreicht den inneren Gegensatz zwischen beiden. HINTZ vermutet dahinter ein lehrhaftes Programm, in dem Johannes Vorbildfunktion für das Publikum übernimmt (vgl. HINTZ, Learning, S. 109).
391 *Nun ... Königreich.* Zur in der Forschung versuchten Anpassung an Mk 6,23 siehe Apparat. Wahrscheinlicher ist, dass Ava hier den Vers Mk 6,22 als Vorbild nutzt, in dem Herodes zunächst bekundet „Wünsch dir, was du willst; ich werde es dir geben" (vgl. auch Mt 13,6–7). Die Szene steht gerade in ihrer Maßlosigkeit in einer Tradition biblischer und antiker Wunschgewährungstopik (vgl. HARTMANN, Tod Johannes' des Täufers, S. 177–186).

410 wan daz houbet Johannes.
daz haiz du im abslahen,
her fur dich tragen,
setzen ûf disen tisc,
wizze, daz mir daz lieb ist!“
415 Der chunich trûrichlîchen sprach
ze der frowen sus unde jach:
„mir ist innechlîchen lait,
daz ich hiute swuor disen ait.
iedoch wil ich erfullen
420 allen dînen willen.“
dô hiez er zwêne sîne man
zuo dem charchære gân,
daz si dem herren absluogen
daz houbet unde iz dar truogen
425 fur alle di menige
dem wîbe ze gebene.
Dô Johannes verstunt, daz im nâhete der tôt,
ûf huob er sîne hende ze got.
er was vil innechlîchen frô,
430 got enphalh er sîne sêle dô.
si zuhten den herren fur di tur,
dô wart sîn heiligez leben fur:
daz houbet si im abnâmen,
dem chunige si iz gâben.
435 dô gab erz dem wirsisten wîbe
mit dem aller heiligisten lîbe,
der âne Christ ie geborn wart
unde durch gotes reht erslagen wart.
des mendent in dem himele
440 di engeliscen menige.
sich frout ouch diu heilige christenhait,
sîn lob ist wît unde brait
in himele unde in erde.
ja ist der gotes werde
445 âne alle rede ze wâre
uns ein helfære.

410 als das Haupt des Johannes.
Das befiehl du ihm abzuschlagen,
hierher vor dich zu tragen
und auf diesen Tisch zu setzen.
Wisse, dass mir dies wohlgefällig ist!"
415 Der König sprach traurig
zu der Dame und bekannte:
„Mir tut es von Herzen leid,
dass ich heute diesen Eid geschworen habe.
Dennoch will ich
420 deinen ganzen Wunsch erfüllen."
Dann befahl er zweien seiner Gefolgsmänner,
zum Kerker zu gehen,
dem Herrn das Haupt abzuschlagen
und es dorthin zu tragen
425 vor die versammelte Menge,
um es der Frau zu geben.
Als Johannes erkannte, dass ihm der Tod nahte,
hob er seine Hände Gott entgegen.
Er war im Innersten überaus froh
430 und vertraute dort Gott seine Seele an.
Sie zogen den Herrn vor die Tür,
da endete sein heiliges Leben:
Den Kopf schlugen sie ihm ab,
und brachten ihn dem König.
435 Darauf übergab er ihn der schlimmsten Frau
zusammen mit dem allerheiligsten Leib,
der, Christus ausgenommen, jemals geboren
und um Gottes Rechts willen erschlagen wurde.
Deshalb freuen sich im Himmel
440 die Scharen der Engel.
Auch die heilige Christenheit freut sich,
sein Lob erklingt weit und breit
im Himmel und auf der Erde.
Ja, der Gottgefällige
445 ist uns ohne alle Abrede wahrlich
ein Helfer.

427 *Als ... 430 an.* Während die Evangelien nur Enthauptungsbefehl und Vollzug erwähnen, greift Ava mit der Freude des Johannes „einen der geläufigen Topoi der Märtyrer- und Heiligenlegenden" (BJØRNSKAU, Dichterin, S. 220) auf, kontrastiert ihren Helden noch einmal mit Herodes, der *trûrichlîchen* (J V. 415) reagiert, und treibt den Gegensatz in den nach weltlichen Maßstäben widersinnigen Affekten auf die Spitze. **446** *Helfer.* Der Verweis auf die Helferrolle des Heiligen bindet das Erzählte in die Gegenwart der Rezipienten ein und hebt in der direkten Wendung an das Publikum die Aktualität und fortdauernde Relevanz hervor.

Dô got hie in erde
geborn wolte werden,
dô hiez er iz vor sagen
Ysaiam den wîssagen
5 und ander prophêten,
daz er iz willen hête,
daz in ein magit gebâre,
daz iz deste gelouplîcher wâre,
swenne iz dâr nâch gescâhe,
10 daz man in mennisc gesâhe;
wan diu magit ungeborne
vil manic werlde tet verlorne,
daz daz widertân wurte
mit der magitlîchen geburte.
15 Si was aller magede hêrist
von diu daz si aller êrist
dâr an vol wonete,
daz si geheizen habete,
daz si gotes maget wâre
20 unde allez manchunde verbare
zaller werlde wunnen;
si was reine ûzen unde innen.
[Gabriel der angelus
der erscein in dem hûs.]

23 Gabriel…24 hûs] *V. 23–24 werden, wie auch V. 35–36, gemeinhin für unechte Zusätze gehalten (vgl. z. B.* MASSER*, Kindheit, S. 133ff.). Auch wir sind uns aufgrund der inhaltlichen Dopplung mit der Aussendung des Engels einige Verse später nicht sicher, ob die Angabe ursprünglich Teil der Dichtung war, und setzen die Verse daher in Klammern.*

DAS LEBEN JESU

Als Gott hier auf Erden
geboren werden wollte,
da befahl er
Jesaja
5 und anderen Propheten, vorherzusagen,
dass es sein Wille wäre,
von einer Jungfrau geboren zu werden,
damit es umso glaubwürdiger wäre,
wenn es danach geschähe,
10 dass man ihn als Menschen sähe;
denn die ungeborene Jungfrau
hätte eine Vielzahl von Menschen dem Verderben ausgeliefert,
und dem würde durch die
jungfräuliche Geburt entgegengewirkt.
15 Sie war die erhabenste aller Jungfrauen,
weil sie als Allererste
ihr Leben gänzlich nach dem ausrichtete,
was sie geschworen hatte,
[nämlich] eine gottgeweihte Jungfrau zu sein
20 und sich jeglichen Umgangs mit Männern zu enthalten,
zur Freude der ganzen Welt;
sie war rein, äußerlich wie innerlich.
[Gabriel, der *angelus*,
erschien in dem Haus.]

1 *Als ... 10 sähe*. Zu V. 1–76 vgl. Lk 1,26–38. Bei der Schilderung der Vorhersage der Geburt Jesu verzichtet Ava auf jegliche Rationalisierung des Wunderbaren und deutet es stattdessen als gezieltes göttliches Zeichen: Gerade dadurch, dass Gott etwas schier Unglaubliches prophezeien lässt und dann ausführt, kann er die eigene Menschwerdung glaubhaft machen (vgl. dazu auch PRICA, Frau Ava, S. 92). **4** *Jesaja*. Vgl. Jes 7,14; die Prophezeiung der Jungfrauengeburt wird in Mt 1,23 zitiert. **11** *die ... Jungfrau*. *diu magit ungeborne* ist die erschaffene, nicht geborene Eva. Seit der Spätantike wurde Maria als ‚neue Eva' apostrophiert: Während Eva Sünde und Tod über die Menschheit gebracht hat, bringt Maria als Gottesmutter mit Christus die Möglichkeit der Sündenvergebung und des ewigen Lebens hervor (vgl. KRAUSS, Paradies, S. 54f., und RUSHING, Ava's New Testament Narratives, S. 231, Anm. 1; ein frühes Beispiel bei Sedulius, CP II, 30–34). Die traditionelle Gegenüberstellung verdichtet Ava zu einem sprachlich reizvollen Bild (*magit – magitlich / ungeborn – geburt*; vgl. BJØRNSKAU, Dichterin, S. 224). **23** *angelus*. Lat.: Engel.

25 Dô hête got einen alten
vil reinen gehalten,
ze helfe der magde,
ir nôtdurfte ze gebenne.
ir gemahelen si in hiez,
30 dâr umbe er niene liez,
er nedienete ir mit triwen
alsô mit rehte sîner frouwen.
Dô wart der engel gesant
ze Galyle in daz lant
35 [diu burch hiez Nazaret,
der gemahele hiez Joseph]
ze der magde reine,
dô si in dem gademe saz eine.
si bette umbe daz heil der werlte,
40 dô chom ir des si gerte:
der heilige spiritus sanctus
der bephiench ir die wambe.
er bescatewet ir den lîchnamen,
dô wart si swanger âne man.
45 Dâ newas hîrât
noch manlîch rât
noch werltlîch gelust
noch nehein hônchust.
diu magit wart vil wol gêret,
50 ir chiuske gemêret,
ir magetuom gehalten
mit gnâden manichvalten,
dô der dâ geherbergôte,
der si gebildôte,

41 der[1] … sanctus] *KIENAST (vgl. KIENAST I, S. 23f.) und in seiner Folge SCHACKS (vgl. SCHACKS, Dichtungen, S. 48, Anm. zu V. 41) bessern zu* der heilige âdem. *V und G (und ihnen folgend die Edition von MAURER) verzeichnen jedoch beide* spiritus sanctus, *und KIENASTs Hauptargument dagegen: „So sagt die Ava nirgends" (KIENAST I, S. 23) schließt eine einmalige Verwendung nicht aus.*

25 Dort hatte Gott einen alten Mann
in großer Lauterkeit bewahrt
als Beistand der Jungfrau,
um ihr einen Lebensunterhalt zu verschaffen.
Sie nannte ihn ihren Gemahl,
30 und deshalb scheute er keine Mühen,
ihr treu zu dienen,
wie es sich der eigenen Herrin gegenüber gehört.
Damals [also] wurde der Engel
in den Landstrich Galiläa gesandt
35 [die befestigte Stadt hieß Nazareth,
der Gemahl hieß Joseph]
zu der keuschen Jungfrau,
als sie allein in ihrem Gemach saß.
Sie betete um das Heil der Welt,
40 und ihr geschah, was sie sich wünschte:
Der Heilige *spiritus sanctus*,
ergriff Besitz von ihrem Bauch.
Er warf seinen Schatten auf ihren Leib,
da wurde sie schwanger ohne Mann.
45 Es gab weder eine Vermählung,
noch war ein Mann daran beteiligt,
noch weltliche Begierde,
noch Arglist.
Der Jungfrau wurde eine außerordentliche Ehre zuteil,
50 ihre Keuschheit gemehrt,
ihre Jungfräulichkeit bewahrt
dank mannigfacher Gnade,
als derjenige dort Herberge nahm,
der sie geschaffen hatte;

25 *Dort ... 32 gehört.* Wenn Ava Joseph als treusorgenden Gemahl und Diener seiner Herrin schildert, den Alter, Frömmigkeit und Keuschheit auszeichnen, geht sie über die Evangelien hinaus und ist von der Darstellung Josephs in Apokryphen und Legenden beeinflusst, die sich auch in der bildenden Kunst vielfach niederschlug (vgl. dazu ausführlich MASSER, Kindheit, S. 118f.). **33** *Damals ... Engel.* V. 33–76 wirken hinsichtlich der Handlungschronologie auf den ersten Blick unverständlich und haben darum auch so manche Besserungsbestrebung erfahren (vgl. etwa MASSER, Kindheit, S. 126–142). Tatsächlich rückt Ava zunächst den theologischen Gehalt des heilsgeschichtlich zentralen Ereignisses in den Vordergrund, um dann, anknüpfend an das unvermutete Erscheinen des Engels, den Handlungsablauf nachzuliefern. Der Umbruch in der Erzählung erfolgt V. 57, V. 69–76 fassen die heilsgeschichtlichen Vorgänge im Bild der Hochzeit von Himmel und Erde noch einmal zusammen (vgl. ebd. S. 143). **38** *als ... 39 Welt.* Parallele zum *St. Trudperter Hohen Lied* 51,20–22: *dô si in deme gademe eine saz unde bette umbe allez daz heil der welte* – „Als sie allein in dem Gemach saß und um das ganze Heil der Welt betete" (Übers. d. Hgg.; vgl. SCHACKS, Dichtungen, S. 48, Anm. zu V. 38f.). **41** *spiritus sanctus.* Lat.: Der Heilige Geist. **45** *Es ... 48 Arglist.* In die ansonsten auf Lk 1,26–38 basierende Erzählung mag hier Joh 1,13 eingeflossen sein (vgl. THORNTON, Poems, S. 39, Anm. 3).

55 alsô geistlîchen si in enphie,
sô wizzet, daz diu geburte ergie.
Iedoch getruopte si daz,
daz si eine dâ saz.
dô sprach Sancte Gabriel:
60 „niht furhte du dir,
iz ist dir wol ergangen,
du hâst ein chint enphangen.
danne wahset ein man,
der wirt geheizen gotesun,
65 Jesus wirt er genennet,
des elliu werlt mendet.“
diu magit geloubte ime daz,
der gotesun sâ mit ir was.
Dô diu magit des verstunt,
70 daz iz chom vone got,
unde der hailige âdem
entswebete ir den lîchnamen
von den vuozen unze an den wirbel,
dô gihîte der himel zuo der erde.

55 so wisset, dass auf ebenso geistliche Weise, wie sie ihn empfing,
die Geburt erfolgte.
Jedoch beunruhigte es sie,
dass sie allein dort saß.
Da sprach Sankt Gabriel:
60 „Fürchte dich nicht,
es ist dir wohl ergangen,
du hast ein Kind empfangen,
das wächst zu einem Mann heran,
der wird Gottes Sohn geheißen,
65 Jesus wird er genannt,
über ihn freut sich die ganze Welt."
Die Jungfrau glaubte ihm das,
gleich darauf war der Gottessohn bei ihr.
Als die Jungfrau das verstand,
70 dass es von Gott kam,
und der Heilige Geist
ihr den Leib durchströmte
von den Füßen bis an den Scheitel,
da vermählte sich der Himmel mit der Erde.

55 *so ... 56 erfolgte.* In die chronologische Erzählung ist die theologische Erläuterung eingefügt, dass die Geburt ebenso geistlich vonstatten ging wie die Marias Jungfräulichkeit bewahrende Empfängnis (vgl. MASSER, Kindheit, S. 136ff., zur Technik der erläuternden Einschübe auch KETTLER, Jüngstes Gericht, S. 418). Alternativ kann man V. 56 als eigenständigen Satz sehen („Als derjenige dort Herberge nahm, / der sie geschaffen hatte, / empfing sie ihn auf geistliche Weise. So wisset, dass die Geburt erfolgte.") und interpretieren, so als poetische Umschreibung für „Zeugung, Empfängnis" (vgl. SCHACKS, Dichtungen, S. 48, Anm. zu V. 56) oder als Vorausverweis auf die Geburt rein auf der Handlungsebene (vgl. PRICA, Frau Ava, S. 92, oder KIENAST I, S. 16). *so ... 86 weissagen.* Echtheit und Anordnung der Verse 55–86 sind in der Forschung bisweilen in Zweifel gezogen worden (vgl. KIENAST I, S. 13, seine Argumentation vgl. S. 13–25, und MASSER, Kindheit, S. 127). Da jedoch keine moderne Rekonstruktion überzeugender als die in V überlieferte Variante wirkt, folgen wir dieser. **62** *du ... empfangen.* Anders als in J V. 125 übernimmt Ava nicht wörtlich Lk 1,31, sondern lässt Gabriel von einer bereits eingetretenen Schwangerschaft sprechen. Zu den theologischen Implikationen des Tempusgebrauchs, der suggeriert, dass die Empfängnis zugleich mit den Engelsworten stattfindet, vgl. SCHACKS, Dichtungen, S. 50, Anm. zu V. 59ff., THORNTON, Poems, S. 39f., Anm. 4, und PRICA, Frau Ava, S. 93; siehe auch den Kommentar zu J V. 154f.. Gestützt wird diese Interpretation der Gleichzeitigkeit durch die Verse 67f. und 75f. **68** *bei ... 70 kam.* Das Verspaar unterstreicht den Zusammenhang zwischen Marias Einwilligung aus dem Glauben heraus und der Empfängnis (vgl. GREINEMANN, Quellenfrage, S. 54; vgl. auch SCHACKS, Dichtungen, S. 50, Anm. zu V. 67f.; eine kritischere Sicht, die dem Vers keine tiefere theologische Interpretation zubilligt, bei KIENAST I, S. 18). **71** *der ... Geist.* KIENAST sieht in der Wendung *der heilige âdem* ein Indiz dafür, dass Ava ein lateinisches Marienlied als Quelle nutzte: „in den früheren Kirchenliedern bis etwa 1100 steht vielfach statt spiritus sanctus [= der Heilige Geist, Übers. d. Hgg.] der Ausdruck spiritus flamen [= Geisthauch, Übers. d. Hgg.]" (KIENAST I, S. 22). **74** *da ... Erde.* Zitat aus dem Hymnus *Exsultet*, der in der Karsamstagsliturgie verwendet wird und die Nacht preist, *in qua terrenis caelestia humanis divina junguntur* – „in der das Irdische mit dem Himmlischen, das Menschliche mit dem Göttlichen vereint wird" (Übers. d. Hgg; vgl. THORNTON, Poems, S. 40, Anm. 5).

75 daz wart dâ ze stete scîn,
dô er sprach daz wort sîn.
Danne huop sich diu magit –
daz ist uns ouch ê gesaget –
in di burch Juda,
80 in daz hûs Zacharya.
dâ vant si inne
ein wîp mit liehteme sinne.
der wambe was bevangen
mit dem guoten Johanne.
85 dô ir stimme si vernam,
iesâ si wîssagen began.
Si sprach: „von welcher gewurhte chumet mir,
daz du chôme zuo mir?
muoter mînes herren,
90 mîn chint wil dich êren,
daz mendet sich inne in mir,
iz hât sich gechêret hin ze dir.“
dô chuste si diu frowe
Sancta Maria.
95 Si sprach: „got hât sîner diuwe gedâht“
und sanch Magnificat.
si sagete unde sanch
gote gnâde unde danch.
vil michel mandunge was dâ,
100 danach wonete si dâ
eines mânôdes zît,
des frouten sich diu heiligen wîp.

78 daz…gesaget] *In G fehlt* uns *(vgl. SCHACKS, Dichtungen, S. 53, Apparat zu V. 78; zur möglichen Interpretation, dass in G auf den* Johannes, *in V, wo dieser fehlt, auf die Bibel zurückverwiesen wird, vgl. PRICA, Frau Ava, S. 94).*

75 Das wurde dort auf der Stelle offenbar,
als er sein Wort sprach.
Daraufhin begab sich die Jungfrau –
das wurde uns auch zuvor gesagt –
in die Stadt Juda,
80 in das Haus des Zacharias.
Darin fand sie
eine Frau mit heiterer Gesinnung.
Deren Leib war schwanger
mit dem guten Johannes.
85 Als sie Marias Stimme vernahm,
begann sie sofort zu weissagen.
Sie sprach: „Aus welchem Grund geschieht es,
dass du zu mir kommst?
Mutter meines Herrn,
90 mein Kind will dich ehren,
das freut sich in meinem Innern,
es hat sich zu dir hin gewandt.“
Da küsste sie die Herrin,
Sankt Maria.
95 Sie sprach: „Gott hat seiner Dienerin gedacht“
und sang [das] *Magnificat*.
Sie sagte und sang
Gott demütig Dank.
Da herrschte überaus große Freude,
100 danach wohnte sie dort
für die Dauer eines Monats,
darüber freuten sich die heiligen Frauen.

79 *in*[1] *... Juda.* Während im *Johannes* nur die vage und zugleich ungewöhnliche Angabe erscheint, dass Elisabeth und Zacharias in der Nähe von Nazareth leben (vgl. J V. 11), wird ihr Wohnort hier als *die burch Juda* beschrieben, was möglicherweise so zu deuten ist, dass Ava Judäa nicht als Landstrich verstand, sondern als Stadt (dagegen aber LJ V. 220 *von Bethlehem Juda*, was wohl eher als „aus Bethlehem in Judäa“ zu verstehen ist). **82** *mit ... Gesinnung.* Bei den Worten *mit liehteme sinne* „handelt es sich um eine alte Formel, die die göttliche Erleuchtung religiös begabter Naturen bezeichnen soll“ (KIENAST II, S. 287). Vgl. auch J V. 201, SG V. 104 und 118. **93** *Da ... Herrin.* Hierbei handelt es sich um einen Zusatz zum Evangelium (vgl. GREINEMANN, Quellenfrage, S. 55), das Motiv findet sich häufig in der Malerei der Zeit, wobei die Geste dem Ritus des lateinischen Friedenskusses folgt (vgl. SCHACKS, Dichtungen, S. 52, Anm. zu V. 93f., und ausführlich GUTFLEISCH-ZICHE, Bildliches Erzählen, S. 203f.). **96** *Magnificat.* Eingangswort von Marias Lobgesang (Lk 1,46–55; „[Meine Seele] preist die Größe [des Herrn]“); täglich im Vespergottesdienst gesungen (vgl. THORNTON, Poems, S. 42, Anm. 6). Wieder setzt Ava die Kenntnis des unübersetzten Zitats bei ihrem Publikum voraus. **101** *für ... Monats.* Lk 1,56 spricht von drei Monaten. Statt eines Fehlers (so KIENAST II, S. 287f.; SCHACKS, Dichtungen, S. 54, Anm. zu V. 101) ist auch denkbar, dass Ava die Zeitspanne zwischen Mariä Heimsuchung, dem 31. Mai, und der Geburt des Johannes, dem 24. Juni., ansetzt (vgl. RUSHING, Ava's New Testament Narratives, S. 232, Anm. 5).

Dô diu heiligen tougen,
diu dâ ergân was uber unser frowen,
105 Josebe rehte chunt wart getân,
des erchom sich der hailige man.
er wolt tougelîchen
der frowen geswîchen.
der engel ime zuo sprach
110 in dem slâfe, dâ er lach.
er sagete ime ze wâre,
daz daz chint von dem hailigen geiste enphangen wære.
Dô iz got wolte
unde iz werden solte,
115 Josep der guote
die magit er dannen vuorte
in die burch ze Bethlehem,
dâ diu geburt solt ergên.
das hêten die wîssagen
120 gechundet vor manegem tage.
dô was von allen enden
michel werlt dar gesendet,
der Juden ein vil michel craft,
si scolten werden zinshaft
125 ze den rômisken rîchen,
dâ nemohte niemen dem anderen entwîchen.
Dô Josep begunde werven
umbe di herberge,
dô neliez in niemen în:
130 got gab im den gesin,
daz er den esel zeiner chrippe treip,
diu hêre magit da beleip.
dâ vunden si ein rint,

Als die heiligen Geheimnisse,
die unserer Herrin dort widerfahren waren,
105 Joseph zutreffend kundgetan wurden,
erschrak der heilige Mann darüber.
Er wollte heimlich
die Herrin im Stich lassen.
Der Engel sprach zu ihm,
110 als er schlafend dalag.
Er sagte ihm wahrheitsgemäß,
dass sie das Kind vom Heiligen Geist empfangen hätte.
Weil Gott es wollte
und es geschehen sollte,
115 führte Joseph, der Gute,
die Jungfrau fort
in die Stadt Bethlehem,
wo die Geburt stattfinden sollte.
Dies hatten die Propheten
120 vor langer Zeit verkündet.
Damals wurden aus allen Weltgegenden
viele Leute dorthin gesandt,
eine große Anzahl von Juden,
die dem Römischen Reich
125 tributpflichtig werden sollten;
dort konnte niemand dem anderen ausweichen.
Als Joseph sich
um eine Herberge zu bemühen begann,
da ließ ihn niemand ein:
130 Gott gab ihm den Gedanken ein,
den Esel zu einer Krippe zu treiben;
die heilige Jungfrau blieb dort.
Dort fanden sie ein Rind,

103 *Als ... 168 ab.* V. 103–168 basieren auf Mt 1,18–25 und Lk 2,1–20 (vgl. THORNTON, Poems, S. 42). V. 103–112 thematisieren Josephs Zweifel, Mt 1,18–21 bilden die Perikope der Weihnachtsvigil (vgl. SCHACKS, Dichtungen, S. 54, Anm. zu V. 103–112). **127** *Als ... 131 treiben.* Das Motiv der Herbergssuche wird für Ava zu einem Beleg für Gottes Fügung: Die von Gott kommende Eingebung ist kein Befehl, sondern wird durch das mhd. Präteritum ununterscheidbar von Josephs Handeln. **133** *Dort ... 138 Kind.* Im Beiseiteweichen von Rind und Esel zeigt sich bildlich die auratische Präsenz des Neugeborenen, die Tiere gewähren der Heiligkeit den benötigten Raum. Die Ausdeutung von Tierverhalten als Hinweis auf (künftige) Herrschermacht und Göttlichkeit steht in antiker Tradition; man denke etwa an Suetons Deutung des Niederfallens eines Rinds vor Vespasian als Hinweis auf dessen künftige Kaiserwürde (vgl. Sueton, Vespasian 5,4). Die Zeichenhaftigkeit erklärt die Ergänzung der ansonsten sparsam ausgestalteten Szenerie um dieses nicht den Evangelien entstammende, von Jes 1,3 angeregte Detail, das in die bildende Kunst früher Eingang fand als in die Literatur, in der die Passage bei Ava als erste Gestaltung des Motivs gilt (vgl. MASSER, Kindheit, S. 190 und 192, und zu Avas möglichen Quellen SCHACKS, Dichtungen, S. 56, Anm. zu V. 131–137; GREINEMANN, Quellenfrage, S. 57; GUTFLEISCH-ZICHE, Bildliches

dâ wart geborn daz frône chint,
135 mit den tuochen umbe hebet,
in die chrippe geleget.
dô entweich der esel unde daz rint,
si êrten iesâ daz frône chint.
Der dâ lach an dem lufte,
140 der hât in sîner hant alle himeliske chrefte;
den bevie der magde wambe,
der ist noch unbevangen
in himele unde in erde:
daz er gebôt, daz muose werden.
145 dô erscein ein engel alsô hêr
an dem velde ze Betlehem.
er sagete den hirten,
die dâ wacheten uber ir chorter,
daz dâ geborn wâre
150 der werlt hailâre.
Dâr nâch pî einer wîle,
dô sâhen si scînen
der engel ein vil michel craft,
si wurden dâ dienesthaft
155 mit michelen êren
unserem herren.
dô sanch daz her himelisk:
„Gloria in excelsis."
Die hirte niene erwunden,
160 des morgenes si in vunden.

dort wurde das göttliche Kind geboren,
135 in Tücher eingehüllt
und in die Krippe gelegt.
Da wichen der Esel und das Rind zur Seite,
sie ehrten sogleich das heilige Kind.
Derjenige, der dort an der Luft lag,
140 hält in seiner Hand alle himmlische Macht,
[der,] den der Jungfrau Leib aufnahm,
den vermögen dennoch
Himmel und Erde zugleich nicht aufzunehmen:
Was er befahl, das musste geschehen.
145 Daraufhin erschien ein ganz herrlicher Engel
auf dem Feld bei Bethlehem.
Er sagte den Hirten,
die dort über ihre Herde wachten,
dass dort
150 der Retter der Welt geboren worden wäre.
Daraufhin, nach einer Weile,
sahen sie
eine überaus große Heerschar von Engeln erstrahlen;
da wurden sie
155 mit großen Ehren
unserem Herrn dienstbereit.
Da sang das himmlische Heer:
„*Gloria in excelsis*."
Die Hirten ruhten nicht,
160 und am Morgen fanden sie ihn.

Erzählen, S. 204 und 294; THORNTON, Poems, S. 43, Anm. 7). Eine bekannte frühma. Bildfassung ist eine im 9. Jh. entstandene, heute im Londoner Victoria and Albert Museum verwahrte Elfenbeinplatte vom Einband des Lorscher Evangeliars (Inv.-Nr 138–1866), die in der Mitte des unteren Bildfelds beide Tiere an der Krippe zeigt (Abb. bei TOMAN, Einführung, S. 11).
139 *Derjenige ... 143 aufzunehmen.* Der die Begrenzungen von Himmel und Erde übersteigende Gott wird in der Jungfrauengeburt zum kleinen, verletzlichen Menschen. KIENAST verweist auf eine ähnliche Formel im Hymnus des Petrus Damiani (DREVES, Anal. hymn. 48, S. 52, Nr. 54, Str. 4, zitiert nach KIENAST II, S. 288): *Quem mundus ferre nequit, / Totum vulva concepit, / Quo circumitur aether, / Puellae clausit venter* [„Den, den die Welt nicht tragen kann, / empfing der Mutterschoß ganz und gar, / den, durch den der Himmel umfangen wird, / umschloss der Bauch der Jungfrau", Übers. d. Hgg.] und einen möglichen Bezug zu Weish. 7,3 („Geboren atmete auch ich die gemeinsame Luft, ich fiel auf die Erde, die Gleiches von allen erduldet, und Weinen war mein erster Laut wie bei allen."). **158** *Gloria ... excelsis.* Lat.: Ehre in den Höhen (eigentlich: *Gloria in excelsis deo* – „Ehre [sei] Gott in den Höhen", Übers. d. Hgg.): Hier, an der vertrauten Zentralstelle der Heilsgeschichte, wird mit dem verkürzten Zitat aus Lk 2,14 abermals auf das Evangelium verwiesen und dessen Kenntnis vorausgesetzt.

wære unser herze guot,
sô mahten wir sehen diemuot:
an dem êrsten tage,
alse ich vernomen habe,
165 dô wart gebrievet daz chint
ze Rôme umbe einen phenninch.
durch gotlîche geslahte
sône gechêrte er nie von menesclîcheme rehte.
Ê er uns wurde gesendet,
170 er wart ê gurchundet
in Octavianes zîten
vor heidiniscen liuten.
iz was ein hêrlîch dinch:
si sâhen ze Rôme einen rinch
175 gên umbe den sunnen,
ûz einem hûs flôz ein olebrunne.
daz bezeichenôt daz,
daz er ein wârez lieht was
unde diu oberesten gnâde
180 ân anegenge unde ân ende ze wâre.

Wäre unser Herz gut,
so könnten wir Demut erkennen:
Am ersten Tag,
so wahr ich es vernommen habe,
165 da wurde das Kind
in Rom eingetragen für einen Pfennig.
Niemals wandte er sich aufgrund seiner göttlichen Abstammung
von menschlichem Gesetz ab.
Bevor er uns gesandt wurde,
170 wurde zuvor
zu Octavians Zeiten
vor heidnischen Menschen Zeugnis über ihn abgelegt.
Es war eine herrliche Begebenheit:
In Rom sahen sie einen Ring
175 um die Sonne gehen,
aus einem Haus floss ein Ölbrunnen.
Das bedeutet,
dass er ein wahres Licht war
und die höchste Gnade,
180 fürwahr ohne Anfang und ohne Ende.

161 *Wäre ... 162 erkennen.* Bezug des Verspaars in beide Richtungen möglich. Während unsere Zeichensetzung der Interpretation folgt, dass zur im Folgenden geschilderten Demut des Gottessohns übergeleitet wird (vgl. dazu SCHACKS, Dichtungen, S. 58, Anm. zu V. 161f.), ist zugleich vorstellbar, dass die Hirten als Exempel der Demut geschildert werden (vgl. STEIN, Literarhistorische Beobachtungen, S. 35). **166** *in ... Pfennig.* Im römischen Reich war seit Augustus die amtliche Registrierung neugeborener Kinder binnen 30 Tagen nach der Geburt verpflichtend (vgl. WEEBER, Alltag, S. 135). **167** *Niemals ... 168 ab.* Die Verse illustrieren die Demut des Gottessohns, der sich trotz seiner göttlichen Abstammung den Menschen auferlegten Gesetzen unterwirft (vgl. SCHACKS, Dichtungen, S. 58, Anm. zu V. 161f.; ein bekanntes Bibelwort dafür ist Mk 12,17, Jesu Antwort auf die Frage nach der kaiserlichen Steuer: „So gebt dem Kaiser, was dem Kaiser gehört, und Gott, was Gott gehört!“). Daneben spielt aus erlösungstheoretischer Perspektive auch die Tarnung der Göttlichkeit Christi eine Rolle: „Christus versteckt seine Gottheit, indem er sich in allem, also auch in der Unterwerfung unter staatsbürgerliche Pflichten, wie ein Mensch benimmt, um den Teufel zu täuschen“ (STEIN, Literarhistorische Beobachtungen, S. 37; vgl. V. 1664–1670). Aufgrund der Doppelfunktion der demütigen Handlung changiert die Bedeutung von *durch gotlîche geslahte* zwischen „obwohl er Gott war“ und „weil er eben Gott war“. **169** *Bevor ... 180 Ende.* Ölquell und Ring um die Sonne sind seit Orosius als gemeinsam erwähnte Vorzeichen der Geburt Christi nachweisbar (vgl. NELLMANN, Annolied, S. 104, Kommentar zu V. 31,9–12; zur Herleitung der Motive auch KIENAST II, S. 289ff.). Avas Deutung des Ölquells folgt der Tradition, der Ring um die Sonne steht üblicherweise „für die überlegene Macht Christi“ (ebd., S. 291). Das *Annolied* schildert das Wunder ähnlich: *des erschinin sân ci Rôme / godis zeichin vrône: / ûzir erdin diz lûter olei sprang, / scône ranniz ubir lant; / vmbe diu sunnin ein creiz stûnt, / alsô rôt sô viur unti blût.* – „Deshalb erschienen alsbald in Rom / Gottes heilige Zeichen: / Aus der Erde sprudelte lauteres Öl; / schön floß es übers Land. / Die Sonne umgab ein Kreis, / so rot wie Feuer und Blut“ (AL V. 31,7–12). **171** *Octavians.* Octavian: Der römische Kaiser Augustus.

Dô daz chint geborn wart,
ein sterne iesâ gesehen wart,
der brâhte ein unchundez lieht:
dô nezwîfelôten niht
185 in dem selben zîte
die heidenisken liute.
sich huoben drî chunege
her ze Jerosolima
ennen ôstert verre,
190 di wîste der selbe sterne
ûz ir lande:
dâ bî si daz erchanden,
daz der chunich hailant
chomen was in unser lant.
195 Dô îlten die herren
ze Jerusalem chêren.
si begunden vrâgen
die wîsen, di dâ wâren,
ube daz kint mære
200 dâ geborn wære,
chunich der Judene,
liehtvaz der tugende.
dô fuor daz mære uber al,
daz niemen nehal,
205 daz got geborn was.
die ubelen getruopte daz.
dô fraist iz Herodes,
er was sun des êwigen tôdes.
dô hiez er im gewinnen
210 die diu buoch chunden.
der vil ungehiure,

Als das Kind geboren wurde,
wurde sogleich ein Stern erblickt,
der ein fremdartiges Licht spendete:
Da, zu derselben Zeit,
185 zweifelten
die heidnischen Menschen nicht.
Drei Könige reisten
herbei nach Jerusalem
aus dem fernen Osten,
190 die führte ebendieser Stern
aus ihrem Land:
Daran erkannten sie,
dass der König und Erlöser
in unser Land gekommen war.
195 Da beeilten sich die Herren,
nach Jerusalem zu reisen.
Sie begannen,
die Weisen, die dort lebten,
über das berühmte Kind auszufragen,
200 das dort geboren worden sei,
König der Juden,
Leuchte der Vortrefflichkeit.
Da sprach sich die Nachricht überall herum,
die niemand für sich behielt,
205 dass Gott geboren worden war.
Die Bösen beunruhigte das.
Da schauderte es Herodes,
er war der Sohn des ewigen Todes.
Darauf befahl er, ihm diejenigen zu bringen,
210 die sich mit den [heiligen] Schriften auskannten.
Der überaus Schreckliche

181 *Als ... wurde*[1]. Zu V. 181–304 vgl. Mt 2,1–12, Perikope am 6. Januar (vgl. SCHACKS, Dichtungen, S. 60, Anm. zu V. 181–304). **184** *Da ... 186 nicht.* Die Erklärung dafür, dass das heidnische Volk den Stern richtig deutet, bietet die Prophezeiung des Bileam in Num 24,17: *Orietur stella ex Iacob et consurget virga de Israel* bzw. *et consurget homo de Israel* (vgl. MASSER, Kindheit, S. 214; „Ein Stern geht in Jakob auf, ein Zepter/Mensch erhebt sich in Israel", Übers. d. Hgg.). **187** *Drei ... 189 Osten.* In Mt 2,1f. ist die Rede von den *magi* – gemeinhin als „Sterndeuter" (Einheitsübersetzung) oder „Weise" (Lutherbibel, Elberfelder Bibel) übersetzt –, die von Osten nach Jerusalem kommen, um dem neugeborenen König der Juden zu huldigen (vgl. dazu ausführlich MASSER, Kindheit, S. 195–246). Avas *Leben Jesu* bietet den ersten Beleg in der deutschsprachigen Literatur für die heute weit verbreitete Bezeichnung dieser Sterndeuter als Könige, vielleicht aufgrund der in LJ V. 273–288 aufgegriffenen Prophezeiung aus Ps 72,10f. (nach Zählung der Vulgata: Ps 71; vgl. THORNTON, Poems, S. 46, Anm. 10, und MASSER, Kindheit, S. 210–213). Wie bei Ochs und Esel an der Krippe überführt Ava in der zeitgenössischen Ikonographie vorgeprägte Bildvorstellungen in die Dichtung (vgl. dazu ausführlich GUTFLEISCH-ZICHE, Bildliches Erzählen, S. 205 mit Beispielen, und SCHILLER, Ikonographie I, S. 105f.).

er beswuor si vil tiure,
daz si im sageten,
wie si gelesen habeten,
215 nâch ir wânen,
wanne Crist chôme.
Si sprâchen alle gemaine:
„er chumet ze unserme haile,
iz chut diu scriptura:
220 ‚von Betlehem Juda
dâ ze Davides hûs,
dâ vert daz chint ûz,
der Israel rihtet,
der werlt er aller phliget.‘
225 got weiz, herre,
nu newizzen wir niht mêre.
ob er noch geborn sî,
des frâge du di chunige drî,
di ôsteren geste,
230 di sagen uns von Criste.“
Dô hiez er îlen gengen
die chunige gewinnen.
er bat si sagen mære,
obe Crist geborn wære.
235 den ir sternen,
den sæhe er gerne,
wan er an vienge,
daz er ûf gienge,
ube sîn geverte wære êrlîch
240 anderem stirne gelîch.
dô der unguote
iz allez ersindôte,
dô hiez er si dane gên
suochen dâ ze Betlehem.
245 dô si urloup nâmen
unde si ze wege chômen,

216 wanne] *nach V; G* wenne *(vgl. auch Stellenkommentar und* Schacks, Dichtungen, S. 62f., Anm., Apparat und krit. Text zu V. 215f.*).* **224** der…phliget] *V* der werlt er aller philiget. *SCHACKS bessert zu* die werlt er alle phlihtet, *gestützt durch G. Wie KIENAST und MAURER folgen wir mit geringer Änderung der Schreibweise (*phliget*) V (vgl. SCHACKS, Dichtungen, S. 62f., Anm., Apparat und krit. Text zu V. 224), die auch die Übersetzungsmöglichkeit „er beschützt/besitzt die ganze Welt“ eröffnet (vgl. LEXER, Mhd. Handwörterbuch, Bd. 2, Sp. 252* phlegen *mit Gen.).*

beschwor sie sehr eindringlich,
dass sie ihm so, wie sie es
gelesen hätten, sagen sollten,
215 wann, woher und warum ihrer Ansicht nach
Christus komme.
Sie sprachen alle gemeinsam:
„Er kommt zu unserer Rettung.
Es spricht die *scriptura*:
220 ‚Von Bethlehem in Judäa,
dort aus dem Hause Davids
da geht das Kind hervor,
das Israel richtet,
er nimmt sich der ganzen Welt an.‘
225 Gott weiß, Herr,
dass wir nun nichts weiter wissen.
Ob er schon geboren wurde,
das frage die drei Könige,
die Fremden aus dem Osten,
230 die uns von Christus künden.“
Daraufhin befahl er, eilig aufzubrechen,
um die Könige herbeizuschaffen.
Er bat sie, Auskunft darüber zu geben,
ob Christus geboren worden sei.
235 Ihren Stern
würde er gern sehen,
wenn er
aufzugehen begann,
[um zu sehen,] ob seine herrliche Bahn
240 anderen Gestirnen gleich sei.
Als der Grausame
dies alles ausgekundschaftet hatte,
da befahl er ihnen, fortzugehen
und dort in Bethlehem zu suchen.
245 Als sie Abschied nahmen
und auf den [rechten] Weg kamen,

215 *wann ... warum*. Herodes befragt die Schriftgelehrten. Das hier in seiner Mehrdeutigkeit ausgeschöpfte Fragewort *wanne* kann „woher“ (LEXER, Mhd. Handwörterbuch, Bd. 3, Sp. 682), „wann“ (ebd., Sp. 681) und als Nebenform von *wan* auch „warum“ (ebd. Sp. 669) bedeuten. Mt 2,4 folgend, liegt eine Entscheidung für „woher“ nahe (vgl. SCHACKS, Dichtungen, S. 62, Anm. zu V. 216); in Mt 2,7–8 jedoch fragt Herodes, „wann der Stern erschienen war“. Die Antwort deckt das gesamte Bedeutungsspektrum ab, da nach dem Grund für das Kommen Christi der prophezeite Geburtsort und die Unsicherheit bezüglich des Geburtstermins aufgezählt werden. **219** *spricht*. Die Wortform *chut* ist abgeleitet von *queden* (*quoden*): „sagen, sprechen“ (vgl. LEXER, Mhd. Handwörterbuch, Bd. 2, Sp. 319; man denke auch an das vergleichbare lat. *inquit* – „er/sie/es [hat] gesagt“ – oder das gleichbedeutende mittelengl. *quoth*). *scriptura*. Lat.: Schrift, Heilige Schrift.

dô erscein in ein liehter sterne,
den sâhen si gerne.
dô gieng er sîner rihte
250 zer aller gesihte
uber die hailigen stat:
dâ daz kint ane lach,
dâ diu muoter ane saz,
dâ gestuont daz liehtvaz.
255 dô zugen si abe ir gewant,
si giengen in daz hûs samt.
dâ vunden si inne
die muoter mit dem chinde.
si gestunten ir bî,
260 si vielen nider alle drî.
vile wole si gebeteten,
dâ nâch si ime gebeten
golt zaller êrist,
wande er ist chunich hêrist.
265 wîrouch vil wol gezimet,
swâ man got opfer gibet.
daz gâben si im umbe daz,
daz er wârer got was.
dô gâben si im zeleste
270 aller rouch beste,
di rôten mirren umbe daz,
daz er wârer mennisce was.
uns hête der psalmiste
gesaget von Criste,
275 daz er die sundigen diet
nelieze under wegen nîht.
drî chunige hêre
die scolten Crist êren.
si brâhten gebe mære,
280 tiure unde swære,
daz golt von Arabya,
das was ergangen iesâ.

253 dâ[1] … saz] *fehlt in V, wird nach* DIEMER *gemäß G ergänzt; wie* SCHACKS *folgen wird dieser Vorlage entgegen* KIENASTs *Besserung (vgl.* KIENAST *II, S. 291f.) und* MAURERs *Edition (vgl.* SCHACKS*, Dichtungen, S. 66f., Anm., Apparat und krit. Text zu V. 251.– 254).* **267** im … 271 daz] *V* daz gâben si got umbe daz / daz er wære mennisce was. *V. 268–271 werden seit* DIEMER *gemäß G ergänzt (vgl.* SCHACKS*, Dichtungen, S. 67, Apparat zu V. 268.– 271).*

da erschien ihnen ein heller Stern,
den sie mit Freude sahen.
Da zog er seine gerade Bahn
250 für sie alle sichtbar
über die heilige Stätte:
Wo das Kind lag,
wo die Mutter saß,
dort blieb das Licht stehen.
255 Da legten sie ihre Rüstung ab
und gingen zusammen in das Gebäude.
Darin fanden sie
die Mutter mit dem Kind.
Sie traten nahe zu ihr,
260 sie fielen alle drei nieder auf die Knie.
Sehr innig beteten sie,
danach schenkten sie ihm
zuallererst Gold,
denn er ist der erhabenste König.
265 Weihrauch ist überaus angemessen,
wo auch immer man Gott Opfer darbringt.
Den gaben sie ihm deshalb,
weil er ein wahrer Gott war.
Danach gaben sie ihm zuletzt
270 das allerbeste Räucherwerk,
die rote Myrrhe, deshalb,
weil er ein wahrer Mensch war.
Der Psalmist hatte uns
von Christus gesagt,
275 dass er die sündigen Menschen
nicht im Stich lassen würde.
Drei vornehme Könige
sollten Christus Ehre erweisen.
Sie brachten ihm eine wertvolle Gabe,
280 kostbar und schwer,
das Gold aus Arabien:
So hatte es sich sogleich erfüllt.

263 *Gold ... 272 war.* Zur allegorischen Deutung der Gaben Gold, Weihrauch und Myrrhe bei den Kirchenvätern vgl. GREINEMANN, Quellenfrage, S. 63. **273** *Der ... 282 erfüllt.* Bezug zu Ps 72,10–11 (nach der Zählung der Vulgata Ps 71), in dem sowohl von einem gerechten König die Rede ist, der sich der Armen und Schwachen annimmt, als auch Geschenke bringende Könige erwähnt werden (vgl. KIENAST II, S. 292; GREINEMANN, Quellenfrage, S. 63; RUSHING, Ava's New Testament Narratives, S. 232, Anm. 8; THORNTON, Poems, S. 49, Anm. 12; MASSER, Kindheit, S. 212; KIENAST II, S. 292).

Dô si dô gebeteten,
eine naht si sich enthabeten,
285 ein scôner engel in erscein,
er zeiget in einen anderen wech hine heim,
daz si niene chômen hine widere
ze dem ungetriuwen chunege,
der mit sînem liste
290 wolde slahen Cristen,
der sich gezechinet hât
an des tieveles getât,
der alle die wirret
unde vil vlîzechlîchen irret,
295 di der ze gote gênt
unde sîn dienest bestênt.
Lieben mîne herren,
des scult ir got flêgen,
daz wir den vermîden,
300 sô wir heim îlen.
sô megen wir mit gesunde
chomen heim ze lande,
hin ze paradyse
ûzer dirre freise.
305 Dô si duo befunden
der Juden lûterunge
unde si dâ getageten,
als iz diu ê habete,
vierzech tage unde naht,

291 gezechinet] *Lesart von* gezeichenet. **305** befunden] *G* erfunden. *SCHACKS folgt mit* erwunden *KIENASTs Besserung (vgl. KIENAST II, S. 293 unter Bezugnahme auf die biblische Gesetzesstelle Lev 12,2–4, und SCHACKS, Dichtungen, S. 70f., Anm., Apparat und krit. Text zu V. 305), MAURER hingegen gibt der Lesart* erfulden *den Vorzug, die eine große Nähe zum Evangelientext (der erfüllten Tage der Reinigung –* impleti sunt dies purgationis*) aufweist (vgl. Lk 2,22).*

Als sie dort beteten,
hielten sie sich eine Nacht lang auf.
285 Ihnen erschien ein schöner Engel;
er zeigte ihnen einen anderen Rückweg nach Hause,
damit sie nicht wieder hin
zu dem treulosen König kämen,
der in seiner Verschlagenheit
290 Christus ermorden wollte
und sich ausgezeichnet hat
im Werk des Teufels,
der all jene verwirrt
und mit viel Eifer auf Abwege bringt,
295 die sich Gott zuwenden
und sich verpflichten, ihm zu dienen.
Meine lieben Herren,
darum sollt ihr Gott anflehen,
dass wir ihm [dem Teufel] entrinnen,
300 wenn wir nach Hause eilen,
damit wir unbeschadet
heimwärts,
hin zum Paradies, gelangen können,
fort aus dieser Drangsal.
305 Als sie sich danach
der Reinigung [nach dem Gesetz] der Juden unterzogen
und dort verweilten,
wie es das Gesetz vorschrieb,
[nämlich] vierzig Tage und Nächte,

283 *Als ... 304 Drangsal.* Ava verdeutlicht die gleichbleibende Aktualität der biblischen Geschichte, indem sie daraus eine zeitlose Handlungsmaxime ableitet: Über Herodes, der sich dem Bösen verschrieben hat, verweist sie auf den Teufel und vergleicht die Rückreise der Könige mit der von den Gläubigen angestrebten Heimkehr ins Paradies, die nur möglich ist, wenn man den Teufel meidet (vgl. hierzu die Deutung von MASSER, Kindheit, S. 214ff.). **285** *Ihnen ... Engel.* In Mt 2,12 ist nur von einem Traum die Rede, in dem den Sterndeutern geboten wird, Herodes nicht mehr aufzusuchen, nicht aber von der Engelserscheinung, zu der Ava womöglich durch bildliche Darstellungen angeregt wurde (vgl. GREINEMANN, Quellenfrage, S. 61; allgemein zur Einfügung des Engels auch KIENAST II, S. 292). Obwohl bei Ava durchaus auch die direkte göttliche Eingebung vorkommt (vgl. LJ V. 130f.), entspricht die Erwähnung des Engels ihrer Tendenz, das Moment der persönlichen Interaktion zu betonen. **297** *Meine ... Herren.* Die ehrende Anrede wurde mehrfach zur Bestimmung von Avas Publikum herangezogen, ohne dass in der Forschung Einigkeit darüber bestünde, ob sie (weltlichen) Adligen, Geistlichen oder Laienbrüdern gilt oder gar bewusst offen gehalten ist (vgl. die unterschiedlichen Deutungen bei EHRISMANN, Mittelhochdeutsche Literatur, S. 120; KIENAST II, S. 292f.; THORNTON, Poems, S. 49, Anm. 12; STEIN, Literarhistorische Beobachtungen, S. 74, Anm. 202; WEHRLI, Sacra Poesis, S. 63). Die Wendung an die *herren* erfolgt in einem Kontext, in dem Könige als positives wie abschreckendes Beispiel dienen und so vielleicht weltlich Mächtige, die sich mit ihnen identifizieren könnten, angesprochen sind (vgl. HINTZ, Learning, S. 110f.).

310 Josep ire mit triuwen phlach.
dô fuort er si vone Bethlehem
in die burch ze Jerusalem.
dô îlten si ze dem templo chêren,
dâ vunden si einen wîsen herren.
315 Symeon der alte,
deme hête got den lôn behalten,
daz er in niht von der werlt ennâme,
ê er den gotes sun gesâhe.
diu frouwe gap daz chindelîn
320 dem herren an den arm sîn.
dô er den gotes sun enphie,
alter im von den ougen gie.
dô gesach er heiterlîchen,
des lobte er got den rîchen.
325 si hiez in tragen scône
ze dem altere frône,
daz er ime tâte,
alse iz diu ê habete.
dô brâhten si mit sinne
330 daz opfer zuo dem chinde:
zwâ tûben ûf den gotes tisk;
Symeon sanc: „Nunc dimittis."
Mit in wonete ein wîp,
diu habete gehalten ir lîp
335 mit michelen êren
viere unde ahzech jâre.
daz was Anna prophêtisse,
diu chunte in uns gewisse.
si was tohter Phanuel
340 unde was geborn de tribu Asser.
Joseph unde Mariun
die hêten michel wunderon.
Symeon iz niemen nehal,
er sprach: „diz ist ein urstende unde ein val."

310 sorgte Joseph getreulich für sie.
Danach führte er sie von Bethlehem
in die Stadt Jerusalem.
Dort begaben sie sich in aller Eile zum Tempel.
Da fanden sie einen weisen Herrn,
315 Simeon, den Alten,
dem hatte Gott die Auszeichnung vorbehalten,
ihn nicht von der Welt zu nehmen,
bevor er den Sohn Gottes gesehen hätte.
Die Herrin legte
320 dem Herrn das Kindlein in den Arm.
Als er den Gottessohn empfing,
wich ihm das Alter von den Augen.
Da sah er klar,
deshalb pries er Gott, den Mächtigen.
325 Sie ließ ihn behutsam
zu dem heiligen Altar tragen,
auf dass er [Simeon] an ihm verfahre,
wie es das Gesetz vorschrieb.
Dann brachten sie mit Bedacht
330 das Opfer zu dem Kind:
[nämlich] zwei Tauben auf den Tisch Gottes;
Simeon sang: „*Nunc dimittis*."
Bei ihnen hielt sich eine Frau auf,
die hatte ihren Leib
335 mit großen Ehren
vierundachtzig Jahre lang behütet.
Das war Hanna, die Prophetin,
die ihn uns ohne Zweifel verkündigte.
Sie war die Tochter Penuëls
340 und geboren *de tribu* Ascher.
Joseph und Maria,
die wunderten sich sehr.
Simeon verhehlte es niemandem,
er sprach: „Dies ist Aufstieg und Fall [zugleich]."

319 *Die ... 320 Arm.* Lk 2,28 berichtet nur, dass „Simeon das Kind in seine Arme" nahm, während die von Ava geschilderte Übergabe des Kindes von Maria an Simeon sich an zeitgenössische Bilddarstellungen anlehnt (vgl. GUTFLEISCH-ZICHE, Bildliches Erzählen, S. 206 mit Beispielen, u. a. einer Abbildung aus G zu dieser Szene; das Bild von fol. 6r auch bei RUSHING, Ava's New Testament Narratives, S. 73. In G wird der Jesusknabe selbst im Augenblick der Überreichung als thronender Herrscher gezeigt und so eher seine göttliche Macht als seine Rolle als *chindelîn* hervorgehoben). **332** *Nunc dimittis.* Eingangsworte des Lobgesangs des Simeon (Lk 2,29–32 [„Nun lässt du, Herr, deinen Knecht, wie du gesagt hast, in Frieden scheiden" etc.]), täglich in der Komplet gesungen (vgl. THORNTON, Poems, S. 52, Anm. 15, und STEIN, Literarhistorische Betrachtungen, S. 19). **340** *de tribu.* Lat.: aus dem Stamm, vom Stamme.

345 er sprach ze der magde hêre,
daz durch ir sêle
ein swert scolte gên:
dâ mait ir die gotes martyr ane verstên.
dô siz allez gehôrte,
350 dannen si chêrten
in die burch ze Nazaret,
alse iz hie gescriben stêt.
Dô was vile niwens vor im geborn,
der vil lange was erchorn,
355 daz ein sterne wâre,
der vor dem sunnen ûf gienge.
er was ein haiter liehtvaz,
in der wuoste lêrte er daz,
swer sô mit triwen
360 sîne sunde wolte riwen,
dem wârlîche
nâhte daz gotes rîhe.
Dô stunt iz unlange,
ê Herodes wart gevangen
365 in den rômisken landen.
zwei jâr lag er in banden.
dô er en dannen brast,
wie lutzel der chinde genas,
diu in zwein jâren
370 dâ geborn wâren!

348 mait] *Mhd.* mait *kontrahiert aus* meget *(vgl. SCHACKS, Dichtungen, S. 74, Anm. zu V. 348).*
355 daz...wâre] *nach V und SCHACKS (vgl. SCHACKS, Dichtungen, S. 74f., Anm. und Apparat zu V. 355); KIENAST und MAURER setzen gemäß G* er *in den Text ein (*daz er ein sterne wâre*).*

345 Er sprach zu der heiligen Jungfrau,
dass durch ihre Seele
ein Schwert gehen sollte:
Darunter mögt ihr das Martyrium Gottes verstehen.
Nachdem sie dies alles gehört hatte,
350 reisten sie fort
in die Stadt Nazareth,
so wie es hier geschrieben steht.
Dort war kurz vor ihm derjenige geboren worden,
der seit sehr langer Zeit dazu auserkoren war,
355 ein Stern zu sein,
der vor der Sonne aufginge.
Er war ein helles Licht,
in der Wüste lehrte er, dass jedem,
der derart voller Aufrichtigkeit
360 seine Sünde bereuen wollte,
wahrlich
das Reich Gottes nahen würde.
Darauf verging nur eine kurze Zeit,
bevor Herodes in den römischen Landen
365 gefangen genommen wurde.
Zwei Jahre lag er in Fesseln.
Als er von dort entkam,
wie wenige der Kinder am Leben blieben,
die innerhalb von zwei Jahren
370 dort geboren worden waren!

346 *dass ... 348 verstehen.* Ava lässt der Paraphrase von Simeons Äußerung aus Lk 2,32 („Dir selbst aber wird ein Schwert durch die Seele dringen") ihre eigene Auslegung folgen. Die Bibelstelle ist auch Grundlage der in der bildenden Kunst des Mittelalters häufigen Darstellung Marias als von einem oder mehreren Schwertern durchbohrte Schmerzensmutter (*Mater Dolorosa*). **353** *Dort ... 362 würde.* Während V. 353–386 sich an Mt 2,13–23 orientieren, bilden V. 353–362 einen im Evangelium nicht vorgeprägten Einschub (vgl. dazu KIENAST II, S. 294; GREINEMANN, Quellenfrage, S. 67; SCHACKS, Dichtungen, S. 74). Die Rückbesinnung auf den auf Christus vorausweisenden Johannes bindet den bethlehemitischen Kindermord und die Flucht nach Ägypten in den heilsgeschichtlichen Kontext ein: Bei der Bedrohung durch Herodes steht die Erlösung der Menschheit auf dem Spiel. **363** *Darauf ... 372 beweinen.* Mt 2,13–23, die „Perikope am Fest der Unschuldigen Kinder in der Weihnachtsoktav" (SCHACKS, Dichtungen, S. 74, Anm. zu V. 363–386), berichtet nicht von Herodes' zweijähriger Gefangenschaft in Rom, die den Befehl zur Ermordung aller bis zu Zweijährigen erklärt (vgl. MASSER, Kindheit, S. 38). Quelle ist eine Vorform der im 13. Jh. in der *Legenda Aurea* belegten Überlieferung, Herodes habe sich, von seinen Söhnen angeklagt, ein Jahr lang in Rom aufhalten müssen (vgl. RUSHING, Ava's New Testament Narratives, S. 232, Anm. 12). Die Legende vereint wohl die Nachricht über einen zwischen Herodes dem Großen und zweien seiner Söhne schwelenden Konflikt, der mit römischer Hilfe beigelegt werden sollte (vgl. Flavius Josephus, AJ 16,4,1–4), mit dem historisch weit späteren Romaufenthalt seines Enkels Herodes Agrippa, der auf Befehl des Tiberius gefangengesetzt und erst unter dessen Nachfolger Caligula wieder freigelassen wurde (vgl. ebd., AJ 18,6,6f. und 18,6,10).

er hiez si elliu erslahen,
daz muosen diu armen wîp chlagen.
Daz undervuor Joseph der guote
mit der engelisken huote.
375 si huoben sich beidiu eines nahtes ensamt
unde fuorten daz chint in Egiptenlant.
wolten wir iz merchen,
iz mahte unsich in dem heiligen gelouben sterchen:
dô daz chint in daz lant reit,
380 nehein apgot ganz dâ nebeleip.
dâ dienoten si im ze wâre
sibentehalp jâre,
unze Herodes versciet.
der heilige engel daz geriet,
385 daz si den gotes werden
fuorten widere in die israhelisken erde.
Dannen uber driu jâr
dô vuor diu mait, daz ist wâr,
zeiner tult hin ze Jerusalem;
390 si bat daz chint mit ir gên.
dô si gebetete,
vil wol sie getagete.
dô iz allez was ergangen,

378 gelouben] *V:* iz mahte unsich in dem heiligen sterchen – gelouben *mit* KIENAST *(vgl.* KIENAST *II, S. 295),* SCHACKS *(*SCHACKS*, Dichtungen, S. 76f., Anm., Apparat und krit. Text zu V. 378) und* MAURER *aus G ergänzt.*

Er befahl, sie alle zu erschlagen,
das mussten die armen Frauen beweinen.
Das verhinderte Joseph, der Gute,
mit dem Beistand der Engel.
375 Eines Nachts machten sich Maria und Joseph zusammen auf
und führten das Kind nach Ägypten.
Wenn wir es beachten wollten,
könnte es uns in dem heiligen Glauben stärken:
Als das Kind ins Land ritt,
380 blieb dort nicht ein Götzenbild unversehrt.
Dort dienten sie ihm wahrlich
sechseinhalb Jahre,
bis Herodes starb.
Der heilige Engel riet dazu,
385 dass sie den Gottgefälligen
wieder auf israelischen Boden führten.
Über drei Jahre danach
reiste die Jungfrau, das ist wahr,
zu einem religiösen Fest nach Jerusalem;
390 sie bat das Kind, mit ihr zu gehen.
Dort betete sie
und verbrachte den Tag sehr gut.
Als alles zu Ende gegangen war,

377 *Wenn ... 378 stärken.* Wie schon in V. 161f. ist ein Bezug des Erzählerkommentars in beide Richtungen denkbar (vgl. STEIN, Literarhistorische Beobachtungen, S. 35), als Resümee der durch den fürsorgenden Schutz der Engel gelingenden Flucht (vgl. GREINEMANN, Quellenfrage, S. 60 und 68) oder als Einstimmung auf die folgenden Verse um den Sturz der ägyptischen Götterbilder (vgl. SCHACKS, Dichtungen, S. 76, Anm. zu V. 377f.). **379** *Als ... 380 unversehrt.* Anspielung auf Jes 19,1: *Ecce Dominus ascendet super nubem levem et ingredietur Aegyptum et commovebuntur simulacra Aegypti a facie eius* – „Seht, der Herr fährt auf einer leichten Wolke daher; er kommt nach Ägypten. Vor seinem Angesicht zittern die Götter Ägyptens" (vgl. THORNTON, Poems, S. 54, Anm. 19; PIPER, Geistliche Dichtung I, S. 225; MASSER, Kindheit, S. 190, Anm. 18; zu Parallelstellen vgl. DIEMER, Deutsche Gedichte, Anhang S. 66 zu 238,8 ff.). Schon bei Hrabanus Maurus findet sich die Interpretation, dass die Flucht nach Ägypten vor allem der Vernichtung der Götzenbilder diente (vgl. STEIN, Literarhistorische Beobachtungen, S. 35). Heidnische Götterstatuen galten vom frühen Christentum bis weit ins Mittelalter nicht als harmlose Kunstwerke, sondern als potentiell von Dämonen belebt (vgl. SAUER, Archaeology of Religious Hatred, S. 14). Ihre Zerstörung beweist die Überlegenheit des wahren Gottes über dämonische Wesenheiten und nimmt den Triumph über den Teufel im Zuge der Höllenfahrt Christi vorweg. **382** *sechseinhalb Jahre.* V. 382 und 387: Zu Avas nicht allein auf die Evangelien zurückgehenden Zeitangaben und ihren in sich stimmigen Rechnungen vgl. KIENAST II, S. 295, und MASSER, Kindheit, S. 37–46. **383** *Herodes.* Gemeint ist hier Herodes der Große; bei dem gleichnamigen Herrscher, der für den chronologisch später liegenden Tod Johannes' des Täufers (J V. 282–434) verantwortlich ist, handelt es sich um Herodes Antipas, einen Sohn Herodes' des Großen. **387** *Über ... 430 gehorsam.* Die Episode mit dem zwölfjährigen Jesus im Tempel basiert auf Lk 2,41–52, der Perikope am ersten Sonntag nach Epiphanias (vgl. SCHACKS, Dichtungen, S. 76, Anm. zu V. 387–430).

dô huop si sich dannen.
395 dô vergâzen si lêwes
des obristen chuniges.
Dô si chômen under wegen
unde ir herren wolten phlegen,
dô vermisten si des chindes,
400 vil harte erchômen si des.
dô îlten si widere gên
in die burch ze Jerusalem.
Dô giengen si in daz templum,
dâ vunden si den gotesun.
405 sîn gebærde diu was gotlich,
sîn vrâge diu was wîslich.
dô si ir liebez chint ersach,
vil erchômechlîchen si dô sprach:
„sage, liebez chint, mir,
410 waz hâst du begangen an mir?
dîn vater unde ich
drî tage habe wir gesuochet dich!
wie sule wir daz verstên,
daz du mit uns niht woltest gên?“
415 sîn antwurte diu was gotlich:
„war umbe suochestu mich?
ich sol billîche phlegen,
swaz mir mîn vater hât gegeben.“
dô jach er offenbâre
420 an den himeliscen vater ze wâre.
zwelf jâr was er alt,
dô offente sich sîn gewalt.
si bâten in mit in gên,
si neliezzen in dâ niht bestên.
425 si fuorten in mit güete

405 sîn[1] ... 668 tagen] *Die Edition der Verse 405 bis 668 basiert (mit behutsamer Anpassung der Schreibweise an die heutigen Lesegewohnheiten) auf G und* MAURER *sowie* SCHACKS*, da V hier durch Blattverlust eine Lücke aufweist.*

brach sie von dort auf.
395 Da vergaßen sie leider
den höchsten König.
Als sie unterwegs waren
und sich um ihren Herrn kümmern wollten,
da vermissten sie das Kind,
400 sie erschraken außerordentlich darüber.
Da eilten sie wieder zurück
in die Stadt Jerusalem.
Dann gingen sie in das *templum*,
dort fanden sie den Gottessohn.
405 Sein Auftreten war göttlich,
seine Frage war verständig.
Als sie ihr liebes Kind erblickte,
da sprach sie sehr erschrocken:
„Sage mir, liebes Kind,
410 was hast du mir angetan?
Dein Vater und ich,
wir haben dich drei Tage lang gesucht!
Wie sollen wir das verstehen,
dass du nicht mit uns gehen wolltest?"
415 Seine Antwort war göttlich:
„Warum suchst du mich?
Ich muss mich von Rechts wegen um all das kümmern,
was mir mein Vater gegeben hat."
Da bekannte er sich fürwahr öffentlich
420 zu dem himmlischen Vater.
Zwölf Jahre war er alt,
als sich seine Macht offenbarte.
Sie baten ihn, mit ihnen zu gehen,
sie ließen ihn dort nicht bleiben.
425 Sie führten ihn mit Güte

395 *Da ... 400 darüber*. Ava spart die biblische Erklärung aus, dass die Eltern Jesu ihren Sohn in Gesellschaft anderer Reisender vermuten (vgl. Lk 2,44), wodurch das Geschehen unerhört, wenn nicht gar humoristisch eingefärbt erscheint. Auch wenn Ava bei ihrem Publikum Bibelkenntnisse voraussetzte, legt die amüsiert anmutende Formulierung *dô vergâzen si lêwes* nahe, dass sie in der elterlichen Unachtsamkeit eine gewisse Situationskomik sah. Intensive Religiosität stand im Mittelalter nicht im Widerspruch zu einem humorvollen Umgang mit Glaubensinhalten (vgl. BAYLESS, Parody, S. 6). Dass davor auch verehrungswürdige Gestalten nicht gefeit waren, zeigt die auch von Ava aufgegriffene, im geistlichen Spiel höchst populäre Szene des ‚Jüngerlaufs', des Wettrennens zweier ungleicher Jünger zum leeren Grab Jesu (vgl. LJ V. 1927–1936). **403** *templum*. Lat.: Tempel. **416** *Warum ... 418 hat*. Die Formulierung weicht vom biblischen Vorbild Lk 2,49 ab (*nesciebatis quia in his quæ Patris mei sunt, oportet me esse?* – „Wusstet ihr nicht, dass ich in dem sein muss, was meinem Vater gehört?"). Ava stellt das aktive Handeln gegenüber dem reinen Aufenthalt im Tempel stärker heraus.

zuo der rehten haimüete
in di burch ze Nazaret.
ez newart ê noch sît
nie nehein man
430 sîner muoter sô gehôrsam.
Von dannen uber ahtzehen jâr,
daz ist alzoges wâr,
dô was sîn alter gezalt
zwelf tage unde drîzech jâr alt.
435 dô fuor er zuo dem Jordane,
getouft wart er dâre
von Sande Johanne,
dem heiligen manne.
als er in daz wazzer gie,
440 ein stimme sich her nider lie
ze des toufers gehôrde
von der oberisten hôhe.
diu stimme sprach ze dem sune,
im wære wol gelîchet an im.
445 er hiez uns daz vil rehte hôren,
waz uns sîn güete wolte lêren.
dô hête uns got der guote
gerefset in der sinfluote,
daz er des riwe hête,
450 daz er den menscen ie gebildete.
daz wart uns vergolten
von sînem gewalte,

in ihre eigentliche Heimat,
in die Stadt Nazareth.
Nie, weder zuvor noch seitdem, war
irgendein Mann
430 seiner Mutter gegenüber so gehorsam.
Achtzehn Jahre später,
das ist vollkommen wahr,
betrug sein Alter
zwölf Tage und dreißig Jahre.
435 Damals reiste er zum Jordan,
dort wurde er getauft
von Sankt Johannes,
dem heiligen Mann.
Als er in das Wasser ging,
440 drang eine Stimme
aus höchster Höhe hernieder,
[auch] an das Ohr des Täufers.
Die Stimme sprach zu dem Sohn,
er [Gott] hätte großen Gefallen gefunden an ihm.
445 Er befahl uns, sehr genau anzuhören,
was uns seine [Jesu] Güte lehren wollte.
Damals hatte uns Gott, der Gute,
mit der Sintflut gezüchtigt,
weil er es bereute,
450 den Menschen jemals geschaffen zu haben.
Das wurde uns
durch seine Macht vergolten.

431 *Achtzehn ... 462 Zacharias.* Die Schilderung der Taufe Jesu in Mt 3,13–17 ist die „Perikope am Sonntag in der Oktav von Epiphanias" (SCHACKS, Dichtungen, S. 80, Anm. zu V. 431–462); vgl. auch Joh 1,32–34 (und dazu MASSER, Kindheit, S. 36). Ava nutzt die Taufe Jesu als Kristallisationspunkt zur Entfaltung eines Überblicks über die Heilsgeschichte, deren Wahrheit sie durch das Zeugnis Johannes' des Täufers zu bekräftigen sucht (vgl. PRICA, Frau Ava, S. 94; vgl. V. 457–459), der zugleich Identifikationsfigur für die zeitgenössischen Rezipienten ist, die ebenfalls der göttlichen Offenbarung teilhaftig werden und an die Ava sich in V. 445f. direkt wendet. **434** *zwölf ... Jahre.* Lk 3,23 nennt Jesus „etwa dreißig Jahre alt". Avas Spanne von zwölf Tagen errechnet sich aus der Zeit zwischen dem 24. 12. und dem Epiphaniastag (6. 1.), an dem unter anderem auch der Taufe Jesu gedacht wird (vgl. zu Epiphanias und zum getrennt davon begangenen eigentlichen Fest der Taufe Jesu BIERITZ, Kirchenjahr, S. 227–229; zur Textstelle SCHACKS, Dichtungen, S. 80, Anm. zu V. 434, sowie GREINEMANN, Quellenfrage, S. 69, Anm. 42, und MASSER, Kindheit, S. 39). **444** *er ... ihm.* Der Begriff *lîchen* kann sowohl „gefallen" bedeuten (vgl. Mt 3,17) als auch „gleich, ähnlich sein; gleich oder ähnlich machen" (vgl. englisch *like*). Im Mhd. klingt daher neben dem göttlichen Wohlgefallen auch an, dass der Sohn dem Vater gleich ist. **447** *Damals ... 455 abzuwaschen.* Zur basierend auf 1. Petr. 3,18–21 vorgenommenen Deutung der Sintflut als Präfiguration der Taufe vgl. GREINEMANN, Quellenfrage, S. 69, und ausführlich mit erschöpfender Auflistung von Belegen FREYTAG, Summa Theologiae, S. 109 und S. 135f.).

wan er des riwe hête enphangen,
dô er in daz wazzer was gegangen,
455 wascen unser sunde;
des wart Johannes urchunde.
dô sach er ob im sweben –
daz nesul wir niht uberheben –
den heiligen geist alse ein tûben,
460 wir suln iz Johanni gelouben,
wand er daz herhorn was,
daz saget uns Zacharias.
Dô wart er geleitet
iesâ in arbeite
465 von dem heiligen geiste –
daz gescach durch uns allermeiste –
in die wuoste zeinem berge,
dâ er bechort wolde werden.
daz tete sîne güete umbe daz,
470 daz er uns gelîchte deste baz.
dô vastete er alle
vierzech tage volle,
daz er netranch noch âz:
vil værich was sîn der Sathanas,
475 wand er gemerchet habete,
daz er sich von allen sunden enthabete.
der tievel alsô freissam,
in die wuoste er engegen im quam.
er sprach: „nu heiz disen stein,
480 ob du wellest got sîn,
werden ze brôte!“
der tievel wânt, ob er in des genôte,
daz er im ouch mêr volgete,
an dem im wol behagete.
485 dô antwurte im dô got,
di heiligen scrift er im dô bôt:
„ez newirt ouch niht alein genôte
gefuort mit dem brôte
der lîp noch diu sêle,
490 sunder sie frout diu gotes lêre,

470 gelîchte] *G fälschlich* geloubet, *die Edition folgt der Besserung* KIENASTs *(vgl.* KIENAST *II, S. 296f.) und* SCHACKS' *(vgl.* SCHACKS, *Dichtungen, S. 82f., Anm., Apparat und krit. Text zu V. 470).*

Weil er deswegen mittlerweile Reue verspürte,
war er in das Wasser gegangen,
455 um unsere Sünde abzuwaschen;
dessen wurde Johannes Zeuge.
Da sah er über ihm –
das dürfen wir nicht bezweifeln –
den Heiligen Geist als eine Taube schweben;
460 wir müssen es Johannes glauben,
weil er das Heerhorn war,
das sagt uns Zacharias.
Dann wurde er
sogleich in die Mühsal geführt,
465 von dem Heiligen Geist –
das geschah vor allem um unseretwillen –,
in die Wüste zu einem Berg,
wo er geprüft werden wollte.
Das tat er in seiner Güte,
470 um uns umso ähnlicher zu werden.
Da fastete er insgesamt
ganze vierzig Tage lang,
indem er weder trank noch aß:
Der Satanas stellte ihm sehr nach,
475 weil er beobachtet hatte,
dass er sich aller Sünden enthielt.
Der höchst schreckliche Teufel
kam ihm in die Wüste entgegen.
Er sprach: „Nun befiehl diesem Stein,
480 wenn du Gott sein willst,
zu Brot zu werden!“
Der Teufel glaubte, dass Jesus, wenn er ihn dazu zwänge,
ihm auch weiter folgen würde;
daran hätte er Gefallen gefunden.
485 Da antwortete ihm Gott,
indem er ihm die Heilige Schrift darbot:
„Einzig und allein
mit Brot wird aber weder
der Leib noch die Seele genährt,
490 vielmehr erfreut sie die Lehre Gottes,

463 *Dann ... 526 beendet.* Für V. 463–526 vgl. Mt 4,1–11, Mk 1,12f. und Lk 4,1–13. **466** *das ... 470 werden.* Vgl. Hebr 4,15 (*Non habemus pontificem, qui non possit compati infirmitatibus nostris: tentatum autem per omnia pro similitudine absque peccato.* – „Wir haben ja nicht einen Hohenpriester, der nicht mitfühlen könnte mit unserer Schwäche, sondern einen, der in allem wie wir in Versuchung geführt worden ist, aber nicht gesündigt hat.“); in der Versuchung Christi wird seine menschliche Natur offenbar (vgl. KIENAST II, S. 296).

diu von gotes munde gêt,
vil sælîch ist, der si verstêt."
Dô dem tievel dô missegie,
anders er iz anevie.
495 er fuorte den gotes werden
ûf ein wintpergen.
er sprach: „val hin nider von mir,
niene wirret iz dir.
di engel her gâhent,
500 scône si dich enphâhent.
ja sprichet der psalmiste
von dir, Jesu Christe,
daz dîne fuoze noch dîn bein
niht nesêrige der stein."
505 des antwurte im der guote
mit degenlîchem muote:
„du solt dînen herren
niht gar ze verre
mit cheinen dingen bechorn,
510 des wirdestu lîhte verlorn!"
Dâr nâch fuorte er in scône
ûf einen berch hôhen.
er zeigete im algelîche
di irdiscen rîche:
515 „val nider unde bete mich an,
ditz wirdet dir als undertân."
des antwurte im der guote
mit micheler dêmuote:
„nu tu behalten dînen rât
520 unde val zerukke, Satanat!
du solt anbiten den rainen
got herren altersainen."
dô liez er in dâ,
di engel dieneten im sâ.
525 dâ wart der tievel gescendet,
dâ mit sî diu rede verendet.

die aus Gottes Mund kommt;
überaus selig ist, wer sie versteht."
Als der Teufel da scheiterte,
begann er es anders.
495 Er führte den Gottgefälligen
auf eine Mauerzinne.
Er sprach: „Stürze dich hinunter von mir fort,
es schadet dir nicht.
Die Engel werden herbeieilen,
500 sie werden dich behutsam auffangen.
Es spricht nämlich der Psalmist
von dir, Jesus Christus,
dass der Stein dir weder Füße noch Knochen
verwunden werde."
505 Darauf antwortete ihm der Gute
heldenhaften Sinnes:
„Du sollst deinen Herrn
nicht gar zu sehr
mit irgendwelchen Dingen versuchen,
510 dafür wirst du womöglich verdammt!"
Danach führte er ihn beflissen
auf einen hohen Berg.
Er zeigte ihm ausnahmslos
alle irdischen Reiche:
515 „Fall vor mir nieder und bete mich an,
dann wird dir dies alles untertan."
Darauf antwortete ihm der Gute
mit großer Demut:
„Nun behalte deinen Ratschlag für dich
520 und weiche zurück, Satanas!
Du sollst ganz allein den reinen
Herrgott anbeten!"
Da ließ der Teufel dort von ihm ab,
und die Engel dienten ihm sogleich.
525 Da wurde der Teufel zuschanden gemacht,
damit sei die Erzählung beendet.

501 *Es ... 504 werde.* Psalm 91,11–12. Psalmen hatten für Avas Publikum einen größeren Wiedererkennungswert als für moderne Leser. Neben dem gottesdienstlichen Gebrauch und der privaten Andacht, für die bis ins 13. Jh. Psalter die Rolle spielten, die später Stundenbücher ausfüllten (vgl. JACOBI-MIRWALD, Mittelalterliches Buch, S. 79), dienten Psalmen oft auch dem Erwerb von Lese- und Schreibfertigkeiten im klösterlichen Kontext (vgl. LUTTER, Geschlecht & Wissen, S. 43). **526** *damit ... beendet.* Die formelhafte Wendung wird unterschiedlich gedeutet, so als Markierung eines Vortragsabschnitts (vgl. THORNTON, Poems, S. 59, Anm. 26) oder als theologisch motivierter Bruch, der den Übergang vom Alten zum Neuen Bund auch in der Struktur des Gedichts fassbar macht (vgl. HÖRNER, Gnade und Gerechtigkeit, S. 115f.).

Nu gebe uns got die sinne,
daz wir fur bringen
von unserm herren Christe,
530 wie er nâch der toufe stifte
ein ander christenhait,
di wuohs sît unde ist nu brait.
zuo zim chom alêrste
Andreas der hêrste.
535 Johannes stabat,
den gotes sun er stên sach,
er sprach: „ecce agnus dei"
zuo sînen jungern zwein,
daz er daz lamp wære,
540 daz der werlte sunde næme.
beide giengen si im nâch,
der gotes sun umbe sach,
er frâgte, waz si suochten.
si sprâchen, sîn wonunge, ob ers geruohte.
545 er hiez si nâch im gên,
er liez si iz sehen und verstên.
daz was diu zehent hora,
dô chom der guote Andrea.
an dem anderen tage,
550 alse ich vernomen habe,
dô chom der guote Petrus,
den brâhte Andreas.
dô er zuo got gie,
wie wol er in enphie!
555 er sprach: „du bist sun Johanna."
dô offente sich iesâ,
daz er ein tûbe wære

532 brait] *G* berait*; Kienast, Maurer und Schacks bessern zu* brait *(vgl. Schacks, Dichtungen, S. 89, Apparat zu V. 532).*

Nun gebe uns Gott die [nötige] Weisheit,
um darzulegen,
wie unser Herr Christus,
530 nach der Taufe
eine zweite Christenheit gründete;
die wuchs seitdem und ist nun weit verbreitet.
Zu ihm kam zuallererst
Andreas, der höchst Erhabene.
535 Johannes *stabat*
und sah den Gottessohn stehen bleiben,
er sprach „*Ecce agnus dei*"
zu seinen zwei Jüngern,
nämlich dass Jesus das Lamm wäre,
540 das die Sünde der Welt hinwegnähme.
Beide folgten sie ihm nach,
der Gottessohn blickte sich um,
er fragte, was sie suchten.
Sie sprachen, seine Wohnung, wenn er es erlaubte.
545 Er forderte sie auf, ihm nachzugehen,
er ließ sie es sehen und verstehen.
Es war die zehnte *hora*,
als der gute Andreas kam.
Am folgenden Tag,
550 so wahr ich es vernommen habe,
da kam der gute Petrus,
den brachte Andreas mit.
Als er zu Gott ging,
wie gut dieser ihn empfing!
555 Er sprach: „Du bist der Sohn des Johannes."
Da offenbarte sich sogleich,
dass er eine Taube war

527 *Nun ... 616 verkündigen.* V. 527–616 basieren auf einer Kompilation verschiedener Bibelpassagen (Joh 1,35–51; Mt 4,18–22; 9,9–13; 10,1–4; Lk 5,1–11; 6,12–16; 10,1 und auch Mk 1,16–20; 3,13–19 – vgl. THORNTON, Poems, S. 59; MASSER, Kindheit, S. 36 und STEIN, Literarhistorische Beobachtungen, S. 79, Anm. 267). **531** *eine ... Christenheit.* Gemeint ist der im öffentlichen Wirken Jesu seinen Ausgang nehmende ‚Neue Bund' Gottes mit den Menschen (vgl. mit Belegen SCHACKS, Dichtungen, S. 86, Anm. zu V. 531). **535** *Johannes stabat.* Lat.: Johannes stand [dort]; Umkehrung der Wortreihenfolge aus Joh 1,35 *stabat Joannes* (vgl. THORNTON, Poems, S. 60, Anm. 27). **537** *Ecce ... dei.* Lat.: Seht, das Lamm Gottes! Vgl. Joh 1,36. **547** *hora.* Lat.: Stunde, vgl. Joh 1,39. **557** *dass ... war.* Abweichung von Joh 1,42: „Jesus blickte ihn an und sagte: Du bist Simon, der Sohn des Johannes, du sollst Kephas heißen. Kephas bedeutet: Fels (Petrus)." Die Quelle für Avas Taubenanalogie ist möglicherweise Alkuin PL 100,760 D: *Jona lingua nostra dicitur columba. Tu es ergo filius Jona, tu es filius Spiritus sancti* (vgl. SCHACKS, Dichtungen, S. 88, Anm. zu V. 555–558 – „Jona heißt in unserer Sprache ‚Taube'. Bist du also der Sohn Jonas, so bist du der Sohn des Heiligen Geists", Übers. d. Hgg.; vgl. auch KIENAST II, S. 297). Die Wen-

unde der sun der obristen genâde.
dô gie unser hailant
560 ze Galilee in daz lant.
dâ vant er einen guoten man,
Philippus geheizzen;
der brâhte von Betsaida
einen wâren Israhelita.
565 nu sprichet ein gramaticus,
iz wære Bartholomeus.
alse er zuo got gie,
vil wol er in enphie.
er sprach, daz er âne valsc wære
570 unde [in] an guotem gelouben sæhe.
dô gie er ûf bî dem mere,
dô mêrte sich sîn here:
dô vant er Zebedeum
unde sîn zwêne sun,
575 Jacobum unde Johannen,
zwên guotmanne.
si volgeten ouch Christe,
der ein wart ewangeliste.
dâr nâch chom Thomas,
580 der sît ein zwîvelære was.
der brâhte den anderen Jacobum,

570 in] in *(Akkusativ, Bezug auf den zu Bartholomäus sprechenden Christus) wird von* KIENAST *eingefügt, Maurer folgt ihm darin nicht, Schacks nur „unter Bedenken" (er schlägt als Übersetzung für den unveränderten Vers „gläubig blickte" vor, vgl.* SCHACKS, *Dichtungen, S. 90f., Anm. und Apparat zu V. 570). Wir nehmen* in *in Klammern auf (siehe dazu den Stellenkommentar).*

und der Sohn der höchsten Gnade.
Daraufhin ging unser Heiland
560 in das Land Galiläa.
Dort fand er einen guten Mann
namens Philippus;
der brachte aus Bethsaida
einen wahren Israeliten.
565 Nun sagt ein *gramaticus*,
es wäre Bartholomäus.
Als er zu Gott ging,
empfing er [Jesus] ihn sehr gut.
Er sprach, dass er ohne Falsch
570 und seine Sicht von gutem Glauben geprägt wäre.
Dann ging er hinauf zum Meer,
da mehrte sich seine Schar:
Da fand er Zebedäus
und seine zwei Söhne,
575 Jakobus und Johannes,
zwei unbescholtene Männer.
Auch sie folgten Christus,
der eine wurde Evangelist.
Danach kam Thomas,
580 der später ein Zweifler war.
Der brachte den anderen Jakobus mit,

dung *filius Spiritus sancti* entspricht V. 558 (vgl. KIENAST II, S. 297; vgl. hierzu auch STEIN, Literarhistorische Beobachtungen, S. 37 und S. 81, Anm. 284).
563 *der ... 570 wäre.* Mit der Nennung des Bartholomäus weicht Ava von Joh 1,45–50 ab; zu den Gründen dafür vgl. den folgenden Kommentar. Das Aufgreifen der aus Joh 1,47 entlehnten Bezeichnung des *wâren Israhelita* lässt sich als Anspielung auf den Alkuin-Kommentar (PL 100, 762–764) zu Joh 1,46–47 deuten: „Nathanael (bzw. Bartholomeus) sei *sine dolo* [ohne Hinterlist, Übers. d. Hgg.], wenn auch nicht *sine peccato* [ohne Sünde, Übers. d. Hgg.], und er erblicke mit reinem Herzen und in rechter Glaubensbereitschaft das Angesicht des Herrn. Denn *Israelita* bedeute Abstammung von *Israel*[,] und *Israel* heiße: *qui Deum vidit* [der Gott gesehen hat, Übers. d. Hgg.]" (KIENAST II, S. 297). **565** *Nun ... gramaticus.* Lat. *grammaticus*: (Sprach-)Gelehrter, Literaturlehrer. – SCHRÖDER nimmt als wahrscheinlichsten Gewährsmann Avas in dieser Frage ihren Zeitgenossen Rupert von Deutz an (vgl. SCHRÖDER, Gelehrsamkeit, S. 172): *Fortassis ergo hic ipse Nathanael [...] Bartholomæus est* („Vielleicht also ist dieser Nathanael selbst Bartholomäus", Übers. d. Hgg.; Rupert von Deutz, Comment. in Joann. II, 118; PL 169, 273). Die Äußerung ist als Versuch zu verstehen, den Bericht Joh 1,45–50, in dem Nathanael statt Bartholomäus genannt wird, mit den synoptischen Evangelien, die Nathanael nicht kennen, zu harmonisieren (vgl. Mt 10,3, Mk 3,18 und Lk 6,14; vgl. auch SEIBERT, Lexikon der Christlichen Kunst, S. 51).

er was Christes muomen sun.
Symon brâhte Judam,
selbe ladete er Matheum ewangelistam.
585 er machete mit chrefte
grôze wirtscefte.
dâ sach man ze wâre
vil manigen sundâre.
daz niden die glîsenære
590 unde di scrîbære.
si sprâchen, daz iz Christ wære
ein friunt der sundære.
der dâ chom zeleste,
der was niht der beste,
595 der was der ermiste man,
von dem ich ie vernam:
daz was Judas Scariotis,
ir sult des sîn gewis,
er sach diu gotis güete,
600 er mohte sîn gemüete
zuo im niht chêren,
er hazzete sînen herren.
in im huob sich michel nît:
sînen scepher verriet er sît.
605 Dô wâren di zwelf herren,
di mit gote wâren,
jungern di sînen,
daz heilige ingesinde.

602 er … herren] *nach* SCHACKS *und* KIENAST *(vgl.* SCHACKS*, Dichtungen, S. 92f., Anm., Apparat und krit. Text zu V. 602); G* er heizet sinen herren.

dieser war der Sohn von Christus' Tante.
Simon brachte Judas mit,
er selbst berief *Matheum evangelistam*.
585 Er bereitete mit einer Fülle von Vorräten aller Art
ein großes Gastmahl.
Dort sah man wahrlich
sehr viele Sünder.
Das sahen die Heuchler
590 und die Schriftgelehrten mit Missgunst.
Sie sprachen, dass er, Christus,
ein Freund der Sünder wäre.
Derjenige, der dort zuletzt kam,
war nicht der Beste,
595 der war der armseligste Mann,
von dem ich je gehört habe:
Das war Judas Iskariot,
dessen sollt ihr gewiss sein,
er sah die Güte Gottes
600 und vermochte [dennoch] nicht,
ihm sein Inneres zuzuwenden,
er hasste seinen Herrn.
In ihm keimte großer Neid auf,
später verriet er seinen Schöpfer.
605 Da bildeten die zwölf Herren,
die bei Gott waren,
seine Jünger,
die heilige Gefolgschaft.

582 *dieser ... Tante*. Über die genaue verwandtschaftliche Beziehung Jakobus' des Jüngeren zu Christus besteht Uneinigkeit. In Gal 1,19 und Mt 13,55 erscheint ein Jakobus als „Bruder" Christi. Mt 10,3 und Mk 3,18, Lk 6,16, Apg 1,13 nennen Jakobus den „Sohn des Alphäus"; in Apg 1,14 heißt es „und mit seinen Brüdern" vgl. Mk 3,31ff., was wohl auf Jesus bezogen ist. „Die Ostkirche unterscheidet zwischen dem *Apostel Jakobus*, dem Sohn des Alphäus (Matthäus 10,3) und *Jakobus,* dem *Bruder des Herrn* (Matth. 13,55; Galater 1,19), der nach Petri Flucht Oberhaupt der christlichen Gemeinde in Jerusalem wurde. Im Abendland gelten Apostel und Bruder als eine Person" (SEIBERT, Lexikon christlicher Kunst, S. 157). **583** *Simon ... Judas*. Simon Zelotes (Kananäus) und Judas Thaddäus. Für V. 581–583 ist keine biblische Quelle auszumachen. **584** *Matheum evangelistam*. Lat.: den Evangelisten Matthäus. **585** *Er*. Mahl mit den Zöllnern und Berufung des Levi (vgl. Mk 2,14–17) bzw. Matthäus (vgl. Mt 9,9–13; ob das Mahl in Matthäus' oder Jesu Haus stattfindet, ist unklar). Letzteres dürfte, vermischt mit Lk 5,27–32 (Levi wird berufen und richtet selbst das Mahl aus), Avas Quelle für V. 584–592 sein, V. 585 *er* bezieht sich also wohl auf Matthäus (vgl. SCHACKS, Dichtungen, S. 92, Anm. zu V. 585, und KIENAST II, S. 298); aber auch ein Bezug auf Jesus selbst ist möglich. **589** *Heuchler*. Gemeint sind die Pharisäer. Vgl. Lk 5,30. **591** *Sie ... 592 wäre*. Vgl. Lk 7,34. **593** *Derjenige ... 604 Schöpfer*. Bei der Einführung des Judas Iskariot vermischen sich Erzählung und Erzählerkommentar (vgl. STEIN, Literarhistorische Beobachtungen, S. 35), der eine der seltenen Vorausdeutungen auf künftiges Geschehen enthält.

dar zuo erwelte wâren
610 zwên unde sibenzich herren,
die man an menigen enden
solde fursenden
ze chastellen unde ze burgen,
swâ ir durft wurde,
615 swâ got bredigen wolde,
daz si daz chunden solden.
Uber ein jâr nâch sîner toufe
dâ wart er ze einer brûtloufe
geladen unde die junger sîn:
620 di hêten lutzelen wîn.
dô sprach diu guote,
des hailandes muoter:
„vil lieber sun mîn,
hie ist verzert der wîn
625 ze dirre wirtscefte;
nu erzaige dîn gotlîch chrefte!“
dô sprach der wandels vrîe
zuo Sande Marîen:
„wîp, hôre her zuo mir,
630 waz gehôrt daz zuo mir oder zuo dir?
hernâch chumet diu zît –
wildu merchen, guot wîp! –
daz ich vil wol erzaige dir,
waz ich hân von dir.“
635 dô hiez si di dienestman
ir sune wesen undertân.
dâ stunden sehs chruge stainîn,
di fulten si algemaine,
si guzzen dar în wazzer:
640 gotes gewalt vestete er,
wan ez wart der beste wîn,
der dehainer mohte sîn.

Zusätzlich wurden noch
610 zweiundsiebzig Herren auserwählt,
die in allerlei Gegenden
vorausgesandt werden sollten,
in befestigte Orte und Burgen,
wo auch immer man ihrer bedurfte,
615 wo auch immer Gott predigen wollte,
sollten sie es verkündigen.
Ein Jahr nach seiner Taufe
wurde er zu einer Hochzeit
geladen mitsamt seinen Jüngern:
620 Man hatte wenig Wein.
Da sprach die Gute,
die Mutter des Heilands:
„Mein innig geliebter Sohn,
der Wein ist aufgebraucht
625 hier bei diesem Gastmahl;
nun stelle deine göttlichen Kräfte unter Beweis!"
Da sprach der Untadelige
zu Sankt Maria:
„Frau, höre mir zu,
630 zu wem gehört das – zu dir oder zu mir?
Dereinst wird die Zeit kommen –
vergiss das nicht, gute Frau! –,
zu der ich dir sehr wohl zeigen werde,
was ich von dir habe."
635 Da gebot sie den Dienern,
ihrem Sohn zu gehorchen.
Es standen dort sechs steinerne Krüge,
die füllten sie alle:
Sie gossen Wasser hinein.
640 Er bestätigte Gottes Macht,
denn es wurde zum besten Wein,
den es nur irgend geben konnte.

617 *Ein ... 642 konnte.* V. 617–642 basieren auf Joh 2,1–12 (vgl. THORNTON, Poems, S. 62). Zu Avas um Genauigkeit bemühter Zeitangabe vgl. MASSER, Kindheit, S. 39. **630** *zu*[1] *... mir.* Direktes Zitat von Joh 2,4: *Quid mihi et tibi est, mulier?* („Was gehört [jeweils] mir und dir, Frau?", Übers. d. Hgg.), das in modernen Bibelübersetzungen nicht ohne weiteres zu erkennen ist („Was willst du von mir, Frau?", Einheitsübersetzung; „Was geht's dich an, Frau, was ich tue?", Lutherbibel; „Was habe ich mit dir zu schaffen, Frau?", Elberfelder Bibel; vgl. dazu auch THORNTON, Poems, S. 63, Anm. 36). **631** *Dereinst ... 634 habe.* V. 631–634 sind laut KIENAST, „fast wörtlich" aus dem Alkuin-Kommentar (PL 100, 766 f.) übersetzt, der Joh 2,4 auf die Zweinaturenlehre (menschliche und göttliche Natur Christi) hin ausdeutet (vgl. KIENAST II, S. 298; vgl. auch SCHACKS, Dichtungen, S. 94, Anm. zu V. 630ff.).

An dem ahtoden tage,
als wir iz vernomen haben,
645 dô gieng er ûf einen berch hôhen,
dâ erzeigte er sîn gotlîch scône
mit sînen drîn jungeren,
di er von den andern wolte besunderen.
daz ain was Petrus,
650 daz ander Johannes unde Jacobus.
si sâhen dâ vil michel wunne,
sîn antlutze wart liehter danne di sunne,
sîn gewæte wizzer danne der snê,
des nesâhen si niht ê.
655 under diu mit in was
Moyses unde Helyas.
si hôrten hie nidene
ein stimme von himele
vil willechlîchen zuo dem sun,
660 er hiez, daz wir vernæmen in.
Peter bat den gotes sun dâ,
daz er warhte driu tabernacula.
Dâr nam der gotes sun
zuo im sîne junger,
665 er sprach: „wir suln varen ze Jerusalem,
dâ iz allez sol ergên,
daz uns die wîssagen
chunten in ir tagen:
‚dâ gît man der magde sun
670 den haiden unde den Juden.
vil sêre si in villent,
si marterent in vil grimme.
nâch maniger nôt
sô lîdet er den tôt.
675 dâr nâch an dem driten tage
sô erstêt er von dem grabe.'"
Diu rede was in ze tief,
si neverstunten ir niht,
iedoch dâhten si derzuo,
680 duo nâhten si Jericho.

669 dâ … sun] *Ab hier folgt die Edition wieder bevorzugt V, die nach dem Blattverlust einsetzt mit* gît man der magde sun *(der Versbeginn* dâ *fehlt). G* des menschen sun.

Am achten Tag ging er,
wie wir es vernommen haben,
645 auf einen hohen Berg
zusammen mit dreien seiner Jünger,
die er vor den anderen auszeichnen wollte,
und zeigte dort seine göttliche Herrlichkeit.
Der eine war Petrus,
650 der andere Johannes, der dritte Jacobus.
Sie sahen dort etwas Wunderschönes:
Sein Antlitz wurde strahlender als die Sonne,
sein Gewand weißer als Schnee.
So etwas hatten sie zuvor noch nie gesehen.
655 Zugleich waren
Moses und Elias bei ihnen.
Sie hörten hienieden
eine Stimme aus dem Himmel,
die dem Sohn sehr geneigt war
660 und gebot, dass wir auf ihn hören sollten.
Da bat Petrus den Gottessohn,
drei Tabernakel zu errichten.
Danach rief der Gottessohn
seine Jünger zu sich.
665 Er sprach: „Wir werden nach Jerusalem reisen,
wo sich alles begeben soll,
was uns die Propheten
zu ihrer Zeit verkündet haben:
‚Da gibt man den Sohn der Jungfrau
670 den Heiden und den Juden.
Sie misshandeln ihn sehr
und martern ihn überaus grausam.
Nach vielerlei Qualen
erleidet er den Tod.
675 Danach, am dritten Tage, ersteht er
aus dem Grabe auf.'"
Diese Äußerung war ihnen zu tiefsinnig,
sie verstanden sie nicht,
doch sie dachten darüber nach,
680 während sie sich Jericho näherten.

643 *Am … 662 errichten.* Die Verse basieren auf Mt 17,1–8 (vgl. THORNTON, Poems, S. 64), von acht Tagen spricht jedoch nur Lk 9,28. Die Zeitspanne bezieht sich nicht auf die Hochzeit zu Kana, sondern auf bedeutende Unterhaltungen Jesu mit seinen Jüngern (vgl. auch RUSHING, Ava's New Testament Narratives, S. 232, Anm. 23). **669** *den[1] … Jungfrau.* Entgegen Mt 17,9 und Mk 9,9 wird Jesus in V nicht als „Menschensohn" apostrophiert, sondern subtil die Bedeutung Marias betont.

bî dem wege saz ein plinter man,
vil lûte er ruofen began.
er sprach: „fili Davit,
nu wis du mir genâdich!“
685 Die dâ vur fuoren,
die hiezen in hôren.
sumilîche in stouten,
vil harte si im drouten.
si bâten in swîgen,
690 [si sprachen,] sîn ruofen mahte niemen erlîden.
Dô si in sweigten iemêre,
sô ruofte er lûtêre:
„fili Davit,
erbarme dich uber mînen lîp!“
695 dô er zuo im chom,
vil wol er in vernam.
er hiez, daz er ime sagete,
wes er gebeten habete.
dô sprach der plint bî dem wege:
700 „herre, daz ich gesehe!“
unser herre lobte daz,
daz er des scazes niene bat.
er sprach: „dîn geloube hât ernert dich,
nu gench her nâher unde gesich
705 hinnen vur mêre
an dem lîbe unde an der sêle!“
Daz ich iu sage, daz ist wâr:
ein burch hiez Samaria,
dar chom er muoder gegangen,
710 er saz uber einen brunnen.
die boten giengen in die burch,
si wurfen des in was durft.
dô chom ein wîp gegangen,
si wolt scephen den brunnen.
715 si nemoht es niht gedenchen,
er bat si, ime des brunnen gescenchen.
nâch vil manegen worten,
als ich sagen hôrte,
duo saget er ir daz er was

690 si sprachen] *fehlt in G, wird für Zusatz von V gehalten (vgl.* SCHACKS, *Dichtungen, S. 100f., Anm., Apparat und krit. Text zu V. 690.).*

Am Wegesrand saß ein blinder Mann,
er begann sehr laut zu rufen.
Er sprach: „*Fili Davit*,
nun sei du mir gnädig!“
685 Jene, die dort vorausgingen,
befahlen ihm, damit aufzuhören.
Manche beschimpften ihn
und bedrohten ihn ernstlich.
Sie hießen ihn schweigen,
690 [und sagten,] sein Geschrei könne niemand ertragen.
Aber je mehr sie ihn zum Schweigen zu bringen versuchten,
desto lauter rief er:
„*Fili Davit*,
erbarme dich meiner!“
695 Als er zu ihm kam,
hörte er ihn sehr gut.
Er forderte ihn auf, ihm zu sagen,
worum er gebeten hätte.
Da sprach der Blinde am Wegesrand:
700 „Herr, darum, dass ich sehen möge!“
Unser Herr lobte ihn dafür,
dass er nicht um Reichtum bat.
Er sprach: „Dein Glaube hat dir geholfen,
nun tritt näher und sieh
705 von jetzt an
mit Leib und Seele!“
Was ich euch sagte, das ist wahr:
Eine befestigte Stadt hieß Samaria,
dorthin gelangte er erschöpft.
710 Er setzte sich an einen Brunnen.
Die Apostel begaben sich in die Stadt
und kauften, was sie benötigten.
Da kam eine Frau,
die Wasser aus dem Brunnen schöpfen wollte.
715 Sie konnte nicht damit rechnen,
dass er sie bitten würde, ihm aus dem Brunnen zu trinken zu geben.
Nach einem längeren Gespräch,
wie ich hörte,
sagte er ihr, dass er

683 *Fili Davit*. Lat.: Sohn Davids. **685** *Jene ... vorausgingen*. Dieser Vers verkürzt die zugehörige Bibelstelle so stark, dass sie ohne Kenntnis des Evangeliums kaum verständlich ist: Leute aus der Jesus vorauslaufenden Menschenmenge schelten den blinden Bettler für sein lautes Rufen, vgl. Lk 18,35–39. **707** *Was ... 750 Stadt*. V. 707–750 basieren auf Joh 4,1–42 (vgl. THORNTON, Poems, S. 66).

720 der chunftige Messias.
Dô chômen sîne iungere.
si begunden sich wunderen,
waz er sô genôte
mit dem wîbe geredet hête.
725 Niht langer si dâ nesaz,
si lie dâ ligen daz brunnevaz,
vil drâte si danne lief,
hei, wie lûte si rief:
„nu nesûmet iuch langer niht!
730 iu ist chomen ein lieht:
vor der burch ist ein man,
der saget mir allez, daz ich hân getân.
durch sîne guote tet der daz,
daz er daz tet sunder laz,
735 er lêrte mich vil scône
von sexte unze nône.
nu wizzet, daz iz wâr ist:
ez ist der heilige Christ.“
si sagete rehte, daz er was
740 der chunftige Messias.
Dô si daz wîp vernâmen,
si îlten dare gâhen.
si enphiengen in mit êren:
sie begunden in vlêgen,
745 daz er durch sîne guote
ein lutzel dâ getæte.
dâ was der heilige Criste
rehte zweir tage friste.
vil wol er si lêrte,
750 die burch er al bechêrte.
Dô wolte unser herre

724 geredet hête] *nach V und* SCHACKS. *G* chôste, *so auch* MAURER *(vgl. auch* KIENAST *II, S. 298, und* SCHACKS, *Dichtungen, S. 103, Apparat zu V. 724).* **734** daz[1] ... laz] *nach G mit* DIEMER *und* MAURER; *fehlt in V.* SCHACKS *schreibt* daz er sunder laz / erlêrte mich vil scône *(*SCHACKS, *Dichtungen, S. 104f., Anm. und Apparat zu V. 733–735 mit ausführlicher Begründung).* **746** getæte] *G* gedæhte; MAURER *und* SCHACKS *bessern mit* KIENAST *II, S. 299 zu* getwalte *(vgl.* SCHACKS, *Dichtungen, S. 105, Apparat zu V. 746).*

720 der künftige Messias sei.
Dann kamen seine Jünger hinzu
und begannen sich zu wundern,
worüber er so eifrig
mit der Frau geredet hätte.
725 Sie blieb nicht länger dort sitzen,
sondern ließ den Brunneneimer liegen
und lief sehr schnell davon –
oh, wie laut rief sie:
„Nun zögert nicht länger!
730 Euch ist ein Licht erschienen:
Vor der Stadt ist ein Mann,
der mir alles gesagt hat, was ich je getan habe.
Das tat er aus Güte,
und zwar ohne Unterlass:
735 Er unterwies mich sehr freundlich
von der Sext bis zur None.
Nun wisset, dass es wahr ist:
Er ist der heilige Christus."
Sie verkündete wahrheitsgemäß, dass er
740 der künftige Messias war.
Als sie die Frau hörten,
beeilten sie sich, dorthin zu gelangen.
Sie hießen ihn mit allen Ehren willkommen
und begannen ihn anzuflehen,
745 doch in seiner Güte
eine Weile dort zu wirken.
Da blieb der heilige Christus
tatsächlich zwei Tage lang dort.
Er lehrte sie sehr gut
750 und bekehrte die ganze Stadt.
Danach wollte unser Herr

730 *Euch ... erschienen.* Die Lichtmetaphorik ist nicht aus dem biblischen Bericht Joh 4,29 übernommen, sondern ein Zusatz Avas (vgl. THORNTON, Poems, S. 67, Anm. 43). **732** *der ... habe.* Ava erwähnt den moralisch fragwürdigen Lebenswandel der Samariterin nicht. Die Aussage „fünf Männer hast du gehabt, und der, den du jetzt hast, ist nicht dein Mann" (Joh 4,18) fehlt, und auch die Samariterin selbst äußert sich nur neutral über ihr Vorleben. Wie schon bei der Schilderung der Tochter der Herodias erscheint hier eine Frauengestalt positiver als in der zugrundeliegenden Bibelstelle. **736** *Sext ... None.* THORNTON vermutet, dass hier sowohl profane Tageszeitenbezeichnungen als auch Bezüge auf Sext und None als Stundengebete vorliegen könnten (vgl. THORNTON, Poems, S. 67, Anm. 44). Die Stundengebetsbezeichnungen orientieren sich an der antiken Tageseinteilung, hier an der sechsten (ca. 11 bis 12 Uhr) und neunten (ca. 14 bis 15 Uhr) Stunde; eine exakte Umrechnung ist aufgrund der in der Antike variablen Stundenlänge nicht möglich, die der Einteilung des Tages in zwölf Stunden von Sonnenaufgang bis -untergang geschuldet war, in der nur der Beginn der 7. Stunde am Mittag einen Fixpunkt bildete (vgl. zur antiken Tageseinteilung ausführlich WEEBER, Alltag im Alten Rom, S. 349f.).

ze der heidenscefte chêren.
dô chom er ze zwein burgen,
der hiez einiu Tyri unde Sydon.
755 dannen ûz lief ein wîp,
vil lûte si ime nâch rief:
„fili David,
nu wis mir genâdich!
mîn tohter ist beheftet
760 mit micheler uncrefte.“
unser herre iz uberhôrte;
die zwelf poten in nôten,
daz er umbe sâhe
unde des wîbes pete vernâme.
765 er sprach: „ich nebin niht gesendet
ze den haidenisken enden,
sunder ich chom umbe daz
durch daz israheliske liut, daz dâ verlorn was.“
innen diu daz wîp vur in gie,
770 an dem wege si vur in viel.
si sprach: „fili David,
erbarme dich uber mich vil armez wîp!“
[Er sprach:] „Daz nist nieht guot,
daz man daz prôt
775 neme den chinden
unde werfe iz den hunden.“
des antwurte im daz wîp sâ:
„herre, du hâst vil wâr;
iedoch chomen ze helfe
780 die broseme den welfen,
die von des herren tiske choment:
die hungerigen hunde si nement.“
ze sînen vuozen si sich pôt,
si chlagete im weinunde ir nôt.
785 dô sprach der heilige Crist:
„owî wîp, michel dîn geloube ist!
alsô du wellest, sô gescehe dir,
getrôstet var du vone mir
in allem dînem sêre,
790 daz newerre dir niemer mêre!“
Diu buoch sagent uns sus:

754 Tyri … Sydon] *Mt 15,21* in partes Tyri et Sidonis – *„in das Gebiet von Tyrus und Sidon“ (vgl. Kienast II, S. 299) wird von V mit* týri & ſydon *wiedergegeben. Schacks löst dies auf zu* Tyri, diu ander Sydon *(Schacks, Dichtungen, S. 105, Anm. zu V. 754).* **773** Er sprach] *ergänzt nach G (vgl. Schacks, Dichtungen, S. 107, Apparat und krit. Text zu V. 773).*

sich zu den Heiden begeben.
Da gelangte er in zwei Städte:
eine davon hieß Tyros, die andere Sidon.
755 Daraus lief eine Frau hervor
und rief ihm sehr laut nach:
„*Fili David,*
nun sei mir gnädig!
Meine Tochter ist
760 von schwerer Krankheit befallen.“
Unser Herr überhörte das;
die Apostel bestürmten ihn,
sich umzusehen
und die Bitte der Frau anzuhören.
765 Er sprach: „Ich bin nicht
in die Lande der Heiden entsandt,
sondern ich komme um des Volks Israel willen,
das verloren war.“
Indessen trat die Frau vor ihn hin,
770 sie warf sich auf dem Weg vor ihm nieder.
Sie sprach: „*Fili David,*
erbarme dich meiner, einer sehr armen Frau!“
[Er sprach:] „Es ist nicht recht,
dass man das Brot
775 den Kindern wegnimmt
und es [stattdessen] den Hunden vorwirft.“
Darauf antwortete ihm die Frau folgendermaßen:
„Herr, du hast durchaus Recht;
aber dennoch nützen den Welpen
780 die Krumen,
die vom Tisch des Herrn fallen:
die hungrigen Hunde fressen sie.“
Zu seinen Füßen streckte sie sich aus
und klagte ihm weinend ihre Not.
785 Da sprach der heilige Christus:
„Oh weh, Frau, dein Glaube ist groß!
Dein Wille soll geschehen;
scheide getröstet
in all deinem Leid von mir;
790 es soll dich künftig niemals mehr plagen.“
Die Bücher sagen uns Folgendes:

ein burch hiez Zesarius,
dar chom er gegangen
mit anderen sînen jungeren.
795 er bat si, daz si im sageten,
alse si vernomen habeten,
waz die liute redeten
umbe den sun des mennisken.
„Nu sprechent sumilîche sus:
800 du sîst Johannes.
sô sprechent sumilîche daz:
du sîst Elyas.
sô sprechent sumilîche daz,
du sîst Jeremias
805 oder etlîcher der wîssagen;
dâ vur wellent si dich haben.“
Des antwurte in alsus
unser herre Jesus:
„nu sult ir mir sagen
810 vur waz ir mich welt haben.“
des antwurte ime Petrus,
der was ein prelatus:
„vil wol weiz ich, wer du bist:
du bist der heilige Crist,
815 des lebendigen gotes sun,
der uns von himele chom.“
Dô sprach der heilige Crist:
„vil sâlich, Simeon, du bist!
iz nehât dir niht eroffenôt
820 neweder fleisk noch pluot,
sunder mîn vater, der dâ ist,
qui habitat in celis.
noch die helleporten,
die negestênt niht vor dînen worten.
825 ich bevilhe dir an dem sinne
ze lôsene unde ze bindene
in der erde unde in dem himele
des nesî dir niht widere.

823 noch … 830 alles] *V:* noch die helle porten / dine gestent niht vor dinen worten / ih bevilehe dir andem sinne / zelosene und indem himele / *[Lücke]* / des nesi dir niht widere / ich gibe dir die sluzele des himiles / vil gewaltich sist du is alles. *Wir folgen der Besserung von* SCHACKS, *Dichtungen, S. 110f., Anm., Apparat und krit. Text zu V. 829f., behalten aber die an Mt 16,18 angepasste Satzreihenfolge von V bei.*

Eine Stadt hieß Caesarea.
Dorthin gelangte er
mitsamt seinen Jüngern.
795 Er bat sie, ihm zu sagen,
was sie die Leute
über den Menschensohn
hätten sprechen hören.
„Manche behaupten jetzt,
800 du wärest Johannes.
Dagegen behaupten andere,
du wärest Elias,
und wieder andere behaupten,
du wärest Jeremias
805 oder irgendeiner der Propheten;
dafür halten sie dich.“
Darauf antwortete ihnen
unser Herr Jesus so:
„Jetzt sollt ihr mir sagen,
810 wofür ihr mich haltet.“
Darauf antwortete ihm Petrus,
der ein *prelatus* war:
„Ich weiß ganz genau, wer du bist:
Du bist der heilige Christus,
815 der Sohn des lebendigen Gottes,
der aus dem Himmel zu uns gekommen ist.“
Da sprach der heilige Christus:
„Du bist gar selig, Simon!
Das hat dir
820 weder Fleisch noch Blut offenbart,
sondern mein Vater, derjenige,
qui habitat in celis.
Nicht einmal die Höllentore
können vor deinen Worten Bestand haben
825 Ich befehle dir, im Geiste
zu lösen und zu binden,
auf Erden und im Himmel –
nichts soll dir widerstehen.

812 *prelatus*. Lat. *praelatus*: Prälat, kirchlicher Würdenträger. **818** *Du ... 822 celis*. Vgl. Mt 16,17. Mit *Simeon* ist Simon Petrus gemeint. **822** *qui ... celis*. Lat. *qui habitat in caelis*: der in den Himmeln lebt. **823** *Nicht ... 830 haben*. Während in Mt 16,18–19 die Einsetzung Petri als Bevollmächtigter Christi und Grundstein der Kirche aus seinem Namen (‚Fels‘) heraus entwickelt wird, steht hier zunächst seine künftige Funktion im Vordergrund, der die Namensbedeutung nachgeordnet ist (zu dieser Umstellung vgl. KIENAST II, S. 300). **827** *auf ... Himmel*. Bezug auf den vorangehenden sowie folgenden Vers möglich; derartige syntaktische Konstruktionen (Apokoinu) sind bei Ava ein wiederkehrendes Stilmittel.

ich gibe dir die sluzzele des himiles,
830 vil gewaltich sîst du is alles."
er sprach: „ich wil ûf dich stiften
die christenheit rihten.
du bist der aller beste,
geleit an die gruntfeste,
835 ein stein wirstu genenet,
vil maniger dîn noch mendet."
Dô ladet in ein siech man,
er hiez in bitten,
daz er durch sîne guote
840 in von der miselsuhte nerte.
Dô er in daz hûs chom
unde er ezzen began,
in dem selben muose
chom dar ze hûse
845 ein suntigez wîp,
alse iz an der rede chut.
si brâhte ir salbe
si gie Christes halbe,
si gie hinder im zuo,
850 nider chniete si duo.
si weinote vil suoze
an die gotes vuoze,
mit trahenen si si badete,
mit der salben salbete,
855 mit ir vahse si sie wiskte,
vil lieblîchen si si chuste.
ich weiz ins der bedâhte,
der in dar brâhte.
er dâhte in sînem muote:
860 „wâre dirre guote
ein rehter prophête,
alse ich gedâht hête,
er erchante daz wîp;
ir was vil suntich der lîp."
865 er sprach, daz wâre
ein gemeiniu sundârîn.
Dô sprach Christ ze dem manne

Ich gebe dir die Schlüssel des Himmels,
830 du sollst große Macht über alles haben.“
Er sprach: „Ich will auf dich
die Christenheit gründen und errichten.
Du bist der Allerbeste,
der als Grundstein gelegt wird,
835 ein Felsen wirst du genannt,
viele werden sich noch an dir erfreuen.“
Da lud ihn ein Kranker zu sich ein:
Er ließ ihn bitten,
ihn in seiner Güte
840 vom Aussatz zu heilen.
Als er in das Haus kam
und zu essen begann,
kam während dieser Mahlzeit
dorthin in jenes Haus
845 eine sündige Frau,
wie es erzählt wird.
Sie brachte ihre Salbe mit,
sie kam um Christi willen,
sie trat hinter ihn,
850 dort kniete sie nieder.
Sie weinte höchst innig
auf Gottes Füße
und wusch sie mit Tränen.
Mit der Salbe salbte
855 und mit ihrem Haar trocknete sie sie
und küsste sie sehr liebevoll.
Ich weiß, dass derjenige Verdacht gegen ihn schöpfte,
der ihn dorthin eingeladen hatte.
Er dachte bei sich:
860 „Wäre dieser gute Mann
ein echter Prophet,
wie ich es angenommen habe,
dann würde er die Frau durchschauen:
Sie hat ein sehr sündhaftes Leben geführt.“
865 Er verkündete, dass es sich
um eine gewöhnliche Sünderin handelte.
Daraufhin teilte Christus dem Mann

837 *Da ... 922 Schutz.* V. 837–922 basieren auf Lk 7,36–50 (vgl. THORNTON, Poems, S. 70). **848** *sie*[1] *... willen.* Auch THORNTON deutet *Christes halbe* als Begründung für das Erscheinen der Frau („She went there because of Christ“, THORNTON, Poems, S. 72), während Rushing es als Richtungsangabe sieht („She went to Christ’s side“, RUSHING, Ava’s New Testament Narratives, S. 105).

vone sînen gedanchen:
„hôr, here Symeon,
870 du solt ein urteile tuon.
nu wâren zwêne arme man,
die solten scaz gelten,
der eine besundert,
der solt vif hundert,
875 der ander dâr engegene
sibinstunt zehene.
dô verliez er in die sculde,
daz si ime wâren holde
durch vil michel minne,
880 die selben phenninge.
nu sage du mir, Simeon,
zeige dînen wîstuom,
weder den herren
solte minnen mêre."
885 er sprach: „sô ich verstein mach,
dem er mêre vergap."
dô sprach got ze der stunde:
„du hâst sîn reht vunden.
ich chom hiute her ze dir,
890 noch sâ wazer gâbe du mir,
des du hâst genuoge,
daz ich mîne vuoze dwuoche.
aver dwuoch si si mit dem brunnen,
der ir von deme herzen was ensprungen.
895 si wiskte si mit ir hâre,
daz ziuhet ze der grôzen minne ze wâre.
Dô ich hiute her in dîn hûs gie
unde ich zuo dem muose gephie,
daz ist dir selbem wol chunt,
900 du nechuste mir niht mînen munt;
ave chuste si mîne vuoze,
daz ziuhet ze der merre suoze.
Dô ich hiute hie gesaz,
duo negâbe du mir daz olevaz,
905 daz ich ze nôte
mîn houbet gesalbôte.
ave daz wîp, di du sihest

892 daz…dwuoche] *Lücke in V, allgemein ergänzt nach G (vgl. SCHACKS, Dichtungen, S. 115, Apparat und krit. Text zu V. 892).*

seine Gedanken mit:
„Hör her, Herr Simeon,
870 du sollst ein Urteil fällen.
Es waren einmal zwei arme Männer,
die sollten Schulden zurückzahlen,
der eine allein
schuldete fünfhundert,
875 der andere dagegen
siebenmal zehn [Pfennige].
Da erließ der Gläubiger ihnen die Schuld,
so dass sie ihm ergeben waren,
aus äußerst großer Zuneigung,
880 [er verzichtete auf] diese Pfennige.
Nun sage du mir, Simeon,
stell deine Urteilskraft unter Beweis:
Welcher von beiden
sollte den Herrn mehr lieben?“
885 Er sprach: „So weit ich es verstehen kann,
der, dem er mehr erließ.“
Da sprach Gott sogleich:
„Das hast du ganz recht erkannt.
Ich bin heute zu dir gekommen,
890 aber du hast mir noch kein Wasser gegeben,
obwohl du genug davon hast,
so dass ich mir die Füße hätte waschen können.
Sie aber wusch sie mir mit dem Quell,
der aus ihrem Herzen entsprungen war.
895 Sie trocknete sie mir mit den Haaren,
das zeugt wahrlich von großer Zuneigung.
Als ich heute hierher in dein Haus kam
und mich dem Mahl zuwandte,
wie du sehr wohl weißt,
900 küsstest du mich nicht auf den Mund;
sie aber küsste mir die Füße,
das zeugt von größerer Liebenswürdigkeit.
Als ich mich heute hier niederließ,
reichtest du mir nicht das Ölgefäß,
905 damit ich mir, wie es sich gehört,
den Kopf salben könnte.
Aber die Frau, die du hier siehst

876 *siebenmal zehn.* Steigernde Veränderung gegenüber der biblischen Vorlage in Lk 7,41; dort sind es fünfzig Denarii bzw. Silbergroschen (vgl. THORNTON, Poems, S. 72, Anm. 50). **879** *aus ... Zuneigung. durch vil michel minne* kann sich sowohl auf die Beweggründe des Gläubigers als auch auf die Reaktion der Schuldner beziehen.

unde si sundich haizest,
diu brâhte ir salben
910 reine gehalden.
si salbete mîne vuoze
der stanch wart sô suoze,
daz ervullet wart daz hûs,
vil guot stanch gie dâr ûz.“
915 Dô bliht er ûf an daz wîp,
dô sprach der êwige lîp:
„nu wis tu, wîp, enbunten
von allen dînen sunten
durch dîne minne!
920 sô lâz ich dich varen hinnen
âne dîne sunde;
nu var in gotes munde!“
Swâ er hine chêrte,
die tumben er lêrte,
925 die armen er trôste,
die behaften er lôste:
er half der wazersuhte,
die chrumben er rihte,
er entslôz die touben ôren,
930 er lie si wol hôren,
die miselsuhtigen er nerte,
daz si in neterte,
er hiez die stummen sprechen,
er temperôte die frechen,
935 er hiez den vergihtigen gân,
sîn bette in sîn hûs tragen.
Dô chom der unser hailant
in ein unchundiz lant.
diu liute nâmen diu chindelîn,
940 si brâhten si an unseren trahtîn.
duo betrâgtes die alten,
sie hiezen die vorderen gehalten.
vil harte sis bedrôz,
in wart vil manich widerstôz.
945 dô enphieng si Crist mit minnen.

und die du als sündig bezeichnest,
hat ihre Salbe mitgebracht,
910 die sie rein gehalten hatte.
Sie salbte mir die Füße,
und der Duft wurde so angenehm,
dass das ganze Haus davon erfüllt wurde:
Ein sehr schöner Geruch ging davon aus.“
915 Dann schaute er auf und sah die Frau an.
Da sprach das ewige Leben:
„Nun sei du, Frau,
um deiner Güte willen
von all deinen Sünden losgesprochen!
920 So lasse ich dich ohne deine Sünden
deiner Wege ziehen;
jetzt geh unter Gottes Schutz!“
Wohin auch immer er sich begab,
belehrte er die Einfältigen,
925 tröstete die Armen
und erlöste die Besessenen;
er half gegen Wassersucht,
richtete die Buckligen auf,
schloss den Tauben die Ohren auf
930 und ließ sie gut hören,
er heilte die Aussätzigen,
so dass ihre Krankheit ihnen nicht mehr schadete,
er befahl den Stummen zu sprechen,
er mahnte die Dreisten zur Mäßigung,
935 er befahl dem Gichtbrüchigen, zu gehen
und sein Bett in sein Haus zu tragen.
Dann gelangte unser Heiland
in ein fremdes Land.
Die Leute nahmen die kleinen Kinder
940 und brachten sie zu unserem Herrn der Heerscharen.
Das verdross die Alten,
sie geboten den Eltern Einhalt.
Es war ihnen äußerst unangenehm,
ihnen wurde viel Widerstand entgegengesetzt.
945 Da empfing Christus sie voller Liebe,

923 *Wohin ... 936 tragen.* Die geraffte Schilderung liefert einem Publikum, dem Jesu Wirken geläufig ist, die nötigen Stichworte, um das eigene Wissen darüber gedanklich abzurufen. Zur Schwerpunktsetzung, die der zeitgenössischer Bilderzyklen ähnelt, vgl. GUTFLEISCH-ZICHE, Bildliches Erzählen, S. 220, mit Beispielen S. 220ff. **937** *Dann ... 950 Gnade.* Die synoptischen Evangelien (Mt 19,13–15; Mk 10,13–16; Lk 18,15–17) sprechen stattdessen davon, dass die Jünger die Leute mit den Kindern schroff zurückweisen, worauf Jesus entgegnet: „Lasst die Kinder zu mir kommen“.

er hiez si dare zuo bringen,
vil holtlîchen er si ane sach,
vil minnechlîchen er in zuo sprach.
er sprach, daz si wæren
950 die erben der himelisken gnâden.
Dô chom er iesâ
in ein chastel daz hiez Bethania.
dâ enphiengen in inne
zwei wîp mit guotem sinne:
955 diu eine hiez Martha,
diu ander Maria.
sich hête Maria
geledeget unde gefrîet,
si saz suoze
960 zuo den gotes fuozen.
vil gerne si hôrte
swaz er guotes lêrte.
Martha gie umbe
den gesten dienende,
965 geteilet was der ir sin,
iedoch gestuont si bî im.
si sprach: „mîn vil liebe,
mir nehilfet niemen dienen.
ich hân michel sorgen
970 von dem âbent unz an den morgen.
nu gebiut du Marien,
daz sie mir helfe dienen!“
Dô sprach der heilige Christ:
„vil nôtdurft daz dienest ist,
975 iedoch hât dîn swester
erwelt daz aller beste.“
Martha danne giench,
ze deme dienest si viench.
unze unser herre dâ saz,
980 Maria dâ mit im was.

er befahl, sie herzubringen,
sah sie voller Zuneigung an
und sprach sehr gütig mit ihnen.
Er sagte, sie wären
950 die Erben der himmlischen Gnade.
Danach kam er bald
an einen befestigten Ort namens Bethanien.
Dort empfingen ihn
zwei wohlgesonnene Frauen:
955 die eine hieß Martha,
die andere Maria.
Maria hatte sich
[ihrer Arbeit] entledigt und war müßig,
sie saß lieblich
960 zu Gottes Füßen.
Sie hörte sehr gern,
was er an Gutem lehrte.
Martha ging umher
und bediente die Gäste,
965 sie war abgelenkt,
stellte sich aber dennoch neben ihn.
Sie sprach: „Mein Lieber,
niemand hilft mir beim Bedienen.
Ich habe große Sorgen,
970 von abends bis morgens.
Nun befiehl du Maria,
dass sie mir beim Bedienen hilft!“
Da sprach der heilige Christus:
„Das Dienen ist sehr notwendig,
975 aber deine Schwester hat dennoch
das Allerbeste erwählt.“
Martha ging davon
und widmete sich wieder dem Bedienen.
Solange unser Herr dort saß,
980 war Maria bei ihm.

951 *Danach ... 980 ihm.* Der Aufenthalt Christi bei Maria und Martha ist in Lk 10,38–42 geschildert. HINTZ weist darauf hin, dass die beiden Schwestern schon in der *Regula solitariorum* des Grimlaicus, einer vom 9. bis zum 15. Jh. gebräuchlichen Lebensregel für Reklusen, als vorbildliche Verkörperungen der *vita activa*, des tätigen Lebens (Martha), und der *vita contemplativa*, des als überlegen betrachteten weltabgewandten Lebens (Maria), hervorgehoben werden (vgl. HINTZ, Learning, S. 105). Die aus der Äußerung Christi in Lk 10,41f. abzuleitende Höherbewertung Marias ist auch in anderen Texten des Mittelalters eine Konstante. Ein erster eindeutiger Beleg für eine Umkehr der biblisch vorgegebenen Rangfolge der beiden Schwestern hin zu einem Vorrang Marthas und damit der *vita activa* findet sich erst lange nach Avas Zeit in einer Predigt Meister Eckharts (ca. 1260–1328; vgl. FLASCH, Meister Eckhart, S. 20f.).

Die heiligen zwelfpoten
eines tages giengen si mit gote.
dâ sâhen si einen blinden man,
ir einer frâgen began,
985 von welcher gewurhte
der selbe blint wurte.
duo sprach der heilige Christ:
„ich sage iu rehte, waz iz ist.
iz nist von sînen sunden
990 noch von sînem chunne.
diu gotes werch hie in erde
suln von ime geloubet werden."
Dô er dar zuo chom,
sîne speichelen er nam,
995 dar zuo nam er erde,
er temperôte si werde.
er streich iz dem blinden
uber diu ougen an der tingen.
er hiez in ze Syloe gân,
1000 wasken sîniu ougen.
er sprach: „du solt gesehen
unde solt iz iemer gote jehen!"
Daz was vil sciere getân,
gesehende wart der selbe man.
1005 duo iz diu liute gesâhen,
vil harte si erchômen.
si fragten in genôte,
von wiu er sîn gesiune hête.
Dô sprach der gesehende:
1010 „ich bin sîn got jehende.
hie vur fuor ein man,
ein hor er temperen began,
fure mîniu ougen er iz streich,
diu blintheit mir entweich.
1015 er hiez mich iz abe wasken ze aineme sê,
ich nesach niht ê,
er gab mir mîniu ougen,
ich wil an in gelouben."
Dô iz die Juden gehôrten,
1020 si frâgten in genôte,
vone weme er des jâhe,

992 geloubet] *G* gelobt*; MAURER mit KIENAST* geougent *(vgl. KIENAST II, S. 300 – Sein Hauptargument ist Joh 9,3:* ut manifestentur opera Dei in illo – *„es sollen die Werke Gottes offenbar werden an ihm" [Lutherbibel]).*

Eines Tages waren die heiligen Apostel
mit Gott unterwegs.
Da sahen sie einen blinden Mann,
und einer von ihnen begann zu fragen,
985 aufgrund welcher Ursache
dieser Mann blind geworden sei.
Da sprach der heilige Christus:
„Ich sage euch wahrheitsgemäß, woran es liegt.
Es liegt weder an seinen Sünden
990 noch an seiner Verwandtschaft.
Vielmehr soll er an Gottes Werke
hier auf Erden glauben."
Als er zu ihm kam,
nahm er seinen Speichel,
995 dazu noch Erde
und vermischte beides gut.
Er strich es dem Blinden
über die Augen bis hinauf zur Stirn.
Er gebot ihm, nach Siloah zu gehen
1000 und dort seine Augen zu waschen.
Er sprach: „Du sollst sehend werden
und sollst dafür immer Gott danken!"
Das war schnell erledigt:
der Mann wurde sehend.
1005 Als die Leute das sahen,
erschraken sie sehr.
Sie bestürmten ihn mit Fragen,
wie er seine Sehkraft erlangt habe.
Da sprach der Sehende:
1010 „Das habe ich Gott zu verdanken.
Vorhin kam ein Mann vorbei,
der begann, Schmutz zu vermischen,
er strich ihn mir auf die Augen,
und die Blindheit wich von mir.
1015 Er ließ ihn mich an einem See abwaschen,
vorher sah ich nichts.
Er hat mir meine Augen geschenkt,
ich will an ihn glauben."
Als die Juden das hörten,
1020 fragten sie ihn eifrig,
wem er es anrechnete,

999 *Siloah.* Vgl. Joh 9,7: der Teich Siloah/Schiloach. „Der Name Schiloach wird vom Evangelisten auf Jesus, den ‚Gesandten', gedeutet, durch den der Blinde geheilt wird." (Bibel, Einheitsübersetzung, Kommentar zu Joh 9,7, S. 1208).

daz er sô wol gesâhe.
duo sprach der petelâre,
daz er iz got jâhe:
1025 „Jesus Nazarenus,
der gebôt iz alsus,
daz ich daz lieht sâhe
unde ich iz gote jâhe.
dem bin ich iemer jehende,
1030 daz ich wart gesehende."
Dô chômen si den friunden zuo,
vil harte nôtigoten si sie duo,
ob der petelâre
vone geburte blint wâre.
1035 si sprâchen ze wâre,
daz er blint geborn wære.
si newessen ave niht,
von wem er habet daz lieht.
Dô giengen si ime aver zuo,
1040 si nôtigoten in duo,
daz er in rehte sagete,
vone weme er gesiune habete.
duo sprach der arm man,
vil lûte er brahten began:
1045 „Jesus Nazarenus,
der gebôt iz alsus.
ich was ein petelâre,
welt ir iz nu hôren!
lop dir, heiliger Christ,
1050 du der uns von gote chomen bist,
daz ich hân mîniu ougen,
ich wil an dich gelouben."
Vil harte si in stouten,
den friunten si drouten,
1055 si tâten im daz ze leide,
si nâmen im die gemeinde,
si wurfen in ûz ze der strâze,
si newolten in dâr inne niht lâzen.
Dô er von dem wege chom,
1060 wie lûte er brahten began,
wie harte er si geneizte,
vil lûte er si reizte!
er zôh iz allez ze êren
Christ, sîme herren.

dass er so gut sehen konnte.
Da sprach der Bettler,
dass er es Gott zu verdanken habe:
1025 „*Jesus Nazarenus*
hat es so befohlen,
dass ich das Licht sehen
und Gott dafür danken sollte.
Dafür bin ich ihm auf ewig dankbar,
1030 dass ich sehend geworden bin.“
Dann wandten sie sich an seine Freunde
und bedrängten sie heftig, [ihnen zu sagen,]
ob der Bettler
von Geburt an blind gewesen wäre.
1035 Sie sagten wahrheitsgemäß,
dass er blind geboren worden sei,
sie aber nicht wüssten,
von wem er das Augenlicht bekommen habe.
Da gingen sie wieder zu ihm
1040 und nötigten ihn,
ihnen wahrheitsgemäß zu sagen,
von wem er geheilt worden sei.
Da sprach der arme Mann
und begann sehr laut zu rufen:
1045 „*Jesus Nazarenus*
hat es so befohlen.
Ich war ein Bettler,
wollt ihr endlich zuhören!
Lob sei dir, heiliger Christus,
1050 der du von Gott zu uns gekommen bist,
dass ich meine Augen gebrauchen kann,
ich will an dich glauben.“
Da tadelten sie ihn sehr heftig
und drohten den Freunden,
1055 sie taten ihm Folgendes zuleide:
Sie verstießen ihn aus der Gemeinde,
sie warfen ihn hinaus auf die Straße
und wollten ihn nicht drinnen bleiben lassen.
Als er sich von der Straße aufrichtete,
1060 wie laut begann er da zu rufen,
wie heftig schalt er sie –
lauthals forderte er sie heraus!
Er ließ es alles seinem Herrn
Christus zur Ehre gereichen.

1025 *Jesus Nazarenus*. Lat.: Jesus von Nazareth; Jesus der Nazarener.

1065 Dô chom der heilige Christ,
der der armen trôst ist.
er frâgte den armen man,
war umbe er wære ûz getân.
er sprach: „ich was hie bevor ein plint man,
1070 daz puzte mir ein gut man,
Jesus Nazarenus,
der gebôt iz alsus.
durch daz âhten si mîn,
iedoch pin ich iemer der scalch sîn.“
1075 Dô sprach der heilige Christ:
„waist du noch, wer er ist,
ob du in gesæhest,
du sîn junger wærest?“
hin nâher trat der arm man,
1080 vor liebe er weinen began:
„wie gerne ich in gesæhe,
daz ich ime verjâhe!“
„nu giench her nâch mir,
vil wol gezeige ich in dir.
1085 nu wizest, daz iz wâr ist:
mit dir chôset, der iz ist.“
der plint dâ ze wege gie,
fur got er nider viel.
er bette in mit herzen,
1090 er lobte in mit sînen werchen,
vil guotlîchen er in ane sach,
er volget im iemer mêre nâch.
Uber vierzehen tage
vor sînen marterlîchen tage
1095 dô chom er in Bethaniam:
zwei wîp erbâten in dâ,
daz ir bruoder gnas,
der drî tage begraben was.
duo iz die Juden vernâmen,
1100 vil harte si erchômen,
si îlten sich besenden
in allen den enden

1093 vierzehen] *V* vierzec tage. *Wir folgen mit* vierzehen *der Emendation von* MAURER *und* SCHACKS *(vgl.* SCHACKS, *Dichtungen, S. 130f., Anm., Apparat und krit. Text zu V. 1093).* **1098** drî tage] *nach V; G* vier tage.

1065 Da kam der heilige Christus,
der den Armen ein Trost ist.
Er fragte den armen Mann,
warum er verstoßen worden sei.
Er sprach: „Ich war früher blind,
1070 davon heilte mich ein guter Mann,
Jesus Nazarenus,
der es so befahl.
Deshalb ächten sie mich,
dennoch bin ich für immer sein Knecht."
1075 Da sprach der heilige Christus:
„Weißt du noch, wer er ist,
und würdest du, wenn du ihn sehen würdest,
sein Jünger werden?"
Der arme Mann trat näher heran
1080 und begann vor Liebe zu weinen.
„Wie gerne würde ich ihn sehen,
um es ihm zu geloben!"
„Dann folge mir nach,
ich werde ihn dir sehr wohl zeigen.
1085 Nun wisse, dass es sich folgendermaßen verhält:
Es ist derjenige, der mit dir spricht."
Da trat der Blinde auf die Straße
und fiel vor Gott nieder.
Er betete ihn von ganzem Herzen an
1090 und lobte ihn mit seinen Werken,
er sah ihn sehr freundlich an
und folgte ihm für alle Zeit nach.
Vierzehn Tage
vor seiner Passion
1095 kam er *in Bethaniam*:
Dort baten ihn zwei Frauen darum,
dass ihr Bruder genesen möge,
der schon drei Tage lang begraben lag.
Als die Juden das hörten,
1100 erschraken sie sehr
und beeilten sich,
von überallher

1093 *Vierzehn*. Die Zeitangabe ergibt sich daraus, dass Joh 11,1–46 als Lesungstext am Freitag zwischen dem vierten und fünften Fastensonntag vorgetragen wird (vgl. THORNTON, Poems, S. 80, Anm. 57, MASSER, Kindheit, S. 41, und SCHACKS, Dichtungen, S. 130, Anm. zu V. 1093). Nach liturgischer Zeit liegt das Ereignis also zwei Wochen vor Karfreitag. **1095** *in Bethaniam*. Lat.: nach Bethanien. **1098** *drei Tage*. In Joh 11,17 sind es vier Tage, so auch G (vgl. SCHACKS, Dichtungen, S. 130, Anm. zu V. 1098); V weist auf den später ebenfalls drei Tage im Grabe liegenden Christus voraus.

die lukkenprophêten,
daz si in verrieten.
1105 Dô sprach der biskof Cayphas,
des daz ambahte was,
er saget in daz in alwâr
iz wâre bezzer getân,
daz eine sturbe,
1110 denne daz elliu diu werlt verlorn wurde,
zuo zin chôme Pylatus,
der underwunde sich des râtes.
den gesprach Judas,
der sîn chamerâre was.
1115 er sprach, ob si in wolten mieten,
daz er in in verriete.
duo puten si ime ze minnen
drîzech phenninge.
duo verriet er sînen herren,
1120 des engalt er vil sêre.
Duo was unser herre gegên
in eine burch diu hiez Effrem.
dâ enwalt er siben tage.
duo zegie er sich aver sâ,
1125 dô chom er widere in Bethaniam,
do emphiengen in Maria unde Martha.
Dô er ze dem inpîze gesaz,
Maria brâht ein olevaz.
mit dem hêren balsamun
1130 salbet si den gotesun
die vuoze unde daz houbet.
si hêt in gegarwet an den tôt.

1109 daz … sturbe] *nach V. Schacks ergänzt – mit Bedeutungsänderung – nach Kienast zu* daz er eine sturbe *(„dass er allein stürbe"); G* Also ein ersturbe. **1111** zuo … 1112 râtes] *V* zu zin chom pylatus / der under want sich des râtes; *G* zv ím chom pylatus / er und[s]want sich des rates; *wir folgen mit Maurer und Schacks der Besserung von Kienast II, S. 301 zum Konjunktiv (vgl. Schacks, Dichtungen, S. 132f., Anm., Apparat und krit. Text zu V. 1111).* **1124** duo … sâ] *nach V; Kienast, Maurer und Schacks bessern:* duo zogte er sich aver dane *(vgl. Kienast II, S. 302; Schacks, Dichtungen, S. 132f., Anm., Apparat und krit. Text zu V. 1124).*

die falschen Propheten zusammenzurufen,
damit sie ihn verrieten.
1105 Da sprach der Bischof Kaiphas,
der das Amt innehatte,
und sagte ihnen, dass es fürwahr
besser wäre,
dass einer stürbe,
1110 als dass alle Welt zugrunde ginge
und dass Pilatus käme
und sich des Rates bemächtigte.
An sie wandte sich Judas,
der sein Schatzmeister war,
1115 und sagte, dass er ihn verraten würde,
wenn sie ihn dafür bezahlen wollten.
Da boten sie ihm als Belohnung
dreißig Silberlinge.
Da verriet er seinen Herrn,
1120 das musste er noch schmerzlich büßen.
Unterdessen war unser Herr
in eine Stadt namens Ephraim gegangen.
Dort hielt er sich sieben Tage lang auf,
doch er sonderte sich alsbald ab
1125 und kam wieder nach Bethanien,
wo ihn Maria und Martha empfingen.
Als er sich zum Mahl niederließ,
brachte Maria ein Ölgefäß.
Mit dem herrlichen Balsam
1130 salbte sie dem Gottessohn
Füße und Haupt.
Sie hatte ihn auf den Tod vorbereitet.

1105 *Bischof.* Joh 11,48 bietet *pontifex* für den Hohepriester (vgl. auch THORNTON, Poems, S. 80, Anm. 58), *biskof* ist eine interpretierende Übersetzung, die den Titel des Hohepriesters quasi verchristlicht und dem Publikum durch die Angleichung an die vertraute Lebenswelt die Einordnung der religiösen und sozialen Stellung des Amtsträgers erleichtert. Dieses Vorgehen ist bei der Umsetzung biblischer Stoffe in mittelalterlicher Dichtung üblich (vgl. SCHOTTMANN, Redentiner Osterspiel, S. 223, Anm. 806f.) und tritt bei Ava noch an anderer Stelle auf, wenn Pilatus als *der grâve* (LJ V. 1535) erscheint. **1123** *sieben Tage.* Die Zeitangabe geht auf den Platz von Joh 12,1 im liturgischen Jahr zurück, da die Salbung in Bethanien Lesung am Montag der Karwoche, also sechs Tage vor Ostern, ist (vgl. THORNTON, Poems, S. 81, Anm. 60, und SCHACKS, Dichtungen, S. 132, Anm. zu V. 1121–1142; zu Avas Zeitrechnung auch GREINEMANN, Quellenfrage, S. 92). **1132** *Sie ... vorbereitet.* Vgl. Mt 26,12 und Joh 12,7; dort interpretiert Christus selbst die Salbung als Vorbereitung auf seinen Tod. Bemerkenswert ist, dass hier die Salbung durch eine Frau in die Nähe priesterlichen Handelns (Spendung der Sterbesakramente) gerückt und ausdrücklich von Christus gegen Kritik in Schutz genommen wird (vgl. dazu auch Kommentar zu LJ V. 1138ff.). In der Forschung besteht keine Einigkeit über die Entwicklungstendenz der religiösen Rolle von Frauen in Avas Epoche (vgl. etwa die völlig konträren Positionen von MACY, Hidden History,

Daz pemurmelôte Judas,
der sîn lâgære was.
1135 er sprach: „pezzer wâre,
daz man iz den armen gâbe.“
duo sprach der heilige Christ:
„Maria, wie guot dîn werch ist,
daz du ane mir hâst getân!
1140 des solt du iemer lop hân
in allen den enden,
swâ man mîne martyr iemer erchennet.“
Dâ getwalt er die naht
unze an den anderen tach.
1145 duo sante unser herre
sîne jungere zwêne,
daz si ime eine eselinne brâhten;
si legeten dar ûf ir gewâte.
„ob iemen dâ widere sî,
1150 so sprechet ir dâ bî,
ir bedurfte der herre,
daz saget ir in zwâre.“
Dô saz er ûf die eselinne,
mit ir liuf daz jungedi.
1155 duo reit er ze Jerusalem,
sîne jungeren hiez er mit im gên.
diu menege was grôzlîch,
der antvanch was vile wunnechlîch.
die dâ nâch fuoren,
1160 daz [gotes] lop si huoben.
di dâ vure fuoren,
daz selbe lop si huoben.
si sprâchen al gelîche:
„gesegenot sîstu, chint Davides!“

1153 Dô…eselinne] *G fügt nach V. 1153 ein (Schreibweise angepasst):* Hin giengen si mit sinne / und brâhten di eslinne. / Als si si dô brâhten / mit irm gewande sîs bedâhten *(vgl. SCHACKS, Dichtungen, S. 135, Apparat zu V. 1153f.).* **1160** gotes] *ergänzt nach G, zu SCHACKS' gegenteiliger Überlegung aufgrund der folgenden Wiederholung vgl. SCHACKS, Dichtungen, S. 136f., Anm., Apparat und krit. Text zu V. 1159–1162.*

Darüber murrte Judas,
der ihm nachstellte.
1135 Er sagte: „Es wäre besser,
das den Armen zu geben."
Da sprach der heilige Christus:
„Maria, wie gut doch das Werk ist,
das du an mir vollbracht hast!
1140 Dafür sollst du bis in alle Ewigkeit
in allen Landen gepriesen werden,
wo auch immer man künftig meine Passion anerkennt."
Dort verbrachte er die Nacht
bis zum nächsten Morgen.
1145 Dann sandte unser Herr
zwei seiner Jünger aus,
damit sie ihm eine Eselin holten,
und sie legten ihre Gewänder darauf.
„Wenn jemand etwas dagegen hat,
1150 dann sagt ihr dazu,
dass der Herr ihrer bedurfte,
das sagt ihnen fürwahr!"
Dann stieg er auf die Eselin,
ihr Fohlen lief nebenher.
1155 Da ritt er nach Jerusalem
und befahl seinen Jüngern, ihn zu begleiten.
Die Menschenmenge war sehr groß,
er wurde sehr freudig willkommen geheißen.
Diejenigen, die ihm nachfolgten,
1160 stimmten [Gottes] Lob an.
Diejenigen, die vor ihm hergingen,
stimmten dasselbe Lob an.
Sie sprachen alle gleichermaßen:
„Gesegnet seist du, Kind Davids!"

S. 63, 84 und insbesondere 90f., und LUTTER, Geschlecht & Wissen, S. 218). Je nachdem, welcher Perspektive man sich anschließt, mag in der Textstelle ein Pochen auf das Beibehalten alter Handlungsspielräume oder ein Einfordern einer stärkeren Einbindung von Frauen in religiöse Belange unter Berufung auf die Autorität Christi selbst mitschwingen.
1134 *der ... nachstellte*. Die Parallelkonstruktion zu V. 1114, in dem Judas noch in seiner Rolle als *chamerâre* Jesu (vgl. Joh 12,6) erscheint, macht deutlich, dass Ava den durch den Verrat eingetretenen Wandel gezielt durch eine Bezeichnungsänderung (*lâgære,* „Verfolger, Nachsteller", vgl. LEXER, Mhd. Hanwörterbuch, Bd. 1, Sp. 1812) markiert. Vgl. zu dieser Technik auch Kommentar zu J V. 159. **1138** *Maria ... 1142 anerkennt*. Ava kombiniert Mt 26,6–13 und Joh 12,1–8 und führt das Detail ein, dass Christus die ihn salbende Frau direkt anspricht, während er sich im Bibeltext an Judas (vgl. Joh 12,7) bzw. die Jünger insgesamt wendet (vgl. THORNTON, Poems, S. 82, Anm. 61). **1143** *Dort ... 1174 Christus*. Vgl. Mt 21,1–11, Perikope am Palmsonntag (vgl. SCHACKS, Dichtungen, S. 134, Anm. zu V. 1143–1174).

1165 Die iz dâ vor wessen,
die brâchen ab dem boume die este.
an den wech si sie legeten,
dem esele si strouten.
di diu zwî nehêten,
1170 die wurfen ir gewâte.
sie enphiengen in mit êren,
den cheiser aller herren.
si sprâchen al gelîche:
„lop sî dir, Christ der rîche!“
1175 Dô gie der gotesun
ze Jerusalem in daz templum.
dô hêten si zir leide
dar în gefuoret veile
beidiu rinder unde scâf,
1180 vil gar zewarf er in daz.
er sluoch si ûz [dem gotes hûs],
die tûben hiez er tragen ûz.
er sprach, daz iz wâre
ein hol der scachære.
1185 duo hiez er iz reinen,
er chot, er wolt iz haben eine.
den tach was er dâr inne,
duo enthielt er einen blinden.
Des anderen tages vil fruo,
1190 duo brâhten si ime ein wîp zuo,
die hêten si vunden
an tôtlîchen sunden.
vil frô si duo wâren,
dâ si mit ir fuoren.
1195 si wânten daz si mahten,
den wîstuom uberbrahten:

1181 dem … hûs] *Ergänzung nach* Schacks *und* Kienast. *G:* Er slug iz allez dar ûz *(vgl.* Schacks, *Dichtungen, S. 138f., Anm., Apparat und krit. Text zu V. 1181f.).*

1165 Diejenigen, die es im Voraus wussten,
brachen Zweige von Bäumen ab,
legten sie auf die Straße
und streuten sie vor den Esel.
Wer keine Zweige hatte,
1170 warf seine Kleider dorthin.
Sie empfingen mit allen Ehren
den Kaiser aller Herren.
Sie sprachen alle gleichermaßen:
„Sei gepriesen, mächtiger Christus!"
1175 Dann begab sich der Gottessohn
in Jerusalem in das *templum*.
In das hatte man
zu seinem Leidwesen
sowohl Rinder als auch Schafe geführt, um sie feilzubieten,
1180 doch das machte er ihnen gänzlich zunichte.
Er vertrieb sie [aus dem Gotteshaus]
und ließ die Tauben daraus wegtragen.
Er sprach, dass es
eine Räuberhöhle wäre.
1185 Da befahl er, es zu reinigen.
Er sagte, er wolle es für sich allein haben.
Als er den Tag dort im Tempel verbrachte,
heilte er einen Blinden.
Sehr früh am nächsten Morgen
1190 brachte man eine Frau zu ihm,
die man bei Todsünden
ertappt hatte.
Als sie mit ihr dort hinkamen,
freuten sie sich sehr.
1195 Sie glaubten, dass sie
seine Weisheit überlisten könnten:

1175 *Dann ... 1188 Blinden.* Tempelreinigung: Mt 21,10–17: Perikope am Dienstag nach dem ersten Fastensonntag; Joh 2,13–25: Perikope am Montag nach dem vierten Fastensonntag (vgl. SCHACKS, Dichtungen, S. 136, Anm. zu V. 1175–1188). **1176** *templum.* Lat.: Tempel. **1188** *heilte ... Blinden.* Zum Gegensatz zwischen dem ohne Sündenschuld Blindgeborenen (LJ V. 981–1092) und dem aufgrund seiner Sündhaftigkeit Erblindeten vgl. KIENAST II, S. 303. **1189** *Sehr ... 1230 vergeben.* Vgl. Joh 8,3–11. Ava verlegt das Geschehen an eine prominentere Stelle als biblisch vorgegeben (vgl. THORNTON, Poems, S. 84, Anm. 63). Die Episode wird so aufgewertet, ist sie doch das letzte öffentliche Auftreten Christi vor seiner Passion und zugleich eine der wenigen lehrhaften Szenen, die Ava überhaupt aufgreift. Am Beispiel einer der von Ava geschätzten Frauenfiguren werden der barmherzige Umgang mit sozial Schwächeren und die Bereitschaft, sich mit der eigenen Sündhaftigkeit auseinanderzusetzen, angemahnt. Beide Themen dominieren auch den Tugendkatalog, den Ava später im *Jüngsten Gericht* entwirft (vgl. JG V. 205–226).

ob er si nerte,
daz im diu ê daz werte,
unde hiez er sie steinon,
1200 sô newâre niht der gotesun.
Dô giengen si in daz templum,
dâ vunden si den gotesun.
ze des wîbes gesihte
befulhen si im daz gerihte.
1205 si bâten in, daz er sagete,
waz diu ê habete.
Dô sprach er durch sîne guote,
swer die ê habet behuotet,
der solte si steinen,
1210 anders neheiner.
Dô si daz vernâmen,
unwirdlîchen si sahen,
fliehen si begunden,
ze den turn si ûz drungen.
1215 dâ nebestunt inne nehain lîp
wane Christ unde daz wîp.
dô screip der gotes werde
mit den vingeren an der erde.
vil lang er nider nihte,
1220 dâr nâch er ûf blihte.
duo sprach er ze der gemeinen:
„wâ sint, die dich wolten steinen?“
Dô sprach daz suntige wîp:
„hie nist, herre, nehein lîp.“
1225 duo sprach daz êwige lieht:
„ich verteile dîn ouch niht.
nu denche an die sêle
unde nesunde niht mêre.
ze wâre sagen ich iz dir:
1230 dîne sunde sint vergeben dir.“

Wenn er sie beschützte,
wurde ihm das vom Gesetz verwehrt,
und wenn er befahl, sie zu steinigen,
1200 so wäre er nicht der Gottessohn.
Da gingen sie in das *templum*,
dort fanden sie den Gottessohn.
Vor den Augen der Frau
forderten sie ihn auf, Gericht zu halten.
1205 Sie baten ihn, zu sagen,
was das Gesetz verlangte.
Da sprach er in seiner Güte,
wer auch immer das Gesetz eingehalten hätte,
sollte sie steinigen,
1210 sonst aber niemand.
Als sie das hörten,
erkannten sie, dass sie selbst unwürdig waren,
sie begannen zu fliehen
und drängten sich zu den Türen hinaus.
1215 Kein Einziger blieb mehr dort drinnen
bis auf Christus und die Frau.
Da schrieb der Gottgefällige
mit den Fingern in der Erde.
Sehr lange beugte er sich nieder,
1220 danach sah er auf.
Da sprach er zu der einfachen Frau:
„Wo sind die, die dich steinigen wollten?"
Da sprach die sündige Frau:
„Herr, hier ist niemand."
1225 Da sprach das ewige Licht:
„Auch ich verurteile dich nicht.
Nun denke an deine Seele
und sündige nicht mehr.
Ich sage dir wahrlich:
1230 Deine Sünden sind dir vergeben."

1208 *wer ... 1210 niemand.* Die Äußerung Christi bei Ava geht über die in Joh 8,7 hinaus, die nur fordert, dass der erste Stein von jemandem, der ohne Sünde ist, geworfen werden soll, aber nicht generell die Beteiligung von Gesetzesbrechern an der Steinigung ausschließt. Während man die biblische Vorlage also auch so deuten könnte, dass die Anwesenheit eines einzigen Schuldlosen der Gemeinschaft ihr Recht, zu strafen, kollektiv zurückgeben würde, ist der Ausschluss von der Strafgewalt bei Ava radikaler an der individuellen Sündhaftigkeit orientiert. **1213** *sie ... 1214 hinaus.* Die Flucht der Ankläger ist bei Ava lebhafter gestaltet als in Joh 8,9 (vgl. THORNTON, Poems, S. 84, Anm. 64). **1221** *einfachen Frau.* THORNTON deutet den Begriff der *gemeinen* als Eindeutschung des lat. *publica* für „Prostituierte" (vgl. THORNTON, Poems, S. 86, Anm. 65; vgl. auch KIENAST II, S. 303).

Als ich vernomen habe,
vor dem tultlîchen tage,
duo begurte sich der gotesun,
duo dwuog er sînen jungeren
1235 die vuoze unde die hende:
dô wolt er iz allez enden.
in sîner heiliger minne
er lêrte si duo mit tiefeme sinne.
Dô chniet er vil suoze
1240 vure sîner jungeren fuoze.
duo sprach Sancte Peter:
„du negedwest mir niemer.“
Dô sprach got der rîche:
„so negewinnest du niemer tail in mînem rîche.“
1245 des antwurte ime uberlût
Peter, der sîn trût:
„mîne hende unde mîn houbet,
daz sî dir, herre, ê erloubet.“
duo dwuog er in allen
1250 di vuoze nâch ein ander.
dô iz allez was getân,
sîn gewâte er an sich nam.
dô saz er ze muose,
begunde mit in chôsen:
1255 „under iu ist ein man,
der mich hât verrâten.“
die herren alle erchômen,
si dâhten, wer er wære.
Dô wincten si einem chinde,
1260 deme guoten Johannem –
er linete ûf sînen brusten,
sîn minne was feste –
daz er in erfuore,
welher iz wâre.

Wie ich gehört habe,
gürtete sich der Gottessohn
vor dem Feiertag
und wusch seinen Jüngern
1235 die Füße und die Hände:
Danach wollte er alles zu Ende bringen.
In seiner heiligen Liebe
unterwies er sie da tiefsinnig.
Da kniete er höchst liebevoll
1240 zu Füßen seiner Jünger.
Da sprach Sankt Petrus:
„Du sollst mich niemals waschen!“
Da sprach der mächtige Gott:
„Dann gewinnst du niemals einen Anteil an meinem Reich.“
1245 Darauf antwortete ihm laut und deutlich
Petrus, sein Liebling:
„Meine Hände und meinen Kopf [darfst du waschen],
das sei dir, Herr, mit Fug und Recht erlaubt.“
Da wusch er ihnen allen
1250 nacheinander die Füße.
Nachdem dies alles getan war,
legte er sein Gewand an.
Da ließ er sich zum Mahl nieder
und begann mit ihnen zu sprechen:
1255 „Unter euch ist ein Mann,
der mich verraten hat.“
Die Herren erschraken alle
und dachten darüber nach, wer es wohl wäre.
Da bedeuteten sie einem Jüngling,
1260 dem guten Johannes –
er lehnte an seiner Brust,
seine Liebe war beständig –,
für sie in Erfahrung zu bringen,
welcher es wäre.

1231 *Wie ... 1268 anheimgegeben.* Vgl. Joh 13,1–30. Ava markiert das Ende des öffentlichen Wirkens Jesu und den Anbruch der Passionsgeschichte sprachlich durch ein Neueinsetzen (ähnlich wie nach der Jordantaufe in LJ V. 527). **1246** *Petrus ... Liebling.* Während gemeinhin Johannes als der Jünger, „den Jesus liebte“ gesehen wird (Joh 13,23; 20,2; 21,7; 21,20; explizite Identifizierung mit dem Evangelisten Johannes in Joh 21,24), überträgt Ava die Bezeichnung auf Petrus (vgl. THORNTON, Poems, S. 88, Anm. 66). Die Aufwertung ist in der Forschung sowohl als Indiz für eine enge Beziehung zum Kloster Melk mit seinem Petruspatrozinium (vgl. MASSER, Kindheit, S. 46) als auch als Beleg für eine ekklesiologische Ausrichtung auf Petrus als Gründungsgestalt der christlichen Kirche gedeutet worden (vgl. KIENAST I, S. 32). **1255** *Unter ... 1256 hat.* Während in Joh 13,21 der Verrat noch in der Zukunft liegt, schreibt Ava im Perfekt von dem bereits in die Wege geleiteten Verrat, auch wenn der eigentliche ‚Judaskuss‘ erst später erfolgt.

1265 dô sprach der heilige Christ:
„under iu zwelven er ist.
dem ich piute daz prôt,
der hât mir gegarwet den tôt.“
Duo Judas der diep
1270 von den anderen sciet,
dô netwalt got niht,
duo geberhtelôt er daz obrist lieht.
duo lêrte si Christ dâr inne
von sîner heiligen minne.
1275 Dâr nâch wîhte er daz prôt,
den einleven er iz pôt.
er sprach: „dize ist wârez mîn fleisk,
dâr zuo gecreftige iuch der heilige geist,
daz ir disiu tougen
1280 vil rehte geloubet,
unde daz ir iz chundet
allen mînen chinden,
sô wît sô diu werlt ist,
daz iz vure iuch gegeben ist.“
1285 Dô nam der unser heilant
den kelich an die hant.
er sprach: „dize scult ir trinchen
unde sult iz in mîner gehugede gedenchen,
daz iz mîn pluot ist,
1290 daz vure die sunde der werlte gegeben ist.“
Dô sprach der unser trehtîn
zuo den jungeren sîn:
„iz ist ein wîle, daz ir mich seht
unde daz ir mîn chûme verjehet.
1295 dâr nâch nesehet ir mîn niht,
sô wirt bechêret iuwer lieht,
sô sehet ir mich denne;
vil churzlîch ist iz denne,
sô var ich offenlîche
1300 in mînes vater rîche.
sô nefrâget mich niemen denne,
war ich varen welle.“
Philippus von Bethsayda
der antwurte ime sâ,
1305 daz er vile gerne sâhe,

1284 daz… ist] *G* daz iz durch iuch gegeben ist.

1265 Da sprach der heilige Christus:
„Er ist unter euch zwölf.
Der, dem ich das Brot reiche,
hat mich dem Tode anheimgegeben.“
Als Judas, der Dieb,
1270 von den anderen schied,
säumte Gott nicht lange,
sondern ließ das höchste Licht erstrahlen.
Da belehrte Christus sie dort
über seine heilige Liebe.
1275 Danach weihte er das Brot
und bot es den elf an.
Er sprach: „Das ist mein wahres Fleisch,
darin bestärke euch der Heilige Geist,
dass ihr dieses Mysterium
1280 aufrichtig glaubt
und all meinen Kindern,
so weit sich die Welt erstreckt,
verkündet,
dass es für euch hingegeben wird.“
1285 Dann nahm unser Heiland
den Kelch in die Hand.
Er sprach: „Dies sollt ihr trinken
und sollt euch zum Gedenken an mich darauf besinnen,
dass es mein Blut ist,
1290 das um der Sünde der Welt willen vergossen wird.“
Dann sprach unser Herr der Heerscharen
zu seinen Jüngern:
„Schon seit einer Weile seht ihr mich zwar,
bekennt euch aber kaum zu mir.
1295 Später, wenn ihr mich nicht mehr seht,
wird euer Licht bekehrt,
so dass ihr mich dann [wahrhaftig] seht;
dann dauert es nicht mehr lange,
bis ich offen
1300 ins Reich meines Vaters eingehe.
So wird mich dann niemand fragen,
wohin ich gehen will.“
Philippus von Bethsaida
antwortete ihm sogleich,
1305 dass er sehr gern sehen würde,

1269 *Judas ... Dieb.* Anspielung auf Joh 12,6. **1287** *Dies ... 1290 wird.* Vgl. die biblische Weisung in 1. Kor 11,25. **1291** *Dann ... 1360 fürwahr.* V. 1291–1360 kombinieren Mt 26,31, Mk 14,27, Lk 22,34, Joh 13,36–17,26 (vgl. KIENAST II, S. 304).

wer der vater wâre.
er sprach trûrlîchen:
„du frâgest chintlîchen.
ich unde der vater mîn,
1310 vil ungesceiden sul wir sîn:
ich pin in ime unde er in mir,
vil wol geloube du iz mir!
Ir birt mîne vriunte,
ob ir tuot, dei ich gebiute.
1315 der scalch nemach wizen niht,
waz deme herren si liep.
durch daz nenne ich iuch vriunt mîn,
wande ich iu chunt sol sîn.“
Zuo zin chôset aver got:
1320 „iz nist nehein merre gebot,
denne daz ir ouch minnet,
alsô ich iuch hân geminnet.
doch nist nehein merre minne
vone wîbe noch vone manne,
1325 danne man durch sînes vriuntes nôt
den lîp gebe in den tôt.
daz hân ich durch iuch getân,
daz sult ir vor iuweren ougen hân.“
Dô sprach unser herre:
1330 „der scalch nist niht mêre
denne sîn herre ist,
von deme er gesendet ist.
daz ich hînet hân getân,
daz sult ir iemer mêre begân
1335 mit gehugede mîner minne,
sô wahsent iu di hailigen sinne.
sô erslagen wirt der hirte,
sô zesprenget sich daz corter.
mîniu vil lieben chindelîn,
1340 ich nesol niht langer mit iu sîn.
ein niuwez gebot, daz gib ich iu,
daz diu minne sî under iu,
daz man erchenne dâ bî,
daz ir mîn jungere welt sîn.“
1345 Dô sâzen die herren,

1321 denne … minnet] *nach V; KIENAST, MAURER und SCHACKS konjizieren im Hinblick auf SG V. 103 und Joh 13,34 bzw. Joh 15,12:* denne daz ir iuch underminnet. *G (Schreibweise angepasst):* denne daz ir an einander minnet *(vgl. KIENAST II, S. 304 und SCHACKS, Dichtungen, S. 148f., Anm., Apparat und krit. Text zu V. 1321).*

wer dieser Vater wäre.
Er sagte traurig:
„Du fragst wie ein Kind.
Mein Vater und ich
1310 sind nicht voneinander zu trennen.
Ich bin in ihm und er in mir,
das glaube mir!
Ihr werdet euch als meine Freunde erweisen,
wenn ihr tut, was ich gebiete.
1315 Der Knecht kann nicht wissen,
was dem Herrn lieb ist.
Deshalb nenne ich euch meine Freunde,
weil ich euch dereinst bekannt sein werde.“
Darüber hinaus sagte Gott zu ihnen:
1320 „Es gibt kein größeres Gebot
als das, dass auch ihr so lieben sollt,
wie ich euch geliebt habe.
Doch es gibt keine größere Liebe,
weder bei Frauen noch bei Männern,
1325 als um seines Freundes willen
sich selbst dem Tod anheimzugeben.
Das habe ich um euretwillen getan,
das sollt ihr euch vor Augen halten.“
Dann sprach unser Herr:
1330 „Der Knecht ist nicht mehr,
als sein Herr ist,
von dem er ausgesandt wurde.
Was ich heute Abend getan habe,
sollt ihr künftig selbst immer wieder
1335 in Erinnerung an meine Liebe tun;
so wächst die heilige Gesinnung in euch.
Wenn der Hirte erschlagen wird,
zerstreut sich die Herde.
Meine innig geliebten Kinder,
1340 ich darf nicht länger bei euch bleiben.
Ich gebe euch ein neues Gebot:
Dass unter euch Liebe herrschen soll,
damit man daran erkennt,
dass ihr meine Jünger sein wollt.“
1345 Da saßen die Herren

vil trûrich si wâren.
Sancte Peter gehiez,
des er niht wâr neliez,
er wolt an der erde
1350 mit im leben oder sterben:
„mich nelezzet iz nehein nôt,
ich pin garwer in den tôt.“
Got saget im, alse iz was,
er sprach: „hînet rîteret dich Satanas
1355 alsam weize,
daz solt tu wol wizzen.
nu lâ dîn vermezzen dich sîn;
drîe stunte verlougenest du mîn,
ê der han hînat crâge,
1360 daz sag ich dir ze wâre.“
Ûf stunt unser herre Jesus,
er sprach zuo zin: „eamus!“
duo was iz vile spâte,
dô gieng er an den berch Oliveti
1365 mit drîn sînen jungeren,
die nam er besundere.
dô gieng er alterseine,
sô man mach gewerfen mit einem steine.
Sîn houbet er neicte,
1370 sîn brôde sich erzeigte
mit michelem sêre
dem oberisten herren.
dô ran dem gotes werden
der sweiz an die erde,
1375 der was pluotvarwe,
er pleichet al garwe:
„herre vater, mîn got,
nu sol ich lîden [den] tôt.

und waren sehr traurig.
Sankt Petrus versprach,
was er nicht wahr machte:
Er wollte auf Erden
1350 mit ihm leben oder sterben:
„Ich lasse mich von keiner Drangsal aufhalten:
Ich bin zum Tode bereit.“
Gott sagte ihm, wie es sich [wirklich] verhielt;
er sprach: „Heute Abend worfelt dich Satanas
1355 wie Weizen,
das sollst du wohl wissen.
Nun sei nicht mehr so vermessen;
dreimal verleugnest du mich,
bevor der Hahn heute Nacht kräht –
1360 das sage ich dir fürwahr!“
Unser Herr Jesus stand auf
und sprach zu ihnen: „*Eamus*!“
Als es schon sehr spät war,
ging er zum Berg *Oliveti*
1365 mit dreien seiner Jünger,
die er beiseitenahm.
Danach ging er allein
noch einen Steinwurf weit.
Er neigte das Haupt,
1370 seine Schwäche zeigte sich
von äußerstem Schmerz erfüllt
dem höchsten Herrn.
Da floss dem Gottgefälligen
der blutgefärbte Schweiß
1375 auf die Erde,
und er erbleichte ganz und gar:
„Herr Vater, mein Gott,
nun soll ich den Tod erleiden.

1354 *Heute ... 1356 wissen*. Lk 22,31 verwendet den Plural (*ecce Satanas expetivit vos ut cribraret sicut triticum* – „der Satan hat verlangt, dass er euch wie Weizen sieben darf“). Die Verengung auf Petrus (vgl. THORNTON, Poems, S. 91, Anm. 73) bereitet Avas breite Ausgestaltung seiner Verleugnung Christi vor (vgl. LJ V. 1463–1492). **1361** *Unser ... 1400 genug*. Für V. 1361–1400 vgl. Lk 22,38–46, jedoch in teilweise umgestellter Reihenfolge (vgl. GUTFLEISCH-ZICHE, Bildliches Erzählen, S. 217f.). **1362** *Eamus*. Lat.: Gehen wir!, Lasst uns gehen! **1364** *Oliveti*. Lat. *(Mons) Oliveti*: Ölberg. – Beispiel für Avas Technik, mhd. und lat. Sprache zu vermischen. **1373** *Da ... 1376 gar*. Der blutige Schweiß Jesu erscheint in Lk 22,44 als Ausdruck der Todesangst und Gemütsbewegung im innigen Gebet im Garten Gethsemane. Wie YEANDLE am Beispiel des *Parzival* herausgearbeitet hat, ist das Schwitzen in der mhd. Literatur auch körperliche Reaktion auf Scham und Schande (vgl. YEANDLE, Shame, S. 303f.), so dass auch Beschämung Jesu angesichts des verständlichen Zurückscheuens vor dem erforderlichen Opfer mitschwingen mag.

maht es iemer sus sîn,
1380 daz genâren diu chint mîn!
vil willeg ist der geist,
uncheftich ist daz fleisk,
unde swie iz umbe mîn nôt sî,
alse du wellest, sô muoze iz sîn.“
1385 Zine widere gie der heilant,
die boten er slâfende vant.
er sprach: „Peter, trût mîn,
du newil niht wachende sîn
eine lutzel wîle?
1390 wie harte si îlent,
die mich gebent schiere
in die hende der sundâre!“
von dem selben worte
erchômen si harte.
1395 dannen huoben si sich sciere.

dô frâgte der gotesun,
wie manich swert si hêten.
si sprâchen, daz si zwei hêten,
1400 des genuocte den guoten.
Dannen huoben si sich sament,
mit in gie der heilant.
dâ was michel trûren,
si chômen de torrente Cedron.
1405 dâ was ein garte,
dar îlten si harte
mit stangen unt mit fakelen
dâ viengen si den gotesun.
mit in lief Judas,
1410 der der wirsiste was.

1385 Zine] *Die bisherigen Herausgeber schreiben hier* Hine. *Sie lesen demnach den Initialbuchstaben am Beginn des Wortes (V, fol. 119va), der etwas weniger als die übrigen Initialen hervorgehoben ist, als* H, *obwohl keine Übereinstimmung mit den anderen* H*-Initialen desselben Schreibers in V besteht (vgl. etwa* Holoferne, *fol. 104va;* Habet, *fol. 105rb). Eine abweichende Buchstabenform ist zwar nicht ausgeschlossen (vgl. etwa die unterschiedlichen* N*-Initialen im Wort* Nu *fol. 107ra und 107rb), aber eine Ähnlichkeit mit der kunstvoller ausgeführten Z-Initiale in fol. 119rb ist gegeben.* Zine *wäre als kontrahierte Form aus* ze *und* ine *zu lesen (*ine *Variante von* in *als Personalpronomen Dativ 3. Pers. Plural, vgl. LEXER, Mhd. Handwörterbuch, Bd. 1, Sp. 604 und 1431). Diese Lesart ist unter der Perspektive sinnvoll, dass Ava ihren Gedichtzyklus als Abfolge menschlicher Interaktionen gestaltet: Christi Rückkehr zu den Jüngern wird betont.* **1396** *Ob tatsächlich eine Lücke besteht, ist unklar (vgl. SCHACKS, Dichtungen, S. 154, Anm. zu V. 1395–1400). Wir behalten zwecks Vergleichbarkeit mit alten Editionen den Leervers 1396 bei.*

Möge es immer so sein,
1380 dass meine Kinder errettet werden!
Sehr willig ist der Geist,
schwach [jedoch] das Fleisch,
und wie auch immer es um mein Leid bestellt sein mag,
wie du es willst, so muss es geschehen."
1385 Zu ihnen ging der Heiland zurück
und fand die Apostel schlafend vor.
Er sprach: „Petrus, mein lieber Freund,
willst du nicht noch eine kleine Weile
[mit mir] wachen?
1390 Wie sehr sich doch die beeilen,
die mich alsbald
den Händen der Sünder überantworten!"
Über diese Worte
erschraken sie sehr.
1395 Sie brachen unverzüglich von dort auf.

Da fragte der Gottessohn,
wie viele Schwerter sie hätten.
Sie sagten, dass sie zwei hätten;
1400 das war dem Guten genug.
Gemeinsam gingen sie fort,
mit ihnen ging der Heiland.
Es herrschte große Trauer,
sie kamen *de torrente Cedron.*
1405 Dort lag ein Garten,
dorthin eilten sie hastig
mit Stangen und mit Fackeln:
Da nahmen sie den Gottessohn gefangen.
Unter ihnen befand sich Judas,
1410 der der Allerschlimmste war.

1379 *Möge ... 1380 werden.* Vgl. Joh 17,15. **1381** *Sehr ... 1382 Fleisch.* Vgl. Mt 26,41. **1383** *und ... 1384 geschehen.* Vgl. Mt 26,39 bzw. Mk 14,36. **1390** *Wie ... 1392 überantworten.* Vgl. Mt 26,45 bzw. Mk 14,41. **1395** *Sie ... 1400 genug.* Anders als Lk 22,36–38 lässt Ava Jesus die Jünger nicht auffordern, sich ein Schwert zu beschaffen, sondern explizit nach der Anzahl der Schwerter fragen. Möglich, aber nicht zwingend ist ein Bezug zur aus dieser Bibelstelle abgeleiteten Zwei-Schwerter-Lehre, in der die beiden von Christus für genug befundenen Schwerter für geistliche und weltliche Gewalt stehen und die ab den 1070er Jahren in der Propaganda des Investiturstreits eine Rolle spielte (vgl. allgemein GOEZ, Zwei-Schwerter-Lehre, Sp. 725; zur Ava-Stelle KIENAST I, S. 26f., und SCHACKS, Dichtungen, S. 154, Anm. zu V. 1395–1400). **1401** *Gemeinsam ... 1462 werden.* Vgl. Joh 18f. **1404** *de ... Cedron.* Lat.: vom / über den Bach Kidron (vgl. Joh 18,1). **1405** *ein Garten.* Ava geht, wohl aufgrund der unterschiedlichen Bezeichnungen in den einzelnen Evangelien, von zwei getrennten Gärten aus (vgl. THORNTON, Poems, S. 93, Anm. 78).

„maister“ er in nante,
daz man in dâ bî bechante.
er chuste sînen herren,
des engalt er vil sêre.
1415 duo sprach unser herre Jesus:
„friunt, wie chumest du alsus?“
Dô frâgte der gotesun
die Juden, wen si suohten.
si sprâchen: „Jesum Nazarenum.“
1420 er sprach: „en ego sum.“
von dem selben warte
erchômen si sô harte,
daz si zerukke vielen.
des erholten si sich sciere.
1425 dô viengen si im die hende
mit vestem gebende,
under diu ougen si [im] spiren,
owî, wie lûte si scriren!
si tâten im ubele stozze,
1430 slege vil grôze.
dô wolt er durch unsich hôren
manegen itewîz bôsen.
si wânten, iz wârin wol ergên,
si fuorten in ze Jerusalem.
1435 Iz was ferre nahtes,
si huoten ir rehtes.
si hêten viur gemachet,
dâ was daz dinch gescaffet,
si hêten iz verscrannet,
1440 mit rigelen versperret.
si vuorten in in den vrîthof,
dâ suochten si den biscof.
Dô fuorten si den guoten
gebundenen zuo der gluote.
1445 dâ stuonten genuoge,
die habeten iz ze huohe,

1427 im] *ergänzt von* SCHACKS *nach G (vgl.* SCHACKS*, Dichtungen, S. 158f., Anm., Apparat und krit. Text zu V. 1427).*

„Meister“ nannte er ihn,
damit man ihn daran erkannte.
Er küsste seinen Herrn,
das musste er später sehr büßen.
1415 Da sprach unser Herr Jesus:
„Freund, warum kommst du auf solche Weise?“
Dann fragte der Gottessohn
die Juden, wen sie suchten.
Sie sprachen: „*Jesum Nazarenum.*“
1420 Er sprach: „*En ego sum.*“
Über diese Äußerung
erschraken sie so sehr,
dass sie zurückwichen.
Aber sie erholten sich schnell davon
1425 und fesselten ihm die Hände
mit festen Banden.
Sie spuckten ihm unter die Augen,
oh weh, wie laut sie schrien!
Sie versetzten ihm kräftige Stöße
1430 und heftige Schläge.
Da war er bereit, um unseretwillen
viele böse Schmähungen in Kauf zu nehmen.
Sie glaubten, es wäre alles in ihrem Sinne geschehen,
und führten ihn nach Jerusalem.
1435 Es war spät nachts,
als sie ihr Urteil fällten.
Sie hatten ein Feuer entzündet,
dort trat die Gerichtsversammlung zusammen,
die sie mit Schranken umgeben
1440 und abgesperrt hatten.
Sie führten ihn in den Vorhof des Tempels,
dort suchten sie den Bischof.
Dann führten sie den Guten
gefesselt ans Feuer.
1445 Dort standen genug Leute,
die darüber spotteten,

1413 *Er ... Herrn.* Detail aus den synoptischen Evangelien, während Ava sonst der Version des Johannesevangeliums folgt (vgl. THORNTON, Poems, S. 94, Anm. 79; zum möglichen Einfluss bildlicher Darstellungen der Szene vgl. GUTFLEISCH-ZICHE, Bildliches Erzählen, S. 207). **1416** *Freund ... Weise.* Vgl. Mt 26,50 („*amice ad quod venisti*“ – „Freund, dazu bist du gekommen?“). Ava verschiebt den Akzent vom bloßen Zweck des Kommens (*ad quod*) auf das genaue Vorgehen (*alsus*). Nicht der Akt des Verrats steht im Vordergrund, sondern die heuchlerische Art und Weise, in der Judas ihn begeht. Die menschliche und gefühlsmäßige Dimension der Szene erfährt dadurch eine Vertiefung. **1419** *Sie ... 1420 sum.* Vgl. Joh 18,5. *Jesum Nazarenum.* Lat. (Akk.): Jesus von Nazareth; Jesus den Nazarener. **1420** *En ... sum.* Lat.: Siehe, ich bin es.

daz si den gebunden sâhen gân,
der sô grôziu zeichen habe getân.
Ime was heiz unde kalt,
1450 siniu wizze wâren manichvalt.
si frâgten unseren herren
von sîner jungeren lêre.
si sprâchen, daz si daz ze nîde wolten haben,
daz sie âzen ungedwagen
1455 unde daz er sich vermâze
in dem sale, dâ er sâze,
ob si iz zestôrten,
er wolt iz aver zimberon.
daz sprach der vil wîse
1460 von sînem lîbe,
ob er von in ersturbe,
daz er aver lebentich wurde.
Dâ nâch vil unlange
chom sîn trût Peter gegangen.
1465 Johannes in în liez,
daz in niemen danne nestiez.
dô wart iz ein wîp geware,
vil lûte rief si dare,
daz er ir einer wâre,
1470 den si mit ime sâhe.
des lougenote er dô.
daz wîp ruoft im aver zuo.
si sprach: „ei, disen galileiscen man,
den sach man mit im gân.
1475 er nelougenes nie sô harte,
er was in dem garten,
dâ man sînen maister fie,
ich sach, wâ er mit im gie.“
Iz wart ime sît ein wîze,
1480 dô lougenot er mit flîze.
im nescach nie sô leide,
dô lougenote er mit eiden.

1453 daz[1] ... haben] nach MAURER; *V* daz nide wolten haben*;* *G* Si wolden daz zenide habn. *SCHACKS* daz si ze nîde wolten haben *(vgl.* *SCHACKS, Dichtungen, S. 160f., Anm., Apparat und krit. Text zu V. 1453).*

dass sie denjenigen in Fesseln sahen,
der so große Wunder gewirkt haben sollte.
Ihm war heiß und kalt zugleich,
1450 er litt vielerlei Qualen.
Sie fragten unseren Herrn
nach der Lehre seiner Jünger.
Sie sagten, dass sie es ihm zur Last legen wollten,
dass sie unreine Speisen aßen
1455 und dass er so vermessen sei, [zu behaupten,]
er wolle den Saal, in dem er säße,
wieder neu errichten,
wenn sie ihn zerstörten.
Damit meinte der höchst Weise
1460 seinen Körper:
Wenn er von ihrer Hand stürbe,
dann würde er wieder lebendig werden.
Kurz darauf
erschien sein Freund Petrus dort.
1465 Johannes ließ ihn ein,
so dass ihn niemand hinausstieß.
Das bemerkte aber eine Frau
und rief sehr laut,
dass er einer von denen wäre,
1470 die sie bei Jesus gesehen hätte.
Da leugnete er es.
Die Frau rief ihm abermals nach.
Sie sprach: „Oh, diesen galiläischen Mann
hat man in seiner Gesellschaft gesehen!
1475 Mag er es auch noch so hartnäckig leugnen,
er war in dem Garten,
in dem man seinen Meister gefangen nahm,
und ich habe ihn bei ihm gesehen."
Er sollte später noch darunter leiden,
1480 dass er es nun eifrig leugnete:
Ihm bereitete nie etwas solchen Schmerz.
Da bekräftigte er sein Leugnen mit Eiden.

1455 *dass ... 1458 zerstörten.* Ava verwendet den Vorwurf aus Mt 26,61 bzw. Mk 14,58 und lässt der rätselhaften Behauptung Jesu die gängige Auslegung folgen. Eine Anklage aufgrund unreiner Nahrung ist in den Evangelien nicht erwähnt. **1463** *Kurz ... 1492 an.* Die Verleugnung durch Petrus basiert auf Joh 18,15–18 und 25–27, Mt 26,58 und 69–75, Mk 14,54 und 66–72, Lk 22,54–62 (vgl. SCHACKS, Dichtungen, S. 160, Anm. zu V. 1463–1492; zu Abweichungen in den Details GREINEMANN, Quellenfrage, S. 97f.). **1467** *eine Frau.* Ähnlich wie zeitgenössische Bilderzyklen verengt Ava die Szene auf die Begegnung des Petrus mit der Magd (vgl. GUTFLEISCH-ZICHE, Bildliches Erzählen, S. 208) und verschiebt so die Perspektive von der Gruppendynamik auf die individuelle Interaktion (vgl. etwa auch J V. 246 oder LJ V. 1354).

daz was diu drite stunde;
sîn herre sach umbe,
1485 vil guotlîchen er sach,
niweht er im zuo sprach.
der hane iesâ crâte,
Peter sich verdâhte,
waz er habete getân;
1490 dô îlt er weinende danne gân.
mit piterme sêre
sô chlaget er iz iemer mêre.
Swaz von dem êrsten zîte
vone manne ode von wîbe
1495 guoter liute vure gie,
vil lutzel unsich daz verfie,
unze got sînen sun sante
ze den ellenden landen.
die ubelen iz verholn was,
1500 mit der gedulte er umbegurtet was.
swaz sô ie sunden
von den êrsten stunden
von iemen was getân,
daz muose allez uber in gân.
1505 Sie cholten in die naht
unze an den tach.
dô hiezen si in binden;
si îlten in senden
dem biscof unde den grâven,
1510 die dâ geweltich wâren.
dô wolte unser herre
dennoch lîden mêre.
si hiezen den wîsen
villen mit den rîsen,
1515 mit turnînen besemen
sluogen sie den gotesun.

1485 vil … sach] *nach V, G* gutlîch; *KIENAST vermutet* er in ane sach *(vgl. SCHACKS, Dichtungen, S. 163, Apparat).*

Es war die dritte Stunde;
sein Herr schaute sich um
1485 und sah ihn gütig an,
sagte aber nichts zu ihm.
Schon krähte der Hahn.
Petrus wurde gewahr,
was er getan hatte;
1490 da eilte er weinend davon.
In bitterster Qual
beklagte er es von da an.
Was auch immer von Anbeginn aller Zeiten
an Männern oder Frauen
1495 an guten Leuten hervorging,
nützte uns nur sehr wenig,
bis Gott seinen Sohn
in die Fremde sandte.
Den Bösen blieb das verborgen,
1500 er war mit Geduld umgürtet.
Welche Sünden auch immer
von den ersten Stunden an
von jemandem begangen worden waren,
musste er nun alle auf sich nehmen.
1505 Sie folterten ihn die ganze Nacht lang
bis zum Tagesanbruch.
Da ließen sie ihn fesseln
und beeilten sich, ihn
zum Bischof und zum Grafen zu schicken,
1510 die dort die Macht innehatten.
Da wollte unser Herr
trotz allem noch mehr erdulden.
Sie befahlen, den Weisen
mit Ruten auszupeitschen;
1515 mit dornenbesetzten Reisern
schlugen sie den Gottessohn.

1498 *in ... Fremde*. Der Kontext legt nahe, dass die Mehrdeutigkeit von *ellende* gezielt eingesetzt wird, um die Vorstellung wachzurufen, dass Gott seinen Sohn „in die Fremde" und zugleich „in die Verbannung" bzw. „die elenden, jammervollen irdischen Lande" sendet, wo man seiner bedarf (zur Wortbedeutung vgl. LEXER, Mhd. Handwörterbuch, Bd. 1, Sp. 539). **1501** *Welche ... 1686 uns*. V. 1501–1586 basieren auf Mt 27,1–31 und Joh 18,28–19,16 (vgl. THORNTON, Poems, S. 97).

Ingressus Pylatus.
den gotesun frâgt er sus:
„sag mir von dînen tugenden,
1520 bistu chunic der Juden?
und ob du der gotsun sîst,
sô sich, daz du mich iz niene verswîgest.“
unser herre swîgte aver dô,
Pilatus sprach im aver zuo:
1525 „war umbe swîgestu nû?
ich mag tir scaden oder frumen,
dînes tôdes [oder dînes lebenes],
vil gewaltich pin ich des.“
Dô sprach unser herre:
1530 „dînes gewaltes nist niht mêre,
wan der dir geben ist
durch der mennisken genist,
durch daz chom ich ze wâre
in den gewalt der sundâre.“
1535 Dannen gie der grâve,
er newolt in niemer frâgen.
er sprach ze den hûsgenôzen,
ob si in wolten lazzen.
er sprach an der stunde,
1540 daz er neheine sache ane im funde,
an der er sâhe,
daz er des tôdes wert wâre.
„ich hân zwêne scâchman –
der eine heizet Barraban –
1545 der sult ir einen nemen
unde sult in der hôchzîte geben.“
si sprâchen alle: „Barraban“,
der solt daz leben hân.
den vorderoten si ze dem lîbe,
1550 Jesum ze dem tôde.

1527 oder… lebenes] *V* dînes tôdes; *sinngemäß ergänzt von* SCHACKS *nach Joh 19,10 und G* dines lebens oder dînes todes *(vgl.* SCHACKS, *Dichtungen, S. 166f., Anm., Apparat und krit. Text zu V. 1527).*

Ingressus Pylatus.
Er fragte den Gottessohn Folgendes:
„Erzähl mir von deinen Vorzügen:
1520 Bist du der König der Juden?
Und wenn du der Gottessohn bist,
dann achte darauf, mir nichts zu verschweigen."
Doch unser Herr schwieg darauf;
Pilatus sprach abermals zu ihm:
1525 „Warum schweigst du nun?
Ich kann dir schaden oder helfen,
über deinen Tod [und auch über dein Leben]
habe ich Macht."
Da sprach unser Herr:
1530 „Deine Macht reicht nur so weit,
wie sie dir zum Wohle der Menschen
gegeben ist –
und eben dazu bin ich wahrlich
in die Gewalt der Sünder gekommen."
1535 Der Graf ging davon,
er wollte ihn nicht länger verhören.
Er fragte seine Hausgenossen,
ob sie ihn freilassen wollten.
Er sprach zu diesem Zeitpunkt,
1540 dass er nichts an ihm fände,
woran er sehen würde,
dass er den Tod verdient hätte.
„Ich habe zwei Räuber –
der eine heißt Barrabas –,
1545 für einen von ihnen sollt ihr euch entscheiden
und ihn anlässlich des Festtags freilassen."
Sie sprachen alle: „Barrabas",
der sollte am Leben bleiben.
Sie forderten, ihn zu begnadigen,
1550 Jesus hingegen zu töten.

1517 *Ingressus Pylatus.* Lat. *Ingressus Pilatus [est]*: Pilatus kam herein. – Das Zitat ist nicht biblisch, denn auch wenn es sich mühevoll aus Joh 18,33 und Joh 19,9 zusammensetzen ließe (vgl. STEIN, Literarhistorische Beobachtungen, S. 71, Anm. 161), erscheint es in der vorliegenden Form erst in Osterspielen (z. B. *„Post haec ingressus Pilatus"* [IOs V. 41]; Belege bei SCHACKS, Dichtungen, S. 164, Anm. zu V. 1517, sowie THORAN, Quellen und Einflüsse, S. 327f.), nicht aber in Osterfeiern. Gleichwohl ist auch ein Einfluss von Osterfeiern diskutiert worden (vgl. SCHRÖDER, Osterfeier, S. 312f., KIENAST I, S. 31f., und DE BOOR, Fmhd. Studien, S. 319). **1547** *Barrabas.* Die lat. Akkusativform *Barraban*, die Ava hier und in V. 1547 verwendet, kommt einem Bibelzitat gleich (vgl. Lk 23,18 und Mt 27,21), das so auch in späteren Passionsspielen überliefert ist (vgl. THORAN, Quellen und Einflüsse, S. 329f.), und wurde deshalb wohl bewusst anstelle des Nominativs *Barrabas* gewählt (vgl. SCHACKS, Dichtungen, S. 168, Anm. zu V. 1544).

An den stunden
ruofen si begunden.
si sprâchen, swer in lieze,
der nesolt sîn niht geniezen.
1555 si sprâchen algemeine,
er tæte wider dem cheiser.
si begunden lûte scrien.
si sprâchen: „tolle, tolle, crucifige eum!“
Als er daz gehôrte,
1560 daz si im drouten,
dô sprach Pylatus,
wand er ein gelîhsenâre was,
er hiez in dar gân,
er sprach, er wolte vertragen,
1565 swaz sô si im tâten,
daz er dâr ane sculde nehête.
Dô wâten si den guoten
in einen phellel rôten,
in sîne hant eine rôren,
1570 si tâten im alsô einem tôren
ûf sîn houbet die crône,
die truog er vil scône.
vil wasse was si durnîn,
durch unsich laid iz mîn trahtîn.
1575 Vil harte si sich frouten,
vur in si nider chnieten,
si gruozten in vil ubele,
si sprâchen: „heil wistu, chunich der Juden!“
Des nist nehein lougen:
1580 si verbunden im sîniu ougen,
si zugen in an die strâze,
dâ rîche unde arme sâzen.
mit michelem huohe
vil harte si in sluogen.
1585 si hiezen in wîssagen,
wer in hête geslagen.
Die unsâligen liute,

Sogleich
begannen sie zu rufen.
Sie sprachen, wer auch immer ihn freiließe,
sollte nicht ungestraft davonkommen.
1555 Sie sprachen alle,
dass er dem Kaiser zuwiderhandeln würde.
Sie begannen laut zu schreien.
Sie sprachen: „*Tolle, tolle, crucifige eum*!“
Als er hörte,
1560 dass sie ihm drohten,
sprach Pilatus,
weil er ein Heuchler war,
und ließ ihn abführen;
er sagte, dass er dulden wollte,
1565 was auch immer sie ihm antaten,
aber selbst keine Schuld daran hätte.
Da kleideten sie den Guten
in ein rotes Seidengewand
und gaben ihm in die Hand ein Schilfrohr,
1570 wie einem Narren setzten sie ihm
die Krone aufs Haupt,
die er sehr anmutig trug.
Sie war sehr scharf vor Dornen,
um unseretwillen erduldete das mein Herr der Heerscharen.
1575 Es bereitete ihnen viel Vergnügen,
sie knieten vor ihm nieder,
sie redeten ihn äußerst boshaft an
und sprachen: „Heil dir, König der Juden!“
Das ist nicht zu leugnen:
1580 Sie verbanden ihm die Augen,
sie zerrten ihn auf die Straße,
wo Reiche und Arme saßen.
Unter großem Spott
schlugen sie ihn heftig.
1585 Sie befahlen ihm, zu weissagen,
wer ihn geschlagen hätte.
Die unseligen Leute

1558 *Tolle ... eum*. Lat.: Zieh ihn auf, zieh ihn auf, kreuzige ihn! – Zitat von Joh 19,15, das auch in späteren Passionsspielen oft erscheint (vgl. THORAN, Quellen und Einflüsse, S. 330 mit Belegen). **1562** *weil ... war*. Avas deutliche Negativzeichnung des Pilatus fügt sich in eine weitverbreitete Tradition ein (zu Spielarten des mittelalterlichen Pilatusbilds vgl. ausführlich DEMANDT, Pilatus, S. 102–107). Denkbar ist, dass Ava, die ja an anderer Stelle die Wichtigkeit der gerechten Rechtsprechung betont (vgl. JG V. 216), den ungerechten Richter Pilatus hier stark als abschreckendes Beispiel akzentuieren möchte. **1587** *Die ... 1692 lohnt*. Für V. 1587–1692 vgl. auch Lk 23,26–48 und Joh 19,17–30.

die warhten ein cruce,
dâ si den guoten
1590 vil grimme an ertôten.
daz holz lach ze wâre
in einem wîâre.
dô si iz gewarhten,
dô legeten si iz ûf den gotesun.
1595 Dô hête er uber sich genomen,
danne uns die sunde wâren chomen
von dem êrstem wîbe
in dem paradyse.
an dem holze huop sich der tôt,
1600 an dem holze geviel er, got lôp.
dô truog er iz iesâ
an einen berch, heizet Calvaria.
mit im truog iz Symeon,
er habet es lutzelen lôn.
1605 Daz cruce si gestahten,
sîne hende si im gerahten.
dâ wurden vier nagele
durch Cristen geslagene:
durch sîne hende,
1610 daz laid er durch unser sunde;
durch die fuoze sîne,
daz wolt er durch unsich lîden,
itewîze genuoge
mit michelem huohe.
1615 vil harte frouten si sich,
si sprâchen: „nû stîch
abe dem cruce,

1604 er... lôn] *KIENAST erwägt, ob hier die Negation verloren gegangen ist, denn Simons geistlicher Lohn, den er für den Liebesdienst an seinem Herrn erhielt, sei nach der theologischen Auffassung gerade nicht klein (vgl. KIENAST II, S. 306).* **1607** vier nagele] *nach V; G* drînagel, *was einen Beleg für eine von G „vorgenommene Angleichung an die Vorstellung des 13. und 14. Jhs.“ darstellt, denn die „Zeit der Ava kannte nur den Typus des triumphierenden und mit vier Nägeln gekreuzigten Christus“ (KIENAST II, S. 306).*

fertigten ein *cruce* an,
an dem sie den Guten
1590 äußerst grausam töteten.
Das Holz lag wahrhaftig
in einem Weiher.
Als sie es angefertigt hatten,
luden sie es dem Gottessohn auf.
1595 Damit hatte er das auf sich genommen,
wovon
durch die erste Frau
im Paradies die Erbsünde über uns gekommen war.
Aus dem Holz erwuchs der Tod,
1600 doch durch das Holz wurde er zugleich überwunden, Gottlob!
Da trug er es bald
auf einen Berg, der *Calvaria* heißt.
Mit ihm trug es Simon,
er wurde dafür nicht sehr belohnt.
1605 Sie stellten das Kreuz auf
und streckten seine Hände aus.
Da wurden vier Nägel
durch Christus geschlagen:
Durch seine Hände,
1610 das erlitt er um unserer Sünde willen;
durch seine Füße,
das wollte er unseretwegen erdulden,
[wie auch] reichlich Schmähungen
und großen Hohn.
1615 Sie freuten sich sehr
und sprachen: „Nun steig
vom Kreuz herab,

1588 *cruce*. Die von Ava gebrauchte Wortform verbindet lat. *crux, crucis* und das vertrautere mhd. *kriuze*; wir übersetzen in der Folge schlicht mit „Kreuz“, doch es mag sich um einen bewussten Latinismus handeln (wenn auch nicht um die grammatikalisch korrekte lat. Form). Zwar ist *cruce* neben anderen Versionen des Worts im Ahd. belegt (vgl. SCHÜTZEICHEL, Ahd. Wörterbuch, S. 196), so dass auch eine altertümliche dt. Wortform denkbar ist, zumal der Lautwandel von *û* zu *iu* im Oberdt. nicht in allen Fällen nachweisbar ist (vgl. SCHMIDT, Lehrbuch, S. 292) und auch Ava diesbezüglich inkonsequent war (vgl. SCHACKS, Dichtungen, S. 289). Wir halten jedoch den Ansatz für interpretatorisch reizvoller, dass Ava bei der Benennung des heilsgeschichtlich so zentralen Kreuzes eine Wortform nutzt, der ihr Ursprung aus dem Lateinischen als Sprache der Bibel und Liturgie anzumerken ist (vgl. auch die als *corone* bezeichnete Krone in JG V. 172). **1591** *Das ... 1592 Weiher*. Zur Kreuzesholzlegende vgl. THORNTON, Poems, S. 100, Anm. 89, KIENAST II, S. 306, DIEMER, Deutsche Gedichte, Anhang S. 70 zu 261,1, sowie KRAUSS, Paradies, S. 71. Ava geht davon aus, dass es sich um das Holz des Baums der Erkenntnis handelt, während gewöhnlich der Baum des Lebens als Material des Kreuzes gilt (vgl. SEIBERT, Lexikon christlicher Kunst, S. 189). **1602** *Calvaria*. Lat.: Kalvarienberg, Golgotha. **1603** *Simon*. Simon von Kyrene (vgl. Mt 27, 32; Mk 15, 21; Lk 23, 26).

so geloube wir dir.“
Dô sprach er, daz in durste,
1620 daz vernâmen die fursten.
neheines leides si nebedrôz;
ich wâne, man zesamene gôz
ezzich und gallen;
dar zuo rieten si alle,
1625 daz man iz im scancte
unde in dâ mit trancte.
Iz wâre in lait oder liep,
er newolte sîn niet.
dô hêten si in gehangen
1630 inzwiscen zwein scâchmannen.
der eine hin ze ime sprach,
sîner sunden er jach:
„nu gehuge, mîn herre, mîner,
sô du chumest in dîn rîche!“
1635 er sprach: „ze wâre sage ich dir,
du bist hiute in paradyso mit samt mir.“
Dô sprach der ander scâchman:
„diu rede was ubel getân.
mohte [er] iemer frum wesen,
1640 so wære er selbe genesen.“
des antwurte im sâre
der guot scâchære:
„swaz sô ich lîde,
daz ist umbe mîn sunde.
1645 daz er lîdet den tôt,
des netwinget in nehein nôt
wan sîn einvaltigiu guote
durch des menscen nôte.“
Daz pluot von Abele
1650 daz ruofte in di hôhe
râche ane sîneme bruoder,
iz negestilte niemer,
unze uns der niu Adam
sînes vater hulde gewan,
1655 daz er daz pluot an die erde liez,
als er Abrahame gehiez.
daz pluot ruofte iemer mêre:

1637 Dô … 1648 nôte] *Die Verse 1637–1648 betrachtet* KIENAST *als „Zusatzverse der Vorlage von G“ und nachträgliche Interpolation (*KIENAST *I, S. 5, vgl. auch* KIENAST *II, S. 307), auch* SCHACKS *hält sie für unecht und setzt sie in Klammern (vgl.* SCHACKS*, Dichtungen, S. 174, Anm. zu V. 1637–1648).*

dann glauben wir dir.“
Da sprach er, dass ihn dürste,
1620 das hörten die Fürsten.
Sie hatten kein Mitleid;
ich glaube, man vermischte
Essig und Galle;
alle waren dafür,
1625 ihm das zu reichen
und es ihm zu trinken zu geben.
Ob es ihnen gefiel oder nicht,
er wollte nichts davon.
Sie hatten ihn zwischen
1630 zwei Schächer gehängt.
Der eine wandte sich an ihn
und bekannte seine Sünden:
„Nun gedenke, mein Herr, meiner,
wenn du in dein Reich gelangst!“
1635 Er sprach: „Wahrlich, ich sage dir,
du wirst heute mit mir im *paradyso* sein.“
Da sprach der andere Schächer:
„Du hast schlecht daran getan, das zu sagen.
Wäre er tatsächlich so mächtig,
1640 hätte er sich selbst gerettet.“
Darauf antwortete ihm sogleich
der gute Schächer:
„Alles, was ich erleide,
geschieht um meiner Sünden willen.
1645 Ihn dagegen zwingt nichts,
den Tod zu erleiden,
bis auf seine reine Güte
angesichts der Not der Menschen.“
Abels Blut
1650 schrie zum Himmel
nach Rache an seinem Bruder,
doch nichts stillte den Rachedurst,
bis der neue Adam für uns
die Huld seines Vaters gewann,
1655 indem er sein Blut auf der Erde vergoss,
wie er es Abraham geboten hatte.
Das Blut rief immer weiter:

1636 *paradyso*. Lat. *paradisus*: Paradies. **1652** *doch ... 1656 hatte*. Zu Adam und Isaak als Präfigurationen Christi vgl. KIENAST II, S. 307; SCHACKS, Dichtungen, S. 176, Anm. zu V. 1653, 1656. Durch sie evoziert Ava noch einmal den nun in der Passion Christi endgültig vom Neuen Bund abgelösten Alten Bund und stellt die Kreuzigung in ihren heilsgeschichtlichen Kontext.

„nû wis genâdich, herre!“
Under daz cruce was gegangen
1660 sîn muoter unde Sante Johannes.
dô sprach der gotes sun
ze Sante Marien:
„sich, wîp, dize ist dîn sun!“
daz maint er an sich selben,
1665 daz er daz chorter wâre,
daz er von ir nâme.
diu gotheit was der angel,
den verslant der alt slange.
ime wart dâ gare gelônot,
1670 dâr worgete der êwige tôt.
Hin ze dem jungeren er sich chêrte,
den er geminnet hête:
„sich, dize ist mîn muoter.“
dô bevalch er die guoten
1675 Sante Johanne,
si beidiu ein andere.
Dô huob er ain stimme,
dô lêrt [er] uns die viande minnen.
er sprach: „nû vergip in, herre vater got,
1680 si newizzen, waz si tuont.“
zeiner sexte daz ergie,
daz man in an den galgen hie.
dâ vaht er in agône
daz chanf unze an die nône.
1685 dô wart gesceiden der strît,
dô gesigte uns der liep.
er sprach: „iz ist al verendôt.“
dô gieng iz an den tôt.

1670 dâr ... der] *G* da erworget in der ewige tot. **1673** sich ... muoter] *G* sich, dize ist dîn muoter. **1678** er[1]] *mit Kienast und Maurer gegen Schacks ergänzt nach G (vgl. Schacks, Dichtungen, S. 178f., Anm. und Apparat zu V. 1678).* **1684** chanf] *Mhd.* chanf: *Lesart von* kampf. **1686** dô ... liep] *nach V; G* do gesigt uns der ewige lip; *Maurer mit Kienast* dô gesigte ims an der lîp *(zur Begründung vgl. Kienast II, S. 308, und Schacks, Dichtungen, S. 178f., Anm., Apparat und krit. Text zu V. 1688).*

„Nun sei gnädig, Herr!“
Unter das Kreuz waren
1660 seine Mutter und Sankt Johannes gekommen.
Da sprach der Gottessohn
zu Sankt Maria:
„Sieh, Frau, dies ist dein Sohn!“
Damit meinte er sich selbst,
1665 und dass er der Köder wäre,
den er von ihr genommen hatte.
Die Gottesnatur war der Angelhaken,
den die alte Schlange verschluckte.
Da wurde ihm alles heimgezahlt:
1670 Da würgte [ihn] der ewige Tod.
Dann wandte er sich dem Jünger zu,
den er geliebt hatte:
„Sieh, das ist meine Mutter.“
Da vertraute er die Gute
1675 Sankt Johannes
und sie beide einander an.
Dann erhob er die Stimme
und lehrte uns, die Feinde zu lieben.
Er sprach: „Nun vergib ihnen, Herr Vater Gott,
1680 sie wissen nicht, was sie tun.“
Es war zur Sext geschehen,
dass man ihn an den Galgen gehängt hatte.
Dort focht er *in agone*
seinen Todeskampf bis zur Non aus.
1685 Dann war der Kampf entschieden:
Da siegte der Geliebte für uns.
Er sprach: „Es ist vollbracht.“
Da ging es an den Tod.

1660 *seine ... Johannes.* Anders als die Evangelien berichtet Ava nur von der Mutter Gottes und Johannes, die unter dem Kreuz stehen; zu Parallelen in bildlichen Darstellungen des 11. und 12. Jhs. vgl. GUTFLEISCH-ZICHE, Bildliches Erzählen, S. 208. **1664** *Damit ... selbst.* Avas Deutung, dass Christus sich mit *Mulier, ecce filius tuus* (Joh 19,26 – „Frau, siehe, das ist dein Sohn“ [Lutherbibel]) selbst meint, ist ungewöhnlich, da die Äußerung üblicherweise auf Johannes bezogen wird (vgl. THORNTON, Poems, S. 102, Anm. 93; ein Beispiel dafür sind die Worte Christi an Maria im *Heliand*: *Thu scalt ina furi suno hebbian*, Heliand 5616 – „du sollst ihn zum Sohn haben“, Übers. d. Hgg.). Stattdessen offenbart sich bei Ava Christus seiner Mutter, wie in LJ V. 630 angekündigt, in seiner menschlichen Natur. *Damit ... 1670 Tod.* Zur Betrugstheorie, nach welcher der Teufel der Fisch ist, der sich von der menschlichen Natur Christi ködern lässt, um am Angelhaken der Gottheit zu scheitern, vgl. KIENAST II, S. 307f.; FREYTAG, Summa Theologiae, S. 95f.; RUSHING, Ava's New Testament Narratives, S. 233, Anm. 41. **1673** *Sieh ... Mutter.* Die Abweichung von Joh 19,27 ergibt sich aus Avas Interpretation des *Mulier, ecce filius tuus* (vgl. LJ V. 1664): Christus bestätigt, dass Maria seine Mutter und damit Quell seiner menschlichen Natur ist (vgl. THORNTON, Poems, S. 103, Anm. 95). **1683** *in agone.* Lat.: im (Todes-)Kampf.

dô gesciet sîn heiligiu sêle
1690 von dem lîplîchen sêre.
durch unsich leid er die nôt:
nu sehet, wie ir im sîn lônôt!
Owî, Maria Magdalena,
wie gestunte du ie dâ,
1695 dâ du dînen herren guoten
sâhe hangen unde bluoten,
unde du sâhe an sînem lîbe
di gestochen wunden!
wie mohtest du vertragen
1700 die laitlîchen chlage
sîner trût muoter,
Sancte Marien der guoten!
wie manigen zaher si gâben
ze dem selben mâle
1705 dîniu chiusken ougen,
mîn vil liebiu frouwe,
dô du sus sâhe handelon
dîn unsculdigen sun,
dô man in marterôte alsô sêre,
1710 daz fleisk, daz er von dir genomen hête!
Owî, Josep der guote,
dô du mînen herren ab dem cruce huobe!
hête ich dô gelebet,
ich hête dir vaste zuo gechlebet
1715 ze der pivilde hêre
mînes vil lieben herren.
Owî, Nychodemus,
wane moht ich dir etewaz
liebes erbieten
1720 ze lône unde ze mieten,
daz du in abe huobe
unde in sô scône begruobe!

1712 herren] *G* got *(vgl.* SCHACKS, *Dichtungen, S. 181, Apparat zu V. 1712).*

Da schied seine heilige Seele
1690 aus der körperlichen Qual.
Um unseretwillen erduldete er das Leid:
Nun seht, wie ihr es ihm lohnt!
Oh weh, Maria Magdalena,
wie standest du nun da,
1695 als du deinen guten Herrn
hängen und bluten
und an seinem Leib
die Stichwunden sahst!
Wie konntest du die
1700 leiderfüllte Klage
seiner lieben Mutter ertragen,
der guten Sankt Maria?
Wie viele Tränen vergossen
bei dieser Gelegenheit
1705 deine keuschen Augen,
meine geliebte Herrin,
als du sahst, wie man so
deinen unschuldigen Sohn misshandelte,
als man ihn so sehr marterte –
1710 das Fleisch, das er von dir genommen hatte!
Oh weh, Joseph, du Guter,
als du meinen Herrn vom Kreuz nahmst!
Hätte ich damals gelebt,
hätte ich dir fest zur Seite gestanden
1715 bei dem edlen Begräbnis
meines innig geliebten Herrn.
Oh weh, Nikodemus,
könnte ich dir doch nur etwas
Gutes erweisen
1720 zur Belohnung und zum Entgelt dafür,
dass du ihn abgenommen
und ihn so geziemend begraben hast!

1693 *Oh weh.* Zu Parallelen des Aufbaus der Szene mit Marienklagen vgl. GREINEMANN, Quellenfrage, S. 105ff., zu Anklängen an bildliche Darstellungen der Beweinung Christi SCHACKS, Dichtungen, S. 180, Anm. zu V. 1693–1730, sowie GUTFLEISCH-ZICHE, Bildliches Erzählen, S. 209. *Oh ... 1730 geheiligt.* Avas gefühlsbetonte Selbsteinfügung in das in Mt 27,57–61 und Joh 19,38–42 geschilderte Geschehen bedeutet ein Heraustreten aus der sonst distanzierteren Erzählhaltung (vgl. STEIN, Literarhistorische Beobachtungen, S. 29, und GREINEMANN, Quellenfrage, S. 105). Das emotionale Engagement in einer Situation höchster Trauer fügt sich in das leitmotivisch wiederkehrende Weinen als Ausdruck von Reue und Glauben (vgl. LJ V. 851–853 und 1490–1492; SG V. 49–53; JG V. 226). **1703** *Wie ... Tränen.* Der Verlust eines mit *owî* eingeleitetes Reimpaars vor V. 1703 (vgl. KIENAST III, S. 85) ist ebenso möglich wie eine gezielte Durchbrechung des bisherigen Schemas (vgl. GREINEMANN, Quellenfrage, S. 105).

Dô got [daz] gewan,
dâr umb er her in werlt chom,
1725 dô liez er sînen lîchnamen
zuo der erde begraben,
die ze der erde worden wâren,
daz in die emphiengen:
daz was alsô geordenôt,
1730 diu erde was geheiligôt.
Dô er dô zwêne tage
geruowet in dem grabe,
in der friste
dô zestôrte er die helleveste.
1735 er vuor mit lewen chreften,
die grintel muosen bresten.
die gaiste ungehiure
die sprâchen in dem viure,
wer der wære,
1740 der sô gewaltichlîchen chôme:
„er bringet uns ein michel lieht,
er newonet hie mit uns niht –
neheine sunde habete er getân,
er nemach hie niht bestân.“
1745 An der stunde
dô gesigt er an dem hellehunde:
sine chiwen er im brach,
vil michel leit ime dâ gescach.
ich weiz, er in pant
1750 mit sîner zeswen hant,
er warf in an den hellegrunt,
er leit ime einen bouch in sînen munt,
daz dem selben gûle

1723 daz] [daz] *ergänzt von* M*AURER*, [allez daz] *von* D*IEMER und* K*IENAST gemäß G;* S*CHACKS hingegen bleibt bei V, ist sich aber der möglichen Lücke bewusst (vgl.* S*CHACKS, Dichtungen, S. 182f., Anm. und Apparat zu V. 1723).*

Als Gott das gewann,
wofür er hierher auf die Welt gekommen war,
1725 da ließ er seinen Leichnam
in der Erde begraben,
damit die, die schon zu Erde geworden waren,
ihn empfingen:
So war es angeordnet,
1730 die Erde war geheiligt.
Als er dann zwei Tage lang
im Grab ruhte,
zerstörte er während dieser Zeit
die Höllenfestung.
1735 Er fuhr mit Löwenkräften dorthin,
die Riegel mussten brechen.
Die unheimlichen Geister
sprachen in dem Feuer,
wer derjenige wäre,
1740 der so gewaltig käme:
„Er bringt uns ein großes Licht,
verweilt aber nicht hier bei uns –
er hat keine Sünde begangen
und kann nicht hierbleiben."
1745 Zu dem Zeitpunkt
siegte er über den Höllenhund:
Er brach ihm die Kiefer,
ihm geschah dort sehr großes Leid.
Ich weiß, dass er ihn
1750 mit der rechten Hand fesselte:
Er warf ihn in den Höllengrund
und legte ihm einen Ring in den Mund,
so dass dem Ungeheuer

1731 *Als ... 1734 Höllenfestung*. Die im apostolischen Glaubensbekenntnis („hinabgestiegen in das Reich des Todes") erwähnte Höllenfahrt Christi verdankt ihre Ausgestaltung vor allem dem apokryphen Nikodemusevangelium und war ein beliebtes Thema in Literatur und bildender Kunst (vgl. LE GOFF, Fegefeuer, S. 63; BJØRNSKAU, Dichterin, S. 223; DIEMER, Deutsche Gedichte, Anhang S. 70f. zu 263,19ff.; GUTFLEISCH-ZICHE, Bildliches Erzählen, S. 198–202). **1739** *wer ... wäre*. Vgl. Ps 24,8 (bzw. nach Zählung der Vulgata Psalm 23), *Quis est iste rex gloriae* – „Wer ist der König der Herrlichkeit?", der bereits im Nikodemusevangelium 5,1–3 zitiert wird und als Wechselgesang zwischen dem Einlass in die Hölle begehrenden Christus und dem Teufel (bzw. den Teufeln) in geistlichen Spielen dient (vgl. SCHOTTMANN, Redentiner Osterspiel, S. 13 und S. 207, Anm. zu V. 512b). **1745** *Zu ... 1760 tut*. Ein möglicher Einfluss der *Wiener Genesis* (vgl. GREINEMANN, Quellenfrage, S. 109, THORNTON, Poems, S.107, Anm. 102, KIENAST I, S. 32, und III, S. 85 sowie die Gegenüberstellung bei GUTFLEISCH-ZICHE, Bildliches Erzählen, S. 200) erklärt Abweichungen vom Nikodemusevangelium (so etwa, dass die Fesselung Satans nicht wie im Nikodemusevangelium 6,2 von den Engeln, sondern von Christus selbst vollzogen wird). Zu Parallelen in Bilddarstellungen vgl. GUTFLEISCH-ZICHE, Bildliches Erzählen, S. 201f.

allezane offen stunte daz mûle:
1755 swer durch sîne sunde
chôme in sîne slunden,
daz der freislîche hunt
niht gelûchen mege den munt,
daz er in durch pîhte unde durch puoze
1760 sînes undanches muoze lâzen.
Dô newolte er niht vermîden,
dô chêrt er sich ze den sînen,
die in der vinster wâren.
ein niuz lieht si sâhen.
1765 vil harte frouten si sich des,
si sprâchen: „advenisti, desiderabilis!“
Er sprach: „mîn erbarmede mich neliez,
ich tæte, alsô ich iu gehiez.
ich hân durch iuwere nôt
1770 erliten einen grimmechlîchen tôt.
die mich habent geminnet,
di wil ich fuoren hinnen.
swer hiute hie bestât,
des newirt niemer nehein rât
1775 in desme hellesêre –
des negewîse ich niemer mêre.“
Dô fuort er si alle
mit herege von der helle.
er gab in allen gelîche
1780 wider sîn rîche,
die si von sculden hêten verlorn:
dô was gestillet sîn zorn.
Wol du heiliger wîstuom,
wîslîchez hêrtuom,
1785 obristiu magencraft,
himeliskiu hêrscaft –
ditze werch was gehalten
dîner guote unde dînem gewalte,
daz du in sô guoten
1790 erchuktest von den tôten!

das Maul immer offensteht, damit
1755 der schreckliche Hund
es nicht schließen kann,
sondern jeden, der um seiner Sünden willen
in seinen Schlund gelangt,
auch gegen seinen Willen wieder gehen lassen muss,
1760 wenn er beichtet und Buße tut.
Dann wollte er nicht länger fernbleiben,
sondern wandte sich den Seinen zu,
die in der Finsternis waren.
Sie sahen ein neues Licht.
1765 Darüber freuten sie sich sehr,
sie sprachen: „*Advenisti, desiderabilis*!“
Er sprach: „Meine Barmherzigkeit würde mir keine Ruhe lassen,
wenn ich nicht täte, was ich euch verhieß.
Ich habe um eures Leids willen
1770 einen grausamen Tod erduldet.
Diejenigen, die mich geliebt haben,
will ich von hinnen führen.
Wer auch immer heute hier zurückbleibt,
für den gibt es keinerlei Hilfe mehr
1775 in dieser Höllenqual –
um den kümmere ich mich niemals mehr.“
Da führte er sie alle
feierlich aus der Hölle.
Er gab ihnen allen gleichermaßen
1780 sein Reich zurück,
das sie durch ihre eigene Schuld verloren hatten:
Da war sein Zorn gestillt.
Wohl dir, heilige Weisheit,
weise Hoheit,
1785 oberste Majestät,
himmlische Herrschaft –
diese Taten waren
deiner Güte und deiner Allmacht zu verdanken,
dass du ihn, den so Guten,
1790 von den Toten auferwecktest!

1762 *sondern ... 1764 Licht.* Vgl. Mt 4,16; Lk 1,79; Jes 60,2. **1766** *Advenisti desiderabilis.* Lat.: Du bist hergekommen, Ersehnter! – das sog. *Canticum triumphale,* Teil der Antiphon *Cum rex gloriae Christus infernum debellaturus intraret* („Als Christus, der König der Herrlichkeit, in die Hölle eindrang, um sie niederzuwerfen“, Übers. d. Hgg.), oft in Osterprozessionen und geistlichen Spielen verwendet (vgl. THORAN, Quellen und Einflüsse, S. 328f.; zum *Canticum triumphale* und seinem möglichen Ursprung bei Augustinus auch SCHOTTMANN, Redentiner Osterspiel, S. 13 und Anm. zu V. 506a).

Dô erstunt er von dem tôde
mit lîbe unt mit sêle.
die des grabes huoten,
die wurten alsô die tôten,
1795 duo diu sêle unde diu gotheit
widere genam die mennischeit.
in die burch si liefen,
si sageten unde riefen
ein forhtlîch mære,
1800 daz er erstanden wære.
duo buten si in ze mieten
silber unde golt daz rôte,
daz si in verholne
sageten verstolnen,
1805 daz si des vaste jâhen,
daz in die jungeren dâ nâmen.
An der Juden sampztage
die frouwen sâzen pî deme grabe.
Maria Magdalena
1810 diu bette unze nône.
duo daz ôsterzît fure wart,
duo gie si an den marcht.
si choften bigmenten,
si wolten ir herren salben.
1815 mit heizen trahen tet si daz,
vil chûme gelebete si die naht.
Nu wil ich iu zellen,
die iz vernemen wellen,
wer die wâren,
1820 di mit ir giengen:
daz selbe was Maria
Magdalena,
die dir unser herre hailant
erlôste mit sîner gewalt
1825 von den ubelen gaisten,
ir chlage was aller maiste.
daz ander was Maria,
des heilandes niftela,

1791 von … tôde] *mit* K*IENAST*, M*AURER und* S*CHACKS nach G; V von* den tôten *(vgl.* S*CHACKS, Dichtungen, S. 188f., Anm., Apparat und krit. Text zu V. 1791).* **1807** An … 1816 naht] *Für V. 1807–1816 nimmt* K*IENAST eine andere Reihenfolge an (1809, 1810, 1815, 1816, 1807, 1808, 1811–1814; vgl.* K*IENAST III, S. 86f.), unterliegt allerdings, so* S*CHACKS, Dichtungen, S. 188, Anm. zu V. 1807–1816, einem Irrtum, da sich* unze nône *nicht auf Karfreitag, sondern auf den Samstag bezieht (vgl. Mk 15,47 und 16,1).*

Da erstand er
mit Leib und Seele vom Tode auf.
Diejenigen, die das Grab bewachten,
fielen wie tot nieder,
1795 als die Seele und das Göttliche
wieder das Menschsein annahmen.
Sie liefen in die Stadt
und verkündeten laut rufend
eine schreckliche Geschichte,
1800 dass er auferstanden wäre.
Da bot man ihnen als Belohnung
Silber und rotes Gold,
damit sie behaupteten, er wäre heimlich
gestohlen worden,
1805 und mit Nachdruck sagten,
dass die Jünger ihn weggenommen hätten.
Am Sabbat der Juden
saßen die Frauen am Grab.
Maria Magdalena
1810 betete bis zur Non.
Als das Osterfest vorüber war,
ging sie auf den Markt;
sie kauften duftende Spezereien,
um ihren Herrn zu salben.
1815 Maria Magdalena tat das mit heißen Tränen
und überlebte die Nacht kaum.
Nun will ich euch erzählen,
die ihr es hören wollt,
wer diejenigen waren,
1820 die mit ihr gingen:
Sie selbst war Maria
Magdalena,
die unser Herr Heiland
mit seiner Macht
1825 von den bösen Geistern erlöst hatte;
ihre Wehklage war die größte.
Die zweite war Maria,
die Verwandte des Heilands,

1791 *Da ... 1862 konnten.* Für V. 1791–1862 vgl. Mt 28,4 und 28,11–15; Mk 16,1–11.
1811 *Osterfest.* Obwohl *ôsterzît* sich auf das Passahfest bezieht, behalten wir die christlich-mittelalterliche Terminologie bei, die Ava zeittypisch auch in anderen Bereichen verwendet (vgl. LJ V. 1105 *biskof Cayphas*, V. 1509 *dem biscof unde den grâven*).

diu Ysacchares tohter,
1830 Jacobes muoter.
daz drite was Salme.
si chômen ensamet ze dem rê.
Dô stunten, ahtôten
frouwen die guoten,
1835 wie si den michelen stein
mahten gewelzen in ein,
daz si dannen chômen,
daz si die Juden niene sæhen.
Dô funden si dâ sizen
1840 einen engel wîzen
mit liehtem gewâte,
si sâhen ouch ein rôten.
ir antlutze scein scône,
vil harte si des erchômen.
1845 Der engel sprach ze den wîben:
„ir nedurfet niht zwîvelen.
den ir welt salben,
der ist hie erstanden.
ir nesult iz niht verdagen,
1850 ir sult iz Peter sagen
und anderen sîn jungeren,
daz si niene zwîvelen,
daz iz alsô ergangen ist,
sô iz iu vil diche vorsaget ist.“
1855 Die frouwen giengen dannen,
die boten si besanten.
si sageten in diu mære,
daz er erstanden wâre:
„uns chunten die engele

1830 muoter] *V. 1830 V und G fälschlich* swester *(vgl. KIENAST III, S. 87f.).*

Ysachars Enkelin,
1830 die Mutter des Jacobus.
Die dritte war Salome.
Sie kamen gemeinsam zu dem Grab.
Da standen die guten Frauen
und dachten nach,
1835 wie sie den großen Stein
gemeinsam wegwälzen könnten,
um davonzukommen,
ohne dass die Juden sie sahen.
Da sahen sie dort einen
1840 weißen Engel sitzen,
der ein strahlendes Gewand trug;
sie sahen auch einen roten.
Ihr Antlitz leuchtete schön,
die Frauen erschraken sehr darüber.
1845 Der Engel sprach zu den Frauen:
„Ihr dürft nicht zweifeln.
Der, den ihr salben wollt,
ist hier auferstanden.
Ihr sollt es nicht verschweigen,
1850 sondern Petrus davon berichten
und seinen anderen Jüngern,
damit sie nicht bezweifeln,
dass es so geschehen ist,
wie es euch vielfach prophezeit wurde."
1855 Die Frauen gingen davon,
ließen die Apostel herbeirufen
und erzählten ihnen die Neuigkeit,
dass er auferstanden war:
„Uns haben die Engel

1829 *Ysachars Enkelin*. Ysachar ist der Vater von Anna, (die zweite) Maria ist demnach seine Enkelin (vgl. SCHACKS, Dichtungen, S. 190, Anm. zu V. 1829). **1832** *Sie ... 1836 könnten*. Während Mk 16,1ff. nur davon berichtet, dass die Frauen zum Grab gehen, bieten die Rubriken von Osterfeiern darüber hinaus *stantes* oder *stantes ante sepulchrum* („stehend" bzw. „vor dem Grab stehend", Übers. d. Hgg.; vgl. THORAN, Quellen und Einflüsse, S. 324). **1839** *Da ... 1842 roten*. Der rotgekleidete Engel entstammt nicht den Evangelienberichten, ist aber ein aus geistlichen Spielen bekanntes Detail (vgl. THORAN, Quellen und Einflüsse, S. 323 und KIENAST I, S. 31; es handelt sich um die *Osterfeier von Mont St. Michel* und das *Benediktbeurer Osterspiel* [dort V. 69: *Tunc veniant duo angeli, unus ferens ensem flammeum et vestem rubeam* – „Dann sollen zwei Engel kommen, einer trägt ein flammendes Schwert und ein rotes Gewand"]; vgl. DE BOOR, Osterfeiern, S. 302f.). **1859** *Uns ... 1860 verkündet*. Die direkte Rede ist nicht biblisch, sondern der aus Osterfeiern bekannten Antiphon *Ad monumentum venimus gementes* ... [„Zum Grabmal kamen wir wehklagend", Übers. d. Hgg.] entnommen (vgl. THORAN, Quellen und Einflüsse, S. 324). Sie verlebendigt die Situation und akzentuiert die Zeugenschaft der Frauen, die als Verkünderinnen eine ähnliche Rolle wie Ava selbst einnehmen.

1860 die gotes urstende!"
die boten iz gerne hôrten,
vil chûme si iz geloupten.
Maria Magdalena
diu nebeite niht mêre.
1865 daz nelie si durch freise
noch durch die nahteise.
si chom ein lutzel vor tage
hine widere zuo dem grabe.
mit michelen ruochen
1870 begunde si in suochen.
vil sêre clagete si daz,
daz si newesse, wâ er was.
Dô stunt si alterseine,
si begunde harte weinen.
1875 daz houbet neichte si in daz grap,
dâ ir herre inne lach.
die trahene dar în runnen,
von ir herze spranch der brunne.
si vorhte, daz ir herre
1880 dâ verstoln wâre.
Dô der morgen ûf gie,
unser herre in den garten gie.
in dem âmer geerzit er ir den lîp,
er sprach: „waz wainest du, wîp?"
1885 Maria zerukke sach,
vil guotlîchen er ir zuo sprach.
si wânt ze wâre
iz wâre ein gartenâre,
si nante ir herren,
1890 si wainote ie mêre unde mêre.
unser herre sprach ir aver zo:

1864 nebeite] *allgemein übernommene Besserung von V* nebette; *G* enbeitet. **1867** si ... 1872 was] *Für V. 1867–1872 überliefert V (anders als G) Pluralformen der Verben, wir folgen aus Gründen der Handlungslogik G (vgl.* KIENAST *III, S. 88 und* SCHACKS*, Dichtungen, S. 194, Anm. zu V. 1867–1872).* **1883** geerzit] *V. 1883 V* in den armer gereizt er ir den lip, *G* in dem iamer ertzent er ir den lîp. *Wir folgen mit* geerzit KIENAST *III, S. 88, und* MAURER. **1889** si[1] ... herren] *nach V:* KIENAST *fügt (das angeblich in G vorhandene, dort tatsächlich aber gerade nicht vorkommende)* in *ein mit der Begründung, dass Magdalena „ihn nicht erkannte", deshalb „gebrauchte sie die förmliche Anrede statt des vertrauten ‚Rabboni'" (*KIENAST *III, S. 89), dabei stützt er sich auf Alkuin (990 Df.) und geht (laut* SCHACKS*, Dichtungen, S. 196, Anm. zu V. 1889) von Joh 20,15 aus. Eher sei aber ein Bezug auf Joh 20,13 möglich (ansonsten müsste es* si nante in herre *heißen, vgl. ebd.). Tatsächlich liegt näher, dass Ava Magdalenas Antwort auf die entsprechende Frage Jesu aus Joh 20,15* Quem qæris? – *„Wen suchst du?" vorweg nimmt (vgl. LJ V. 1896) oder einer auf dieser Bibelstelle basierenden Osterspieltradition folgt, nach der es mit derselben Frage heißt, dass Magdalena den gestohlenen Leichnam sucht (vgl. IOs V. 1140ff.).*

1860 Gottes Auferstehung verkündet!“
Das hörten die Apostel gern,
obwohl sie es kaum glauben konnten.
Maria Magdalena
zögerte nicht länger.
1865 Sie ließ sich weder von Furcht
noch von Nachtschrecken aufhalten.
Sie kam kurz vor Tagesanbruch
zurück zum Grab.
Mit großer Sorgfalt
1870 begann sie ihn zu suchen.
Sie beklagte es sehr,
dass sie nicht wusste, wo er war.
Da stand sie ganz allein
und begann heftig zu weinen.
1875 Sie beugte den Kopf ins Grab,
in dem ihr Herr gelegen hatte.
Die Tränen flossen hinein,
der Quell entsprang ihrem Herzen.
Sie fürchtete, dass ihr Herr
1880 von dort gestohlen worden wäre.
Als der Morgen anbrach,
ging unser Herr in den Garten.
Er heilte sie von ihrem Leid,
er sprach: „Warum weinst du, Frau?“
1885 Maria sah sich um,
und er sprach sehr liebenswürdig mit ihr.
Sie glaubte wahrhaftig,
es wäre ein Gärtner.
Sie erwähnte ihren Herrn
1890 und weinte immer mehr.
Unser Herr sprach abermals zu ihr:

1863 *Maria ... 1926 Jesus*. Für V. 1863–1926 vgl. Joh 20,11–18 und Mt 28,9–10. **1882** *ging ... Garten*. Möglicher Bezug zu Gen 3,8 (vgl. THORNTON, Poems, S. 112, Anm. 111) gemäß der Vorstellung von Ostern als Rückgewinnung des Paradieses durch Christus. **1887** *Sie ... 1898 Habe*. Die Szene ist ausführlicher ausgestaltet als in Joh 20,14–17 und ähnelt der in lat. Osterfeiern und späteren Osterspielen belegten doppelten Erscheinungsszene, in der Christus zunächst als Gärtner erscheint, um dann in seiner eigenen Gestalt noch einmal aufzutreten (siehe etwa IOs V. 1138 und IOs V. 1181b; vgl. THORAN, Quellen und Einflüsse, S. 326; DE BOOR, Osterfeiern, S. 310–312).

„wîp, waz wainest du nu?“
si sprach: „daz ich waine alsô sêre,
daz tuon ich mînen herren,
1895 der mir ist hie genomen;
ich neweiz, war er ist chomen.
mahtu mir sîn frume sîn,
ich gibe dir al die habe mîn.“
Er sprach: „noli flere,
1900 nu neweine nie mêre!
Maria!“ er si nante,
vil wol si in bechante.
si gestunt im bî,
si sprach „o bone rabi!“
1905 „nu neruore mich“, sprach er „niht,
ich nechom noch zuo mînem vater niht.
du solt den jungeren sagen,
daz si niht enchlagen,
Petere unt den anderen,
1910 daz ich pin erstanden.
daz si chomen in Galile,
dar wil ich fore in gên.“
Maria iesâ dane gie,
dâr nâch er ir wider gie.
1915 zwei wîp im wider giengen,
die vuoze si im viengen;

1904 o … rabi] *nach V; G* Raboní. *KIENAST, MAURER und SCHACKS folgen G (vgl. SCHACKS, Dichtungen, S. 196f., Anm., Apparat und krit. Text zu V. 1904). Siehe auch Stellenkommentar.* **1913** Maria … 1918 vuozen] *V. 1913–1918 halten KIENAST sowie SCHACKS für interpoliert, man habe der Vollständigkeit halber Mt 28,9 unterbringen wollen. Dieser Befund ergibt sich aus der auf SCHRÖDER, Osterfeier (passim), gestützten Annahme, dass Ava in der Passage V. 1863–1944 durch eine lat. Osterfeier (Stufe III: Visitatio, Jüngerlauf und Hortulanusszene) beeinflusst wurde und alle überlieferten Osterfeiern dieses Typus Mt 28,9 gerade nicht verwenden (vgl. KIENAST III, S. 89).*

„Frau, warum weinst du nun?"
Sie sprach: „Dass ich so sehr weine,
geschieht um meines Herrn willen,
1895 der mir hier genommen worden ist;
ich weiß nicht, wohin er gekommen ist.
Wenn du mir weiterhelfen kannst,
schenke ich dir all meine Habe."
Er sprach: „*Noli flere*,
1900 nun weine nicht mehr!
Maria!", nannte er sie,
und sie erkannte ihn sehr gut.
Sie stellte sich zu ihm
und sprach: „*O bone rabi*!"
1905 „Nun berühre", sprach er, „mich nicht,
ich bin noch nicht zu meinem Vater heimgegangen.
Du sollst den Jüngern sagen,
dass sie nicht klagen sollen,
Petrus und den anderen,
1910 dass ich auferstanden bin –
und dass sie nach Galiläa kommen sollen,
ich will ihnen dorthin vorausschreiten."
Maria ging sogleich von dannen.
Danach ging er in die ihr entgegengesetzte Richtung.
1915 Zwei Frauen kamen ihm entgegen
und umfingen seine Füße;

1892 *Frau ... nun*. Vgl. V. 1884: Zweimal fragt Christus Magdalena nach dem Grund für ihr Weinen, während die Frage in Joh 20,13 erst von den Engeln im Grab gestellt und in Joh 20,15 von Christus wiederholt wird. Die zweifache Frage durch Christus findet sich auch im *Klosterneuburger Osterspiel* (vgl. THORAN, Quellen und Einflüsse, S. 330). **1899** *Noli flere*. Lat.: Weine nicht. – Jesu Aufforderung ist nicht der Bibel entnommen, sondern der in Osterfeiern verwendeten Antiphon *Alleluia, noli flere Maria* („Halleluja, weine nicht, Maria", Übers. d. Hgg.; vgl. THORAN, Quellen und Einflüsse, S. 326). **1904** *O ... rabi*. Lat.: Oh guter Rabbi! bzw. Oh guter Lehrer! – Die allgemeine Besserung zugunsten des *Raboni* von G orientiert sich an Joh 20,16 (die dort gebrauchte ehrfurchtsvolle Anrede *Rabbuni* erscheint sonst einzig in Mk 10,51) und wird oft durch den Verweis auf den Gebrauch von *Rabboni* in Osterfeiern und -spielen begründet (vgl. etwa SCHRÖDER, Osterfeier, S. 313; THORAN, Quellen und Einflüsse, S. 326). Allerdings lautet in der Bibel die gebräuchliche Anrede für Jesus *Rabbi* (vgl. Bibel, Einheitsübersetzung, Kommentar zu Joh 1,38, S. 1196 – siehe Mt 26,25.49; Mk 9,5; 11,21; 14,45; Joh 1,49; 3,2.26; 4,31; 6,25; 11,8). Davon ausgehend verwenden auch Osterspiele und -feiern *Rabbi* bzw. *Rabbi, quod dicitur magister* („Rabbi, was Lehrer heißt" [Übers. d. Hgg.] – die Übernahme der Begriffserklärung nach Joh 20,16 in die Figurenrede mutet kurios an, ist aber häufig. Zu Beispielen für beide Anreden in dt. Osterspielen vgl. SCHACKS, Dichtungen, S. 196f., Anm., Apparat und krit. Text zu V. 1904; Überblick über die Belege in lat. Osterspielen und -feiern bei LIPPHARDT, Osterfeiern, S. 959). Daher ist es wahrscheinlich, dass Ava Maria Magdalena tatsächlich die ansonsten unbelegte Wendung *o bone rabi* in den Mund legt. Das Missverständnis des Wortteils *-boni* in *rabboni* als Vokativ von lat. *bonus*, „gut" (vgl. THORNTON, Poems, S. 113, Anm. 113), passt dazu, dass Ava Christus oft als *den guoten* bezeichnet (vgl. z. B. LJ V. 505, 515, 1443).

si chusten alsô suoze
die wunden an den vuozen.
Maria niene erwant,
1920 ê si die junger vant,
[si] sagete in zwâre,
daz [er] erstanden wâre:
„iz sâhen mîniu ougen,
ir sult iz wol gelouben,
1925 Surrexit dominus!“
daz ist: erstanden ist unser herre Jesus!
Zwêne sîne jungeren
huoben sich von den anderen:
der eine was ein alt man,
1930 vil harte er gâhen began.
daz ander was ein jungelinch,
vil harte liuf er fur sich.
iedoch muos er bîten,
der alte gab im gelaite
1935 ze des grabes înverte,
daz was Peter der guote hirte.
In dem grabe si funden
zwei tuoch diu wâren sunder gewunden:
daz eine umbe sîn houbet,
1940 daz hât michel getougen,
daz ander umbe sînen lîchnamen.
si huoben iz ûz dem grabe.
den liuten si iz zeicten,
iesâ siz geloubeten.
1945 Welich wunder mach des iemen haben,
daz er restunt von dem grabe,

1921 si] *ergänzt nach G (vgl.* SCHACKS, *Dichtungen, S. 199, Apparat und krit. Text zu V. 1921).*
1922 er] *ergänzt nach G (vgl.* SCHACKS, *Dichtungen, S. 199, Apparat und krit. Text zu V. 1922).*
1926 erstanden ist] *ergänzt nach* KIENAST *(vgl.* KIENAST *III, S. 89),* SCHACKS *(*SCHACKS, *Dichtungen, S. 198f., Anm., Apparat und krit. Text zu V. 1926) und* MAURER, *da V. 1925–1926 in G fehlen.*

sie küssten sehr liebevoll
die Wunden an den Füßen.
Maria ruhte nicht,
1920 bis sie die Jünger fand.
[Sie] sagte ihnen wahrheitsgemäß,
dass er auferstanden wäre:
„Ich habe es mit eigenen Augen gesehen,
das sollt ihr mir glauben:
1925 *Surrexit dominus*!"
Das heißt: Auferstanden ist unser Herr Jesus.
Zwei seiner Jünger
trennten sich von den anderen:
Der eine war ein alter Mann
1930 und beeilte sich ganz besonders,
der andere ein Jüngling,
der sehr schnell vorauslief.
Doch er musste abwarten,
denn der Alte begleitete ihn
1935 zum Eingang des Grabs:
Das war Petrus, der gute Hirte.
Im Grab fanden sie zwei Tücher,
mit denen er getrennt umhüllt gewesen war:
Eines war um seinen Kopf gewunden gewesen
1940 und ist ein großes Mysterium,
das andere um seinen Körper.
Sie hoben es aus dem Grab
und zeigten es den Leuten:
Sogleich glaubten sie es.
1945 Wie sehr kann man darüber staunen,
dass der aus dem Grab auferstand,

1925 *Surrexit dominus*. Lat.: Der Herr ist auferstanden! **1927** *Zwei ... 1944 es*. Kombination von Joh 20,3–10, der „Perikope am Samstag in der Osteroktav" (SCHACKS, Dichtungen, S. 200, Anm. zu V. 1927–1944), mit Lk 24,12, ähnlich wie im ‚Jüngerlauf' geistlicher Spiele, zu dem die Darstellung von Johannes als Jüngling und Petrus als altem Mann gehört (ausführlicher Vergleich bei THORAN, Quellen und Einflüsse, S. 326f.; zu einer möglichen alternativen Vorlage bei Gregor dem Großen vgl. GREINEMANN, Quellenfrage, S. 115f.). **1940** *ein ... Mysterium*. Auf einen Beleg für den „Geheimnischarakter" des Tuchs schon bei Gregor dem Großen verweisen GREINEMANN, Quellenfrage, S. 116, und SCHACKS, Dichtungen, S. 200, Anm. zu V. 1940. **1943** *zeigten ... Leuten*. Während in Joh 20,6–7 lediglich das Auffinden von Leinentüchern und Schweißtuch geschildert wird, ist das dort nicht erwähnte Vorweisen eines Tuchs typischer Bestandteil von Osterfeiern (vgl. SCHACKS, Dichtungen, S. 200, Anm. zu V. 1943; DE BOOR, Osterfeiern, S. 303; THORAN, Quellen und Einflüsse, S. 324). **1945** *Wie ... 1968 dabei*. Für V. 1945–1968 vgl. Lk 24,36–43 und Joh 20,19–24. Der zweite Satzteil (V. 1949–1954) ist beeinflusst von Alkuin (992 B *Quid mirum si clausis janius post resurrectionem suam [...] intravit*, zit. nach KIENAST; „Wie wundersam, dass er nach seiner Auferstehung durch verschlossene Türen [...] eintrat"; vgl. KIENAST III, S. 90).

der Lazaro daz leben gap,
der drî tage tôter in dem grabe lach –
unde dâ die einlef herren
1950 in dem beslozzen hûse wâren,
wie sîn lîchnam hêre
in daz hûs chôme
âne venster unde âne ture,
dâ stechet ein rigel vure?
1955 dô sprach unser herre,
daz in fride wâre.
Sîn stimme was vil heilichlîch,
vil harte erchômen [si] sich,
si wânten ze wâre,
1960 daz iz ein geist wære.
des antwurte der guote
ir gedanch unde ir muote:
„ja nehât der geist
weder bein noch fleisk.
1965 tuot ûf iuweriu ougen, iuweren sin
unde sehet, daz ich iz pin!"
dô nezwîvelôten si niht –
Thomas was dâ nicht.
Unser lieber herre
1970 der rescein in dâr nâch sciere.
er sprach, ê si sîn wessen,
daz man sprichet an der misse:
„pax vobis!",
als iz gescriben ist.
1975 duo sprach unser herre
zuo dem zwîvelâre:
„nu gench her nâher zuo mir,
ein urchunde gib ich dir.
nu nim dînen vinger
1980 unde lege in in mîne wunden
unde sih iz mit den ougen,
sô mahtu iz gelouben."

1958 si[1]] *ergänzt nach G (vgl.* SCHACKS, *Dichtungen, S. 203, Apparat und krit. Text zu V. 1958).*

der *Lazaro* das Leben schenkte,
welcher drei Tage lang tot im Grab lag –
und darüber, dass, als die elf Herren
1950 in dem verschlossenen Haus waren,
sein edler Körper
in das Haus kam,
ohne Fenster oder Türen zu öffnen
und obwohl ein Riegel vorgelegt war?
1955 Da sprach unser Herr,
dass Friede mit ihnen sein sollte.
Seine Stimme klang sehr heilig,
sie erschraken sehr
und vermuteten wahrhaftig,
1960 dass er ein Geist wäre.
Der Gute beantwortete
ihre Gedanken und Regungen folgendermaßen:
„Der Geist hat doch
weder Knochen noch Fleisch.
1965 Öffnet eure Augen und euren Verstand
und seht, dass ich es bin!"
Da zweifelten sie nicht –
Thomas war nicht dabei.
Unser lieber Herr
1970 erschien ihnen danach bald wieder.
Er sprach, ehe sie seiner gewahr wurden,
was man in der Messe sagt:
„*Pax vobis*!",
wie es geschrieben steht.
1975 Danach sprach unser Herr
zu dem Zweifler:
„Nun tritt näher an mich heran,
ich gebe dir einen Beweis.
Nun nimm deinen Finger,
1980 lege ihn in meine Wunden
und sieh es mit eigenen Augen,
so dass du es glauben kannst."

1947 *Lazaro*. Lat. (Dat.): [dem] Lazarus. **1961** *Der ... 1962 folgendermaßen*. RUSHINGs Übersetzung „The good one replied / to their thoughts and their hearts" (RUSHING, Ava's New Testament Narratives, S. 175) zeigt, dass der Vers mehrdeutig ist, auch „Dies antwortete der Gute / ihren Gedanken und ihren Seelen" ist denkbar. **1969** *Unser ... 1992 haben*. V. 1969–1992 basieren auf Joh 20,26–29: Jesus erscheint den Jüngern abermals, als der ungläubige Thomas anwesend ist. „Perikope am Sonntag in der Osteroktav" (SCHACKS, Dichtungen, S. 202, Anm. zu 1969–1992). **1973** *Pax vobis*. Lat.: Friede [sei] mit euch! – Laut STEIN einziges lat. Zitat aus der allgemein bekannten Messliturgie, während alle übrigen ein lateinkundiges Publikum voraussetzen (vgl. STEIN, Literarhistorische Beobachtungen, S. 19).

Dô antwurte ime Thomas,
wand er gevestenôt was:
1985 „ich geloube iz durch nôt,
du bist mîn herre unde mîn got.“
dô sprach unser trahtîn,
dô manet er die ellenden chint sîn:
„vil sâlich pistu, Thomas,
1990 wande du mich gesehen hast.
ave di sint vil sâliger,
die mich geloubent unde mich niene gesâhen.“
Dô chômen si alle sament
ze Galilee in daz lant
1995 ûf einen berch vil hôhen,
dâ betten si an unseren herren
unde sîn heiligiu muoter:
duo erscein in der guote,
er zeicte in sîne wunden
2000 in fuozen unde in handen.
er sprach: „mir ist gegeben widere
der gewalt hie in erde unde in himele.
einen geheiz tuon ich iu,
daz ich wil wonen mit samt iu
2005 die zît der werlt lebenes,
vil gewis sult ir wesen des!“
Dô er duo enden wolde,
duo tet er alsô er solte,
ze muose gie der gotesun
2010 mit sînen lieben jungeren.
dô rafste er die herren
daz si ungeloubich wâren.

1988 dô … er] *V:* do maneter*; G:* er er meínt. *KIENAST und in seiner Folge MAURER lesen daraus* do meinet er*, SCHACKS löst hingegen auf zu* dô manete er *(vgl. SCHACKS, Dichtungen, S. 204f., Anm., Apparat und krit. Text zu V. 1988). Um den in V potentiell mitschwingenden Gegenwartsbezug nicht zu zerstören, trennen wir lediglich die zusammengezogenen Wörter um der besseren Lesbarkeit willen.* **1997** heiligiu muoter] *Für V. 1997 nach V (vgl. die eindeutige Lesbarkeit im Faksimile [fol. 121va] als* heiligiu*; G schreibt* heilig*) kommt KIENAST zu dem – von SCHACKS angezweifelten – Schluss, dass der Vers „mit G als Akkusativ zu fassen“ und* sîne heiligin muoter *zu lesen sei (KIENAST III, S. 90; MAURER / RUSHING:* sin heiligin*; vgl. SCHACKS, Dichtungen, Anm., Apparat und krit. Text zu V. 1997). Seiner Ansicht nach ist Maria Objekt der Anbetung. Grammatikalisch ist dies unmöglich,* heiligiu *ist Nominativ Sg. Fem. (siehe PAUL / SCHRÖBLER / WIEHL / GROSSE: Mittelhochdeutsche Grammatik, §196f.), ebenso wie das unflektierte* heilig *in G charakteristisch für eine Nominativ-Form ist (vgl. ebd., §§197, 391). Zur Interpretation siehe den Stellenkommentar.*

Da antwortete ihm Thomas,
weil er nun den Beweis hatte:
1985 „Ich glaube es gezwungenermaßen:
Du bist mein Herr und mein Gott."
Da sprach unser Herr der Heerscharen
und ermahnte seine elenden Kinder:
„Du bist höchst selig, Thomas,
1990 weil du mich gesehen hast.
Aber noch viel seliger sind diejenigen,
die an mich glauben, obwohl sie mich nicht gesehen haben."
Dann reisten sie alle gemeinsam
in das Land Galiläa
1995 auf einen sehr hohen Berg;
dort beteten sie unseren Herrn an,
auch seine heilige Mutter.
Da erschien ihnen der Gute
und zeigte ihnen seine Wunden
2000 in Füßen und Händen.
Er sprach: „Mir ist die Macht
hier auf Erden und im Himmel zurückgegeben.
Ich verspreche euch,
dass ich bei euch bleiben will,
2005 solange die Welt besteht,
dessen sollt ihr gewiss sein!"
Als er dort alles zu Ende führen wollte,
tat er, was er tun musste.
Der Gottessohn ließ sich
2010 mit seinen lieben Jüngern zum Mahl nieder.
Dabei tadelte er die Herren,
dass sie ungläubig wären.

1988 *elenden.* Zur Mehrdeutigkeit von *ellende* vgl. LJ V. 1498; neben den „elenden Kindern" können auch jene Kinder Gottes gemeint sein, die „[noch] fern der [himmlischen] Heimat sind". **1989** *Du ... 1992 haben.* Vgl. Joh 20,29, zur Deutung vgl. Alkuins Kommentar (PL 994) zu Joh 20,29: *In qua nimirum sententia nos specialiter signati sumus, qui eum quem carne non vidimus mente retinemus* (zit. nach KIENAST III, S. 90; „Zweifelsohne wird uns in diesem Satz besonders bezeichnet, dass wir den, den wir im Fleische nicht sehen, im Geiste festhalten"). **1993** *Dann ... 2112 Menschengestalt.* V. 1993–2112 basieren auf Mt 28,16–20 und Mk 16,14–20 (vgl. THORNTON, Poems, S. 116). **1996** *dort ... 1997 Mutter.* Es ist umstritten, ob Maria hier als aktiv Betende erscheint (vgl. die Übersetzung bei THORNTON, Poems, S. 116) oder aber, ungeachtet der sonst von der Kirche getroffenen Unterscheidung zwischen angemessener Verehrung der Gottesmutter und nur Gott zustehender Anbetung, von den Anwesenden angebetet wird (vgl. RUSHING, Ava's New Testament Narratives, S. 234, Anm. 54). Grammatikalisch ist nur ersteres stichhaltig (vgl. Apparat). Einen Hinweis zwar nicht auf Avas Intention, aber auf die Rezeption der Szene bietet die Illustration aus G (fol. 18r), die Maria bei der Himmelfahrt Christi mit gefalteten Händen als Betende im Kreise der Jünger darstellt (Abb. bei RUSHING, Ava's New Testament Narratives, S. 179).

er sprach: „ir sult mit gewalte
varen in dem lante,
2015 toufen unde bredegen
beidiu den vater unde den sun
unde den heiligen geist,
der gelêret iuch aller meist,
wie ir sult ervullen
2020 mînes vater willen.
zehen tage bîtet mîn,
unze sult ir insamet sîn,
sô sent ich iu ze wâre
einen anderen trostære.“
2025 Dô was sîn muoter Maria
unde enderiu sîniu hîwen.
er sprach: „ich nelâze iuch niht weisen
in dirre ellenden freisen.
ich chume widere zuo iu,
2030 mînen trôstgeist gibe ich iu.“
Dô scied er von den herren;
vil trûrich si wâren,
mit âmere sâhen si ime nâch.
ein engel in zuo sprach:
2035 „der von iu gevaren ist,
der chumet her widere, daz ist Crist,
ein gewaltiger urtailâre,
daz wizzet wol ze wâre!“
Uns saget Ysaias,
2040 welch der antvanch was,
dô unser lieber herre
fuor in sîner lêre
von diseme ellende
ze den himelisken landen:
2045 die engel dâ wâren,
in sînem dienest si fuoren.
neheiner helfe was ime durft niet,
unser herre dâ von uns sciet.
dô enphiengen in die lufte,
2050 er fuor in sîner gotlîchen crefte
ze himele alsô scône:

2042 sîner lêre] *V* lere, *G* sîn êre. *Während MAURER und RUSHING V folgen, bessern KIENAST und SCHACKS zu* sîner hêre *(vgl. SCHACKS, Dichtungen, S. 209, Apparat und krit. Text zu V. 2042).*

Er sprach: „Ihr sollt machtvoll
durchs Land ziehen,
2015 taufen und predigen,
sowohl über den Vater und den Sohn
als auch über den Heiligen Geist,
der euch das Allermeiste darüber gelehrt hat,
wie ihr den Willen
2020 meines Vaters erfüllen sollt.
Wartet zehn Tage lang auf mich,
bis dahin sollt ihr beisammen bleiben,
dann schicke ich euch wahrlich
einen anderen Tröster."
2025 Dort war auch seine Mutter Maria
samt anderen seiner Hausgenossen.
Er sprach: „Ich lasse euch nicht allein
in diesem jammervollen Schrecken.
Ich komme wieder zu euch,
2030 meinen tröstlichen Geist schenke ich euch."
Dann schied er von den Herren;
sie waren sehr traurig
und sahen ihm schmerzerfüllt nach.
Ein Engel sprach zu ihnen:
2035 „Der, der von euch gegangen ist,
wird wiederkehren: Das ist Christus,
ein mächtiger Richter,
das lasst euch fürwahr gesagt sein!"
Uns sagt Jesaja,
2040 wie der Empfang war,
als unser lieber Herr
in seiner Weisheit
aus diesem Jammertal
in die himmlischen Gefilde reiste:
2045 Die Engel waren dort,
sie waren ihm zu Diensten,
es fehlte ihm an keinerlei Hilfe,
als er dort von uns schied.
Da empfingen ihn die Lüfte,
2050 er fuhr in seiner göttlichen Kraft
wunderschön in den Himmel auf:

2035 *Der ... 2036 Christus*. Vgl. Apg 1,11. **2039** *Uns ... 2064 getreten*. Zu V. 2039–2064 siehe Jes 63,1–3 (vgl. THORNTON, Poems, S. 118, Anm. 118; hierzu auch KIENAST III, S. 90f. und DIEMER, Deutsche Gedichte, Anhang S. 38, Anm. 97.8 zu Parallelen aus der dt. geistlichen Literatur). Zum Bild des Keltertreters vgl. ausführlich FREYTAG, Summa Theologiae, S. 99f., und GREINEMANN, Quellenfrage, S. 122–126. **2049** *Da ... Lüfte*. Vgl. Apg 1,9.

daz gescach in einer nône.
In den himelisken chôren
dâ wunderoten sich die engelisken herren,
2055 wer der wære,
der von Edome chôme:
„sîn lîp ist zebrochen,
sîn gewâte durchstochen,
besprenget mit pluote,
2060 des wunderote unsich nôte.“
Des antwurte in dâre
Crist, unser herre:
„nu vernemet algemeine:
ein torkelen trat ich eine.
2065 ich hân mit mînem gewalte
den mennisken gehalten
vone hellichlîcheme sêre.
ich sag iu ouch mêre:
ich hân in mîner guote
2070 iuch gevestenôte
wider dem tievelîchen valle.
ich bildôte iuch alle
in mîner magencrefte
ze dirre hêrscefte.
2075 Ich nechume iu niht eine,
ich bringe iu ein mandunge, diu ist gemeine.
mit iu suln bûwen mîniu chint,
diu noch in ellende sint.
si niezent algelîche
2080 mit iu diu himelrîche.“
Wir lesen von der ascensione,
daz si wære frôlîch unde scône.
mit rehte was sie frôlîch,
duo der chunich himelisk
2085 den sînen ferchvîant
mit sigenunfte uberwant,
der im sîn lant hête beroubet,
sîn liute vil lange getoubet,
unze er selbe her chom

Das geschah zur Non.
In den himmlischen Chören
fragten sich die Engelsfürsten,
2055 wer der wäre,
der von Edom käme:
„Sein Leib ist zerschmettert,
sein Gewand durchstochen
und blutbefleckt,
2060 das wundert uns sehr.“
Darauf antwortete ihnen
Christus, unser Herr:
„Nun vernehmt es alle:
Ich habe allein die Kelter getreten.
2065 Ich habe mit meiner Macht
den Menschen
vor der Höllenpein bewahrt.
Ich sage euch noch mehr:
Ich habe euch in meiner Güte
2070 gegen den Teufelssturz
gestärkt.
Ich habe euch alle
in meiner Majestät
zu dieser Herrlichkeit geschaffen.
2075 Ich komme nicht allein zu euch,
sondern bringe euch eine Seligkeit, die für alle bestimmt ist.
Mit euch sollen meine Kinder verweilen,
die sich jetzt noch in der Verbannung befinden.
Ihnen wird allen gleichermaßen
2080 mit euch das Himmelreich zuteil.“
Wir lesen von der *ascensione*,
dass sie freudig und schön war.
Sie war zu Recht ein freudiger Anlass,
da der himmlische König
2085 seinen Todfeind
im Triumph überwand,
der ihm sein Land geraubt
und sehr lange sein Volk abgestumpft hatte,
bis er selbst her kam

2063 *Nun ... alle*. Die Formulierung gemahnt an die aus spätmittelalterlichen geistlichen Spielen geläufige Wendung ans Publikum, so z. B. in der Schlussrede des *Redentiner Osterspiels* von 1464: *Horet eyn weynich, al ghemeyne* („Hört alle zusammen ein wenig zu“, ROs V. 1987) oder im Prolog des *Hessischen Weihnachtsspiels*: *Swiget und horet alle gemeyne* („Schweigt und hört alle zusammen zu“, V. 1); auch der Ausdruck *algelîche* (LJ V. 2079) findet in ähnlichen Kontexten gern Verwendung (vgl. dazu ROs V. 1, oder *Hessisches Weihnachtsspiel*, V. 4). **2081** *ascensione*. Lat. *ascensio*: Aufstieg, Himmelfahrt.

2090 unde ime den roup angewan.
nemuos er duo wole frôlîchen varen
in sîn rîche mit dem selben lîchnamen,
den er von der magde
enphangen hête,
2095 den er sô hête behuot,
daz niemer mêre menniske netuot
uber al unde uber al,
daz in nie niht bewal –
nemuos er in duo mit êren
2100 in sîn rîche fuoren?
Rehte tet diu gotheit,
dô er die arbeit erleit,
daz er in an die stat fuorte,
die nie menniske negeruorte.
2105 dâr umbe sol wîp unde man
unde swer iht vernemen chan
mit muote joh mit munde
daz gotes lop chunden,
daz der heilige Crist
2110 under sînen engelen ist
in dem hôhisten himele
in eines mennisken bilede.
Dô die einlef herren
gewartôten unsereme herren
2115 unze in die obristen chôre,
dô muosen si hôren.
in die burch si chêrten,
vil lutzel si lêrten,
unz er si in sîner gnâde
2120 den heiligen geist liez enphâhen.
vil lutzel was ir slâf unde ir maz,
vil harte temporôten si daz.
Die trûrigen herren
in einem beslozzen hûse si wâren
2125 durch der Juden forhte,
die ê daz mein worhten.
duo sâzen die guoten,
si huoben ir gemuote

2094 enphangen hête] *nach V: Mit dem Argument, dass die Stelle die freiwillige Menschwerdung Christi betone, die Voraussetzung für sein Erlösungswerk sei, ferner im Hinblick auf G* wold enphahen *und aus Reimgründen bessern* KIENAST *(vgl.* KIENAST *III, S. 91) und in seiner Folge* SCHACKS *zu* wolde hân enphangen *(vgl.* SCHACKS*, Dichtungen, S. 212f., Anm., Apparat und krit. Text zu V. 2094; Schacks reimt* magede : enphangen*).*

2090 und ihm das Raubgut wieder abnahm.
Muss er da nicht fröhlich
in sein Reich zurückkehren mit demselben Körper,
den er von der Jungfrau
empfangen hatte,
2095 den er so behütet hatte,
wie es seither kein Mensch mehr getan hat,
allüberall,
dass ihn niemals etwas besudelte –
muss er ihn da nicht in allen Ehren
2100 in sein Reich führen?
Die Gottheit tat recht daran,
die Mühe zu erdulden
und ihn an einen Ort zu führen,
den nie ein Mensch betreten hat.
2105 Darum sollen Frauen und Männer
und wer auch immer es vernehmen kann
im Geiste und lauthals
Gott dafür lobpreisen,
dass der heilige Christus
2110 inmitten seiner Engel weilt,
im höchsten Himmel
in Menschengestalt.
Nachdem die elf Herren
unserem Herrn nachgesehen hatten
2115 bis in die obersten Himmelschöre,
mussten sie es aufgeben [ihm weiter nachzusehen].
Sie kehrten in die Stadt zurück
und lehrten nur sehr wenig,
bis er sie in seiner Gnade
2120 den Heiligen Geist empfangen ließ.
Ihr Schlaf und ihre Nahrung waren sehr knapp bemessen,
sie beschränkten sich diesbezüglich sehr.
Die traurigen Herren
hielten sich in einem verschlossenen Haus auf,
2125 da sie sich vor den Juden fürchteten,
die vorher schon Böses ins Werk gesetzt hatten.
Da saßen die Guten
und richteten ihr Sinnen

2113 *Nachdem ... 2184 gestärkt.* V. 2113–2184 basieren auf Apg 1,12–14 und 2,1–41 (vgl. THORNTON, Poems, S. 120).

mit âmer unde mit sêre
2130 nâch unserme herren.
alle ir sinne
wâren gechêret in sîne minne.
swîgente si sâzen,
vil tiefe si dâhten,
2135 waz ihr herre der guote
mit in geredet hête.
In dem zehenten tage,
dô er von in was gevaren,
dô saz daz ingesinde
2140 zwainzech unde zehenzech manne unde wîbe
in dem beslozzen hûs,
ir nechom neheinez dâr ûz.
des tages an der driten wîle
dô trôst er die sîne,
2145 antiquis in temporibus.
dô chom in der spiritus sanctus.
mit fiurînen zungen
die boten er enzunte
mit der inneren hitze.
2150 er brâhte in forhte jouch guote gewizzen,
sterche, rât unde vernunst.
vil creftich was diu anedunst.
duo got mit sînem wîstuome
sînen ellenden wolt lônen,
2155 vil harte erchômen si sich,
iz was blicze unde donere gelîch.
Dô si die gebe enphiengen,
vil drâte si ûz giengen,
in die burch si chêrten,
2160 vil rehte si lêrten.
si begunden iesâ bredigen
beidiu den vater unde den sun
unde den heiligen geist,
der gelêret unsich aller meist.

2145 antiquis ... temporibus] *nach V mit MAURER und RUSHING; G* der alt índen iaren. *Die wörtliche Übereinstimmung mit dem Eingangsvers von Arnolds* Siebenzahl, *einem in V wenige Seiten später folgenden Gedicht, ist schon von KIENAST beobachtet worden, der darin eine Reminiszenzlesart des Schreibers sah und den Vers daher gleichsam in der lateinischen Rekonstruktion der Variante von G zu* Antiquus dierum *oder – diese Version übernimmt SCHACKS –* dierum antiquus *bessert (der Ausdruck dient in der Bibel zur Umschreibung des Gottesnamens, vgl. Dan 7,9.13.22; die ausführliche Argumentation bei KIENAST III, S. 91f., und SCHACKS, Dichtungen, S. 216f., Anm., Apparat und krit. Text zu V. 2145; mit zusätzlichen Belegen vgl. STEIN, Literarhistorische Beobachtungen, S. 71f., Anm. 164).*

mit Leid und Schmerz
2130 auf unseren Herrn.
All ihre Gedanken
galten der Liebe zu ihm.
Schweigend saßen sie da
und grübelten über das nach,
2135 was ihr guter Herr
mit ihnen besprochen hatte.
Am zehnten Tag,
nachdem er von ihnen gegangen war,
saßen die Hausgenossen beisammen,
2140 hundertundzwanzig Männer und Frauen
in dem verschlossenen Haus,
aus dem keiner von ihnen herauskam.
An jenem Tag zur dritten Stunde
tröstete er die Seinen
2145 *antiquis in temporibus*.
Da kam der *spiritus sanctus* über sie.
Mit feurigen Zungen
entflammte er die Apostel
mit innerem Feuer.
2150 Er flößte ihnen Furcht ein, aber auch ein gutes Gewissen,
Stärke, Weisheit und Vernunft.
Sein Hauch war überaus kraftvoll.
Als Gott mit seiner Weisheit
seine Elenden belohnen wollte,
2155 erschraken sie sehr,
denn es war wie Blitz und Donner.
Als sie die Gabe empfingen,
gingen sie rasch ins Freie,
begaben sich in die Stadt
2160 und lehrten überaus wahrheitsgemäß.
Sie begannen sofort zu predigen,
sowohl den Vater und den Sohn
als auch den Heiligen Geist,
der uns am meisten lehrte.

2145 *antiquis ... temporibus*. Lat.: in alten Zeiten. Diese wörtliche Bedeutung wird nicht von allen Interpreten akzeptiert. – Folgt man der anderen Forschermeinung, bedeutet der Vers „er, der alt war an Jahren" und bezieht sich auf Gott. Vgl. zu dieser Argumentation auch den Apparat. **2146** *spiritus sanctus*. Lat.: (der) Heilige Geist. **2151** *Stärke ... Vernunft*. Zu den Gaben des Heiligen Geistes vgl. Jes 11,2f. **2154** *Elenden*. Zum Bedeutungsspektrum des Begriffs vgl. LJ V. 1498 und LJ V. 1988. **2163** *als ... 2164 lehrte*. Abgewandelte Parallele zu V. 2017f. Verweist dort Christus darauf, dass die Jünger durch den Heiligen Geist belehrt wurden, hebt Ava hier hervor, dass der Heilige Geist auch *unsich* belehrte – mithin Dichterin und Publikum, die durch die Gleichartigkeit der Formulierung implizit in einen erweiterten Jüngerkreis eingereiht werden.

2165 Duo iz die liute gesâhen,
si îlten dar gâhen.
si wânten zwâre,
daz si trunchen wæren
von dem niuwen wîne:
2170 got hête gefrout di sîne.
dô gieng iz in nôt,
si wâren alle verwandelôt
von dem niuwen tranche,
daz in got selbe scancte.
2175 Chôsôn si begunden
mit allen zungen.
den tach si lêrten,
swâ si hine chêrten.
an dem anderen tage,
2180 alsô ich vernomen habe,
duo bechêrten si an der stunt
mêre denne driu tûsunt,
manne unde wîbe:
got hête gesterchet die sîne.
2185 Judas der trugenâre,
sîn stuol stunt lâre.
von dem heiligen geiste daz bechom,
daz si vunden einen man;
die selben hûsgenôze
2190 die nâmen in mit lôze.
sîn name der hiez Mathias,
vone gote er dare erwelt was.
Diu zale was ervullet,
Sancte Peter daz gebôt,
2195 daz si solten îlen,
tihten unt scrîben,
die cristenheit lêren
de vita unseres herren.
sô si in diu ende
2200 wurden gesendet,
daz si solten bredegen
daz heilige ewangelium.

2165 Als die Leute das sahen,
eilten sie herbei.
Sie hatten wahrhaftig den Eindruck,
dass sie betrunken wären
von neuem Wein:
2170 Gott hatte die Seinigen froh gemacht.
Sie konnten einfach nicht anders,
sie waren alle verwandelt
von dem neuen Trank,
den Gott ihnen selbst eingeschenkt hatte.
2175 Sie begannen
in allen Sprachen zu reden.
Den ganzen Tag über lehrten sie,
wohin sie auch kamen.
Am nächsten Tag bekehrten sie,
2180 wie ich gehört habe,
auf einen Schlag
mehr als dreitausend
Männer und Frauen:
Gott hatte die Seinen gestärkt.
2185 Judas, der Betrüger –
dessen Platz war unbesetzt.
Der Heilige Geist bewirkte,
dass sie einen Mann fanden:
Die Hausgenossen
2190 ermittelten ihn durch das Los.
Sein Name lautete Matthias,
er war von Gott dazu auserkoren.
Sie waren vollzählig,
und Sankt Petrus gebot,
2195 dass sie sich beeilen sollten,
de vita unseres Herrn
zu dichten und zu schreiben,
um die Christenheit zu belehren.
Wenn sie in die Ferne
2200 ausgesandt wurden,
sollten sie
das heilige Evangelium predigen.

2185 *Judas ... 2268 Patron.* Vgl. Apg 1,15–26. Die Schilderung der Auswahl der vier Evangelisten, die vom Leben Jesu berichten sollen – indem sie *tihten unt scrîben*, so wie auch Ava es in ihrer Nachfolge tat und *dizze buoch dihtôte* (JG V. 393) –, dient auch der legitimierenden Einreihung des eigenen Werks in eine Erzähltradition, die sich über die direkte Augen- und Ohrenzeugenschaft der Evangelisten auf das unhinterfragbare Wort Gottes selbst beruft (vgl. PRICA, Frau Ava, S. 96). **2196** *de vita.* Lat.: vom Leben; über das Leben.

Dô berieten si sich sciere,
duo erwelten si viere:
2205 daz eine was Lucas,
daz ander was Marcus,
daz drite Matheus,
daz vierde Johannes.
Matheus buplicanus
2210 der dihtôte alsus,
der guote hirte,
vone gotes geburte.
er zalt uns vil rehte
Cristes geslahte
2215 von anegenge unze jungest,
er screip liber generationis.
Marcus der guote,
den nam Petrus in sîne huote.
von der toufe er uns sagete,
2220 vil lutzel er verdagete
von unserem herren,
swaz traf ze sînen êren.
der wart sît gesehen
under den vieren vehen,
2225 der selbe scrîbâre,
daz [er] ein leu wâre,
der uns gesagen chunde
von gotes urstende.
Dâr nâch scribet Lucas,

2226 er] *ergänzt nach G (vgl. SCHACKS, Dichtungen, S. 223, Apparat zu V. 2226).*

Da berieten sie sich sogleich
und erwählten vier aus:
2205 Der erste war Lukas,
der zweite war Markus,
der dritte Matthäus,
der vierte Johannes.
So dichtete
2210 Matthäus *buplicanus*,
der gute Hirte,
von Gottes Geburt.
Er erzählt uns höchst zutreffend
von der Abstammung Christi.
2215 Vom Anbeginn bis in die jüngste Zeit
schrieb er *liber generationis*.
Markus, den Guten,
nahm Petrus in seine Obhut.
Er erzählte uns von der Taufe
2220 und verschwieg nur sehr wenig
über unseren Herrn
und von all dem, was zu seinem Ansehen beitrug.
Dieser Schreiber wurde später
unter den vier Tieren
2225 als Löwe
angesehen,
der uns von der Auferstehung
berichten konnte.
Danach schreibt Lukas,

2210 *buplicanus*. Lat. *publicanus*: Zöllner, Steuereintreiber. **2216** *liber generationis*. Lat.: Buch der Abstammung (gemeint ist der Stammbaum Christi). – Eingangsworte von Mt 1,1 (*Liber generationis Jesu Christi filii David, filii Abraham* – „Stammbaum Jesu Christi, des Sohnes Davids, des Sohnes Abrahams"). Avas Aussage über Matthäus ist daher doppeldeutig: Er schrieb nicht nur den Stammbaum Christi, sondern auch wortwörtlich die zitierte Formulierung *liber generationis*. **2217** *Markus ... 2218 Obhut*. Markus wird in der *Kirchengeschichte* des Eusebius von Caesarea als Gefährte des Petrus geschildert (vgl. Eccl. Hist. 2,15, PG 20, Sp. 171–174); Eusebius führt dabei als Beleg 1. Petr. 5,13 an und geht davon aus, dass der dort von Petrus erwähnte *Marcus filius meus* („mein Sohn Markus") mit dem Evangelisten identisch sei. **2224** *unter ... 2225 Löwe*. Die vier Evangelistensymbole Mensch/Engel (Matthäus; von Ava als einziges Symbol nicht erwähnt), Löwe (Markus), Stier (Lukas) und Adler (Johannes) haben ihren Ursprung in der Vision Hesekiels (Ez 1,5–10) und der Schilderung der Johannesapokalypse (vgl. Offb 4,7–9), werden aber erst seit Hieronymus auf die Evangelisten hin ausgedeutet und sind auch in bildlichen Darstellungen weit verbreitet (vgl. HÖRNER, Gnade und Gerechtigkeit, S. 118, GUTFLEISCH-ZICHE, Bildliches Erzählen, S. 255, JACOBI-MIRWALD, Mittelalterliches Buch, S. 78, sowie SEIBERT, Lexikon der christlichen Kunst, S. 108). Das Tiersymbol des Löwen ist dabei eng mit der Auferstehung verknüpft: Basierend auf dem *Physiologus* bestand die Überzeugung, dass die Löwin tote Junge gebiert, die erst dadurch zum Leben erweckt werden, dass der Löwe ihnen den Lebensodem einbläst, was die Auferstehung Christi symbolisiert (vgl. SEIBERT, Lexikon der christlichen Kunst, S. 208).

2230 vone chintheite der maget was.
er vieng an zwâre
von dem toufâre.
er wart sît gesehen
under den vier vehen,
2235 daz er ein rint wâre,
der uns sagete von dem sêre,
wie der waltende got
an der werlt wart gemarterôt.
Johannes apostolus
2240 der begundes alsus
von dem anegenge unze an daz trum,
er screip: in principio erat verbum.
er wart ouch gesehen
under den vier vehen,
2245 daz er ein are wære,
der ze oberiste fuore.
mit zwain sînen vederen
flouch er ze den himelen.
dâ sach er menegiu wunder,
2250 diu screip er besunder.
des muget ir sîn vil gewis,
er screip ein buoch deist apocalypsis.

2230 der von Kindheit an jungfräulich blieb.
Er begann wahrhaftig
mit dem Täufer.
Er wurde später
unter den vier Tieren
2235 als Rind betrachtet,
das uns von dem Leid berichtete,
wie der mächtige Gott
auf Erden gemartert wurde.
Johannes *apostolus*
2240 fing dergestalt an,
dass er von Anbeginn bis zum Ende
alles beschrieb: *In principio erat verbum.*
Er wurde
unter den vier Tieren
2245 auch als Adler betrachtet,
der am höchsten flog.
Mit seinen zwei Flügeln
flog er in die Himmel,
dort sah er viele Wunder,
2250 die er gesondert beschrieb.
Dessen könnt ihr euch ganz gewiss sein:
Er schrieb ein Buch namens *apocalypsis*.

2230 *der ... blieb*. Die Legende, dass Lukas jungfräulich blieb, hat ihren Ursprung im *Antimarkionitischen Prolog* zum Lukasevangelium, der von der Forschung mehrheitlich ins 2. Jh., von GUTWENGER jedoch erst auf die Wende vom 4. zum 5. Jh. datiert wird (vgl. GUTWENGER, Prologues, S. 405): *Uxorem numquam habuit, filios numquam procreauit* (zitiert nach dem Abdruck bei GUTWENGER, Prologues, S. 394) – „[Lukas] hatte nie eine Frau, er zeugte nie Söhne", Übers. d. Hgg. **2235** *Rind*. Zu Herkunft und Ausdeutung der Evangelistensymbole vgl. Kommentar zu V. 2226. Das Rind kann für Geduld stehen (vgl. SEIBERT, Lexikon der christlichen Kunst, S. 296) und ist deshalb mit Leiden und Dulden Christi verbunden. **2239** *apostolus*. Lat.: der Apostel. **2242** *In ... verbum*. Lat.: „Im Anfang war das Wort"; Eingangsworte des Johannesevangeliums. **2245** *Adler*. Zur Herkunft der Evangelistensymbole vgl. Kommentar zu V. 2226. Der Adler wird in Bezug auf die Himmelfahrt Christi ausgedeutet (vgl. SEIBERT, Lexikon der christlichen Kunst, S. 108), aber auch als „Sinnbild der Kontemplation, des Schauens des göttlichen Geheimnisses" (ebd., S. 16), so dass die Zuordnung zum Evangelisten Johannes, der einerseits stark die göttliche Natur Christi betont, andererseits als Verfasser der Offenbarung besonderer Erkenntnisse teilhaftig wurde, doppelsinnig ist. In späterer weltlicher Dichtung erscheint das Motiv des hoch auffliegenden Greifvogels als Sinnbilds des Streben nach Höherem auch ohne religiöse Konnotation, z. B. bei Reinmar: *Ich bin als ein wilder valk erzogen, / der durch sînen wilden muot als hôhe gert. / Der ist alsô hôh über mich geflogen / unde muotet, des er kume wirt gewert* (Reinmar, Lied XXIX, Str. 6, V. 1–4 – „Ich bin wie ein wilder Falke erzogen, / der durch seine wilde Sinnesart sehr hoch hinaus will. / Der ist sehr hoch über mich hinausgeflogen / und strebt nach etwas, das ihm wohl kaum gewährt wird"). **2248** *die Himmel*. Der heute unvertraute Plural geht zurück auf die vor allem im Matthäusevangelium gebrauchte Wendung *regnum caelorum*, das „Königreich der Himmel", das in modernen Bibelübersetzungen gemeinhin mit „Himmelreich" übersetzt wird (z. B. Mt 3,2; 4,17 und 7,21). **2252** *apocalypsis*. Lat.: Apokalypse, die Offenbarung des Johannes.

Si tâten iz durch nôt,
si wurden iesâ gesunderôt.
2255 man sante si in diu ende,
die heiden bredegende
allenthalben in diu lant:
in gebôt daz der heilant,
daz si alle die enphiengen,
2260 di an die riwe giengen.
Dô stunt iz unlange,
Peter vuor dannen
in ein burch diu hiez Antyoch,
dâ wart er inne ein biscof.
2265 vil wol er dâ lêrte,
vil manege er dâ bechêrte.
sît wart er dâr in Rôme
ein gewaltiger patrône.

Das taten sie aus der Notwendigkeit heraus,
sie wurden gleich voneinander getrennt,
2255 man schickte sie in alle Weltgegenden,
um den Heiden
allenthalben zu predigen:
Der Heiland gebot ihnen,
all diejenigen aufzunehmen,
2260 die Buße taten.
Da dauerte es nicht lange,
bis Petrus fortging,
in eine Stadt, die Antiochia hieß;
in der wurde er Bischof.
2265 Er lehrte dort sehr gut
und bekehrte sehr viele.
Später wurde er in Rom
ein mächtiger Patron.

2262 *Petrus ... 2264 Bischof.* Avas Aussage, dass Petrus Bischof von Antiochia wurde, ist nicht biblisch. Antiochia ist zwar der Ort der ersten heidenchristlichen Gemeinde (vgl. Apg 11,20–21), und es wird ein Aufenthalt Petri dort erwähnt (Gal 2,11–21), aber keine führende Stellung des Petrus in der dortigen Gemeinde. Eine mögliche Quelle für die Information könnte die *Kirchengeschichte* des Eusebius von Caesarea sein, die *Ἰγνάτιος, τῆς κατὰ Ἀντιόχειαν Πέτρου διαδοχῆς δεύτερος τὴν ἐπισκοπὴν κεκληρωμένος* (Eccl. Hist. 3,36,64; PG 20, Sp. 288; „Ignatius, der als zweiter Nachfolger Petri im Bischofsamt von Antiochia gilt“, Übers. d. Hgg.) erwähnt und so eine Bekleidung des Bischofsamts von Antiochia durch Petrus impliziert. Denkbar ist, dass aufgrund der Eroberung Antiochias durch die Kreuzfahrer auf dem Ersten Kreuzzug (1098) und die Gründung des Fürstentums Antiochia (vgl. dazu etwa ZSCHOCH, Christenheit, S. 75) ein verstärktes Interesse an der Stadt und den mit ihr verknüpften Überlieferungen bestand und sie deshalb hier Erwähnung findet. **2268** *Patron.* Lat. *patronus*: Schutzherr (der Kirche). – Petrus gilt als Kirchenstifter und erster Bischof Roms.

Nu sculen wir bevinden
in dirre heiligen gotes minne,
wie sich der geist von der hôhe
misket in unser brôde;
5 wie er her nider zuo uns gât,
alse diu gescephede gestât
an dem lîbe unde an der sêle,
daz wellen wir iuch lêren.
nu tuot ûf diu inneren ôren!
10 diu ûzeren sulen iz hôren.
Unser fleiskich erde,
diu sol getemperôt werden
mit dem geiste der forhte,

DIE SIEBEN GABEN DES HEILIGEN GEISTES

Nun lasst uns in dieser
heiligen Liebe Gottes gewahr werden,
wie sich der Geist aus der Höhe
in unsere Schwäche mischt;
5 wie er zu uns herniedersteigt,
wie das Geschöpf beschaffen ist,
am Leib und an der Seele,
das wollen wir euch lehren.
Nun öffnet die inneren Ohren!
10 Die äußeren sollen es hören.
Unsere fleischliche Erdenschwere
soll geläutert werden
durch den Geist der Furcht.

3 *wie ... 7 Seele.* Stärker ausformuliert klingt der hier angedeutete Gedanke der Doppelnatur des Menschen aus (weltlichem) Leib und (geistiger) Seele im *Annolied* an: *Disi werlt ist daz eine deil, / daz ander ist geistîn. [...] / duo gemengite die wîse godis list / von den zuein ein werch, daz der mennisch ist, / der beide ist, corpus unte geist; / dannin ist her nâ dim engele allermeist* (AL 2,6–11; „Diese Welt ist der eine Teil, / der andere ist geistig. [...] / Da mischte Gottes Weisheit und Kunstfertigkeit / aus beiden ein Werk: den Menschen, / der beides ist, Körper und Geist; / deshalb steht er dem Engel am nächsten" [NELLMANN, Annolied, S. 7]). **9** *Nun ... Ohren.* Wohl Anspielung auf „inclina aurem cordis tui [= neige das Ohr deines Herzens, Übers. d. Hgg.] aus dem Prolog der Benediktinerregel" (GREINEMANN, Quellenfrage, S. 138). **11** *fleischliche Erdenschwere.* Ava verbindet die Elemente Erde, Feuer, Wasser und Luft jeweils mit spezifischen menschlichen Eigenschaften (zur Zuordnung der sieben Geistesgaben, sieben Seligpreisungen und geistlichen Tugenden vgl. SCHACKS, Dichtungen, S. 228, Anm., sowie die schematische Darstellung bei BJØRNSKAU, Dichterin, S. 227). Dies folgt der im Mittelalter verbreiteten Lehre vom Menschen als Mikrokosmos, in dem Eigenheiten der Welt (des Makrokosmos) im Kleinen ihre Ausprägung finden (vgl. SEIBERT, Lexikon christlicher Kunst, S. 96; VON EUW, Imago Mundi, S. 90f.; zur Bedeutung der vier Elemente vgl. FREYTAG, Summa Theologiae, S. 80–82). Grundlegend für die Vermittlung dieser in der Antike wurzelnden Anschauung war dabei vom 9.–12. Jh. Isidors von Sevilla *De natura rerum*: *Secundum mysticum autem sensum, / mundus competenter homo significatur: / quia sicut ille ex quatuor / concretus est elementis, / ita et iste constat quatuor / humoribus uno temperamento commistis* (Cap. IX, PL 83,977f., zitiert nach VON EUW, Imago Mundi, S. 91; Übers. v. VON EUW, ebd.: „Im übernatürlichen Sinne aber wird die Welt passender Weise als Mensch bezeichnet: Denn wie sie aus vier Elementen zusammengewachsen ist, so besteht er aus vier Säften [Temperamenten], und zwar in einem bestimmten gemischten Verhältnis"). **13** *Geist ... Furcht.* Die Gottesfurcht, der *timor Domini*, gilt als „unterste der sieben Gaben des Heiligen Geistes" (FREYTAG, Summa Theologiae, S. 122) und damit Ausgangspunkt der anderen. Biblischer Ursprung ist Jes 11,2f.: *Et requiescet super eum spiritus Domini, spiritus sapientiae et intellectus, spiritus consilii et fortitudinis, spiritus scientiae et pietatis et replebit cum spiritus timoris Domini.* – „Und der Geist des Herrn wird auf ihm ruhen, der Geist der Weisheit und der Einsicht [des Verstandes], der Geist des Rates und der Stärke, der Geist der Erkenntnis [Wissenschaft] und der Gottseligkeit. Und der Geist der Gottesfurcht wird ihn erfüllen" [Übers d. Hgg.,

also [er] uns vor worhte,
15 wil er unsich iteniuwen:
sô leitet er unsich ze der heiligen riuwe.
diu sol uns lêren,
wie wir got sulen phlegen.
dannen chomet uns diemuot
20 unde gedigenlîchez muot.
wol swîgende haben wir den armen geist –
alse du, herre, wol weist –,
den du unsich lêrtest,
dô du ûf den berch mit dînen jungeren chêrtest.
25 Ein gebe vil tiure
diu misket sich zuo unserem fiure.
daz ist geist der guote,
der zundet unser gemuote,
daz iz ûf zuo gote gêt,
30 alsô daz fiur in sîner natûre gestêt.
daz bringet uns froude unde gedingen,
daz wir den nâhisten minnen.
dannen loben wir got.
gescihet uns liep oder nôt,
35 sô haben wir ebendolunge,
dâr nâch chumet einhellunge.
sô sîn wir ze wâre
reht mitewâre.
Sô chumet uns daz gewizzede,
40 daz temperôt unser nezzene,

14 er] *ergänzt nach G mit* KIENAST *und* MAURER; SCHACKS *setzt stattdessen* got *als Subjekt ein (vgl.* SCHACKS, *Dichtungen, S. 228f., Anm., Apparat und krit. Text zu V. 14).*

Genauso, wie er uns zuvor erschuf,
15 will er uns erneuern:
Deshalb führt er uns zu der heiligen Reue.
Die soll uns lehren,
wie wir uns Gott gegenüber verhalten sollen.
Daraus erwachsen uns Demut
20 und feste Überzeugung.
Ohne jede Widerrede üben wir uns in der geistigen Armut –
wie du, Herr, wohl weißt –,
die du uns lehrtest,
als du dich mit deinen Jüngern auf den Berg begabst.
25 Eine überaus kostbare Gabe
mischt sich in unser Feuer.
Das ist der Geist der Güte,
der unser Gemüt entflammt,
so dass es hinauf zu Gott steigt,
30 genauso wie das Feuer seiner Natur gemäß emporstrebt.
Das bringt uns Freude und Zuversicht,
dass wir den Nächsten lieben.
Dafür preisen wir Gott.
Widerfährt uns Freude oder Leid,
35 dann fühlen andere mit uns,
daraus ergibt sich Eintracht.
Dann sind wir wahrlich,
wie es sich gebührt, sanftmütig.
Daraus erwächst uns das Wissen,
40 das unsere Nässe läutert,

basierend auf dem Vergleich von THOMÆ, Biblia Sacra, und der gängigen Einheitsübersetzung der Bibel]). Möglicherweise liegt zugleich ein Bezug auf Spr 9,10 – Gottesfurcht als Ursprung der Weisheit – vor.
21 *Ohne ... Armut.* Mt 5,3: die erste Seligpreisung (zur Zuordnung der Seligpreisungen zu den Gaben vgl. SCHACKS, Dichtungen, S. 228, Anm. zu V. 21). **28** *der ... entflammt.* Feuermetaphorik zur Schilderung des Einflusses des Heiligen Geists begegnet auch im Prolog des wohl in den 1160er Jahren entstandenen *St. Trudperter Hohen Lieds*: *der heilige geist ist dc uiur* [...]. *der heilige geist der brennet die memoriam. er ergluot die rationem. er zirlât die uoluntatem* (StH V. 1,7 sowie V. 1,17f. – „Der Heilige Geist ist das Feuer [...]. Der Heilige Geist, der enflammt das Gedächtnis. Er entzündet die Vernunft. Er schmilzt den Willen."). **30** *genauso ... emporstrebt.* Eine ähnliche Beschreibung der Natur des Feuers – allerdings ohne den Vergleich mit dem Streben nach Gott – findet sich im *Annolied*: *daz fuir havit ûfwert sînin zug* (AL V. 3,9 – „Das Feuer zieht nach oben" [NELLMANN, Annolied, S. 7]). **31** *Das ... 32 lieben.* „spes, fides und caritas [Hoffnung, Glaube und Nächstenliebe; abgeleitet aus 1. Kor 13, Anm. d. Hgg.] sind die 3 theologischen Kardinaltugenden, die seit Gregor dem Großen mit den Gaben verbunden werden" (vgl. SCHACKS, Dichtungen, S. 230, Anm. zu V. 31f.). **37** *Dann ... 38 sanftmütig.* Mt 5,5: die dritte Seligpreisung (vgl. SCHACKS, Dichtungen, S. 230, Anm. zu V. 38). **40** *das ... 42 gar.* Den Elementen entsprechen menschliche Laster (vgl. SCHACKS, Dichtungen, S. 230, Anm. zu V. 40f.).

swâ si von gote geflozzen ist:
vil wol gerainet si Crist.
sciencia heizet diu tugent,
diu uns von der gebe chumet.
45 diu lêret uns denne,
daz wir uns rehte bechennen.
dannen chumet uns paciencia,
den vîenden vergebe wir iesâ.
von der riuwe chumet uns ein nezzene,
50 diu ist michel bezzer,
daz wir mit den trahenen suoze
wasken gotes fuoze
mit der sâligen Marien;
des nescule wir niemer gezwîvelen.
55 Sô chumet uns fortitudo,
dem lufte vuoget er sich zuo.
swer sich ûf wider gote hevet,
wie vaste er in denne wider nider slehet!
er lêret uns in allen gâhen,
60 daz wir alle die werlt versmâhen.
dannen chumet uns chiuske,
gesterchunge maiste
an dem muote unde an dem lîbe:
diu heizet rehte underscîde.

wo auch immer sie vor Gott davongeflossen ist:
Christus reinigt sie ganz und gar.
Sciencia heißt die Tugend,
die uns dank der Gabe zuteilwird.
45 Die lehrt uns sodann,
dass wir wahrhaft zur Einsicht gelangen.
Daraus erwächst uns *paciencia*,
den Feinden vergeben wir sogleich.
Von der Reue kommt zu uns eine Nässe,
50 die weitaus besser ist,
so dass wir mit den süßen Tränen
Gottes Füße waschen
gemeinsam mit der seligen Maria;
daran dürfen wir niemals zweifeln.
55 Sodann kommt zu uns *fortitudo*,
der Luft gesellt sie sich bei.
Wer auch immer sich gegen Gott auflehnt:
Wie schnell er diesen dann wieder niederschlägt!
Er lehrt uns eiligst,
60 die ganze Welt geringzuschätzen.
Daher erlangen wir Keuschheit,
die größte Stärkung
an Seele und Leib:
Sie heißt [auch] Fähigkeit zur richtigen Unterscheidung.

41 *wo ... ist.* Einen ersten Ansatzpunkt zum Verständnis dieser komplizierten Textstelle bietet die auf antikem Vorbild basierende mittelalterliche Humoral- bzw. Säftelehre, die das Element Wasser (*aqua*) unter anderem mit dem Gehirn (*cerebrum*) assoziierte (vgl. BERGDOLT / KEIL, Humoralpathologie, Sp. 212), das als Sitz der Seele und gedanklicher Prozesse gelten konnte. Basierend darauf ließe sich Avas Gedankengang wie folgt zusammenfassen: In welcher Hinsicht auch immer der Mensch eine geistig-seelische Abkehr von Gott vollzogen hat, die Gnade der Einsicht kann zur Wiederhinwendung zu Gott verhelfen, die sich in der *nezzene, diu ist michel bezzer* (V. 49f.), nämlich den Reuetränen, äußert (siehe auch Kommentar zu JG V. 226). – Die Gleichsetzung menschlichen Denkens mit dem Wasser findet sich auch im anonymen, wohl um 1170 (vgl. GANZ, Geistliche Dichtung, S. 14) entstandenen *Anegenge*, in dem der Autor das zu tiefgründige Nachdenken über Gott angelehnt an Ex 21,33 mit einem potentiell gefährlichen Brunnen vergleicht (vgl. An V. 1,44–56, wiederaufgegriffen auch in 2,17–19). **43** *Sciencia ... 44 zuteilwird.* Lat. *scientia*: Kenntnis, Einsicht, Wissen. – Die *Sieben Gaben* enthalten eine Reihe unübersetzter lat. Fachtermini nichtbiblischen Ursprungs (vgl. STEIN, Literarhistorische Beobachtungen, S. 19ff.). Der Bezug von V. 43f. ist unklar, vielleicht geben sie lediglich die lateinische Entsprechung der in V. 39 volkssprachlich genannten Gabe wieder (vgl. SCHACKS, Dichtungen, S. 230, Anm. zu V. 43f.), womöglich ist aber auch gemeint, dass die *tugent sciencia* von der *gebe gewizzede* hervorgerufen wird. **47** *paciencia.* Lat. *patientia*: Ertragen, Erdulden; Genügsamkeit; Geduld, Nachsicht – in der abgewandelten Schreibweise gemahnend an *pax, pacis*: Friede; Beistand, Gnade, im christlichen Sinn ist die Friedfertigkeit, Sanftmut gemeint (vgl. Mt 5,9 oder Rückbezug auf Mt 5,5). **51** *mit ... Tränen.* Mt 5,4: die zweite Seligpreisung (vgl. SCHACKS, Dichtungen, S. 232, Anm. zu V. 51). Zur Bedeutung der Reuetränen siehe auch Kommentar zu JG V. 226. **55** *fortitudo.* Lat.: Stärke; Unerschrockenheit, Tapferkeit, Mut.

65 diu lêret uns geren,
des uns got gerne wil geweren:
des êwigen lebennes,
vil hungerich werden wir des.
Dâr nâch chumet uns der rât:
70 der ist vil sâlich, der in hât.
der lêret uns gehôrsamen,
sô wir sîn willechlîchen arm.
von dannen chumet uns gedinge
ze den himelisken dingen.
75 sô chumet uns humilitas,
diu bringet uns benignitas.
sô scol diu erbarmede von uns gân
uber einen iegelîchen man.
Diese tugende bringet uns der rât,
80 unser gehuht der gebe chunde hât.
durch die himele er si fuoret,
sô si nâch gote chêret.
sô suln in die suochen,
swem er sîn ruochet
85 in den himelisken chôren;
der rât der sol si fuoren.
si senent sich nâch sînem gewalte,
sô ist diu gebe behalten.
Dô gesamenent sich danne
90 zwâ getriwe genannen.
daz ist spiritus intellectus,
daz unser heizet vernunst.

84 swem] *V und G überliefern beide* von swem, *wir streichen das* von *in Übereinstimmung mit* KIENAST *und* SCHACKS *(vgl.* SCHACKS, *Dichtungen, S. 234f., Anm., Apparat und krit. Text zu V. 84).*
92 daz … vernunst] *nach V; G* daz wir heizzen vernunst – *„den wir Vernunft nennen“. Zur Deutung vgl. den Stellenkommentar.* KIENAST, MAURER *und* SCHACKS *dagegen bessern übereinstimmend zu* daz heizet unser vernunst *(„das bedeutet unsere Vernunft“; vgl. Schacks, Dichtungen, S. 234f., Anm., Apparat und krit. Text zu V. 92 und 89 – 96).*

65 Die lehrt uns zu begehren,
was Gott uns gerne gewähren will:
das ewige Leben,
wir beginnen sehr danach zu hungern.
Danach wird uns das Urteilsvermögen zuteil:
70 Höchst selig ist, wer es besitzt.
Das lehrt uns Gehorsam,
so dass wir bereitwillig arm sind.
Daraus erwächst uns Zuversicht
auf die himmlischen Belange.
75 Sodann kommt zu uns *humilitas*,
die bringt uns *benignitas*.
Sodann soll die Barmherzigkeit von uns ausgehen
über einen jeglichen Menschen.
Diese Tugend bringt uns der Rat,
80 unser Gedächtnis weiß um die Gabe.
Durch die Himmel führt er unser Gedächtnis,
wenn es sich Gott zuwendet.
Deshalb sollen ihn all diejenigen,
derer er sich annimmt,
85 in den himmlischen Chören suchen;
der Rat, der soll sie führen.
Sie sehnen sich nach seiner Macht,
auf diese Weise ist die Gabe bewahrt.
Da versammeln sich dann
90 zwei getreue Namensbrüder.
Das ist *spiritus intellectus*,
unser Anteil daran heißt Vernunft.

67 *das ... 68 hungern.* Mt 5,6: die vierte Seligpreisung (vgl. SCHACKS, Dichtungen, S. 232, Anm. zu V. 67f.). **75** *humilitas.* Lat.: Armut, Schwäche; demütiges Wesen – die Demut im christlichen Sinn. **76** *benignitas.* Lat.: Gutmütigkeit, Freundlichkeit; Wohltätigkeit. **77** *Barmherzigkeit ... ausgehen.* Mt 5,7: die fünfte Seligpreisung (vgl. SCHACKS, Dichtungen, S. 232, Anm. zu V. 77). **79** *Diese ... 82 zuwendet. gehuht* ist ein Femininum, lat. *memoria* („Gedächtnis, Erinnerung"), jener Seelenteil des lebenden Menschen, der vom Rat zu Gott geführt wird (vgl. ausführlich SCHACKS, Dichtungen, S. 232/243, Anm. zu V. 79ff.). **91** *spiritus intellectus.* Lat.: Geist der Erkenntnis bzw. des Verständnisses. **92** *unser ... Vernunft.* Die beiden *genannen* bezeichnen den Doppelbegriff *spiritus intellectus,* den Ava im Folgenden weiter differenziert. *(Spiritus) Intellectus* beschreibt in der mittelalterlichen Philosophie angelehnt an aristotelisches Gedankengut die Erkenntnisfähigkeit des Menschen, die in aller Regel als zweigeteilt in *intellectus agens* („tätiger/wirkender Verstand") und (bisweilen als überindividuell begriffener) *intellectus possibilis* („möglicher Verstand") gedeutet wurde (vgl. ZIMMERMANN, Intellectus, Sp. 457f.; STURLESE, Philosophie, S. 66). Die Abgrenzung von *intellectus* und *ratio* („Vernunft") war nicht immer scharf und konnte variieren (vgl. BORMANN, Ratio, Sp. 459). Ava beschreibt als *vernunst* den individuellen menschlichen Verstand bzw. Verstandesanteil, der durch seinen auf höhere Eingebung zurückgehenden *genannen* ergänzt werden muss, um zur (Gottes-)Erkenntnis zu verhelfen (vgl. STEIN, Literarhistorische Beobachtungen, S. 30).

wie wol si sich fuogent,
ob si diu werlt niene truobet!
95 unser wille si fuoret,
dâ si der wîstuom ruoret.
swer des gesmeket,
diu suoze ist unerrechet!
unser wille uns daz ervert,
100 ob im ez diu sunde niene wert,
daz er gevâhet den list,
waz diu oberiste guote ist.
vil suoze si sich underminnent,
daz chumet von liehteme sinne.
105 sô hât uns diu huht behalten
ein teil von sînem gewalte.
dâ muozen wir hôren,
dâ nemach niemen den anderen verrer gelêren.
swer sô nâch gote chumet,
110 der hât sich dar gefrumet.
chumet er anderes dare,
sô netuot iz niemen deheinen ware.
Sô bringet uns diu vernunst zuo,
daz heizet meditacio.
115 diu lêret uns denne,
daz wir got erchennen.
sô beginnen wir in minnen
mit liehteme sinne,
sô haben wir daz lûtere gewizzede,
120 daz ist daz reine herze.
Sô chumet sapientia,
diu bringet temperantia.
sô sîn wir in iusticia,
heilich werden wir sâ.
125 sô haben wir mandunge,
die nemach gezellen dehein zunge.
diu gît uns longanimitas,

Wie gut sie sich verbinden,
wenn die Welt sie nicht trübt!
95 Unser Wille führt sie,
wohin die Weisheit sie lenkt.
Für jeden, der dies gekostet hat,
ist die Süße unaussprechlich!
Unser Wille bewirkt das für uns,
100 wenn ihm die Sünde nicht verwehrt,
dass er zu der Erkenntnis gelangt,
was die höchste Güte ist.
Sehr innig lieben sie einander,
das kommt von [einem] erleuchteten Verstand.
105 Auf diese Weise hat uns das Gedächtnis
einen Teil seiner Macht bewahrt.
Darauf müssen wir hören,
da kann niemand den anderen weiter unterweisen.
Wer auch immer so zu Gott gelangt,
110 hat das durch sein eigenes Verdienst erreicht.
Kommt er auf andere Weise dorthin,
wird niemand dem Beachtung schenken.
Sodann verhilft uns die Vernunft zu etwas,
das *meditacio* heißt.
115 Die lehrt uns dann,
Gott zu erkennen.
Wenn wir beginnen, ihn
mit erleuchtetem Verstand zu lieben,
dann besitzen wir das lautere Gewissen,
120 das ist das reine Herz.
Sodann kommt *sapientia*,
die bringt *temperantia*.
Dann verweilen wir in *iusticia*,
heilig werden wir daraufhin.
125 Dann wird uns [eine] Seligkeit zuteil,
die niemand mit [bloßen] Worten beschreiben kann.
Diese gibt uns *longanimitas*,

103 *Sehr ... einander*. V. 103 bezieht sich „auf den Seelenteil *willen* und die *oberiste guote*, den Heiligen Geist" (SCHACKS, Dichtungen, S. 236, Anm. zu V. 103). **105** *Auf ... 106 bewahrt*. „Ebenso (d. h. wie *vernunst* und *wille* in bezug auf Weisheit und Güte) hat uns unser *gehuht* = memoria ein [für Menschen faßbares] Teil seiner Gewalt (= Person des Vaters in der Trinität) aufbehalten." (KIENAST III, S. 99, ebenso SCHACKS, Dichtungen, S. 236, Anm. zu V. 105f.) **114** *meditacio*. Lat. *meditatio*: das Nachdenken über etwas bzw. über eine Sache, um sie ins Werk zu setzen. **120** *reine Herz*. Mt 5,8: die sechste Seligpreisung (vgl. SCHACKS, Dichtungen, S. 236, Anm. zu V. 120). **121** *sapientia*. Lat.: Einsicht, Klugheit, Weisheit. **122** *temperantia*. Lat.: Mäßigung, das Maßhalten. **123** *iusticia*. Lat. *iustitia*: Gerechtigkeit. **127** *longanimitas*. Lat.: Langmut.

sô rîcheset an uns pax.
sô haben wir fride gewunnen,
130 sô sîn wir der forhte entrunnen.
Sô stên wir vil hôhe,
sô mege wir got phlegen,
ob diu êrste tugent
von unserem herzen niene chumet,
135 daz ist spiritus timoris:
des megen wir sîn gewis,
sweme si entwîchet,
der tiuvel in beslîchet.
daz wirt der hôhiste val
140 in daz tiefiste tal.
alsô gevalte diu hôchvart
den engel, daz er wære ein hellewart.
er warf den mennisken zwâre
sehste halp tûsent jâre
145 von dem oberisten liehte.
er brâhte in ze nihte,
unze uns got getrôste,
von der vinstere er unsich lôste
in voller sîner gnâden.
150 nu sprechen wir: âmen.

132 sô … phlegen] *nach V; G* flehen *(vgl. SCHACKS, Dichtungen, S. 239, Apparat; krit. Text zu V. 132* vlêgen*), was den Sinn des Verses dahingehend verändert, dass „wir Gott anflehen" sollen.*
138 der … 139 wirt] *Lücke in V: V. 138f. wird seit DIEMER, Deutsche Gedichte, ergänzt aus G (vgl. SCHACKS, Dichtungen, S. 239, Apparat und krit. Text zu V. 138f.).*

dann herrscht bei uns *pax*.
Dann haben wir Frieden gewonnen,
130 dann sind wir der Furcht entronnen.
Wenn wir sehr hoch stehen,
dann sollen wir uns um Gott bemühen,
falls die erste Tugend
nicht unserem Herzen entspringt,
135 nämlich der *spiritus timoris*:
Dessen können wir sicher sein,
wen auch immer sie im Stich lässt,
den beschleicht der Teufel.
Das wird der Sturz aus höchster Höhe
140 in das tiefste Tal.
Genauso stürzte der Hochmut
den Engel, auf dass er ein Hüter der Hölle sei.
Er verstieß den Menschen fürwahr
fünfeinhalbtausend Jahre
145 aus dem höchsten Licht.
Er machte ihn zunichte,
bis Gott uns tröstete;
aus der Finsternis befreite er uns
in seiner vollkommenen Gnade.
150 Nun sprechen wir: Amen.

128 *pax*. Lat.: Friede; Gnade. **129** *Frieden*. Mt 5,9: die siebte Seligpreisung (vgl. SCHACKS, Dichtungen, S. 236, Anm. zu V. 129). **135** *spiritus timoris*. Lat.: der Geist der (Gottes-)Furcht.

In dem jungisten zîte
sô nâhet uns des Antechristes rîche.
sô besitzet diu erde,
dâ nesol niht ane werden.
5 vil michel wirt diu nôt,
daz vihe lît allez tôt.
diu harmscare gêt uber al,
des liutes wirt ein grôz val.
Sô stênt ûf al gelîche
10 mit gestrîte diu rîche.
nehein lant ist sô chleine,
man nemuoze iz denne teilen.
marche und bistuom,
grâscefte unde herzochtuom,
15 daz teilet man chleine,
iz niezent zwêne oder drî vur einen
mit grimme unde mit sêre.
Sô stêt iz dâr nâch iemer mêre.
Sô hôre wir danne
20 banne uber banne,
wir hôren alle stunde
vermainsamunge.
des wirt daz rîche allez vol,
sô vliehent die guoten ze walde in diu steinhol.
25 sô nemach iu niemen gesagen
die nôt, diu ist in den tagen.
Sô hevet iuwer houbet unde iuwer hende!
sô nâhet uns diu wâre urstende,
sô sul wir alle unseren herren
30 vil innechlîchen flêgen,

1 In…2 rîche] *nach V; G* ANder jungisten zîte / so wirt d^{s} ant^{s}ix$\overline{\text{ix}}$ rîhsen *(vgl.* SCHACKS, *Dichtungen, S. 241, Apparat zu V. 1f.).* **12** iz] *V* in *(*indenne*), mit* DIEMER *und* SCHACKS *gemäß G geändert (vgl.* SCHACKS, *Dichtungen, S. 241, Apparat und krit. Text zu V. 12).*

DER ANTICHRIST

In der Endzeit
naht uns das Reich des Antichrists.
Dann ist die Erde unfruchtbar,
dann wird nichts darauf wachsen.
5 Die Not wird überaus groß,
das ganze Vieh liegt tot darnieder.
Das Leid bricht über alle herein,
es kommt zum völligen Niedergang des Menschengeschlechts.
Hierauf erheben sich alle
10 Königreiche gleichermaßen zum Krieg.
Kein Land ist so klein,
dass man es dann nicht teilen müsste.
Mark und Bistum,
Grafschaft und Herzogtum,
15 die spaltet man in kleine Teile auf,
es zehren zwei oder drei davon statt nur einer,
voller Zorn und Leid.
So steht es danach fortwährend.
Ferner hören wir dann
20 Bannspruch über Bannspruch,
wir hören zu jeder Stunde
Ächtungen,
von denen das ganze Reich erfüllt wird.
Deshalb fliehen die Guten in den Wald in die Höhlen.
25 Da kann niemand für euch
die Not in Worte fassen, die in diesen Tagen herrscht.
So erhebt euer Haupt und eure Hände!
Wenn uns die wahre Auferstehung naht,
dann sollen wir alle unseren Herrn
30 sehr inniglich anflehen,

9 *Hierauf ... 10 Krieg.* Vgl. Mt 24,7, ein Einfluss der *Wiener Genesis* ist wahrscheinlich (insgesamt seien 26 Verse beinahe wörtlich übernommen worden, vgl. dazu KIENAST I, S. 32f., SCHACKS, Dichtungen, S. 240, und einen gegenüberstellenden Textauszug bei BJØRNSKAU, Dichterin, S. 228), ebenso wie ein Bezug zu Adsos *De ortu et tempore Antichristi* (siehe Kommentar zu V. 61) und verschiedenen Perikopen apokalyptischen Inhalts (vgl. GREINEMANN, Quellenfrage, S. 165, Anm. 16). **27** *So ... Hände.* In Antike und Frühmittelalter übliche Gebetshaltung (vgl. HAAS-GEBHARD, Baiuvaren, S. 174), die auf Bildern aus Avas Zeit noch erscheint, z. B. in der Stifterdarstellung eines um 1100 im Kloster Montecassino entstandenen Breviers (Hs Urb. Lat. 585 der Bibliotheca Apostolica Vaticana, fol. 26v., Abbildung bei PACE, Brevier, S. 175).

daz wir in dem wîge
niht verlâzen an dem êwigen lîbe.
Sô sint die vil sâlich,
die denne sint unbârich,
35 daz sagete uns got hie,
duo er mit dem cruce ze der martir gie:
swer denne niene ziuhet chint,
wie sâlich die mit gote sint!
si behuotent ir chiuske unde ir magetuom,
40 des habent si êwichlîchen ruom.
den hât er al gelîche
gebrievet sîniu rîche
ze den chunichlîchen êren,
si sint gemahelen des oberisten herren.
45 Sô nist niht getriwe
diu frouwe der diuwe
noch der man dem wîbe,
si leident al mit nîde.
sô hazzet si in danne,
50 sam tuot der herre dem manne,
alse ist der man dem herren,
swie guot im sî das lêhen.
sô rîchsenôt diu irrecheit,
sô trûret elliu diu cristenheit.
55 Vil michel nôt unde leit
lîdet denne diu cristenheit.
vone sêrigem muote
dorrent die guoten;
bedruchet wirt diu menige.

48 leident] *V* ledent, *G* lebnt, *MAURER und SCHACKS bessern mit KIENAST III, S. 101, zu* leident. *Die Bedeutung von G wäre: „Sie leben alle im Zustand der Missgunst." Vgl. SCHACKS, Dichtungen, S. 242, Anm. zu V. 48.* **49** sô...52 lêhen] *Für V. 49–52 bietet G eine ergänzende Alternative (vgl. SCHACKS, Dichtungen, S. 243, Apparat; Schreibweise den Lesegewohnheiten dieser Edition angepasst):* So hazzet der vater den sun, / also muez er hin wider tuon. / Sam tuot der herre dem man, / also ist der man dem herren gram. / Swi guot im si daz lebn, / er wold iz umb den tot gebn. *(„Dann hasst der Vater den Sohn, / und ebenso muss der es ihm vergelten / Genauso verhält sich der Herr dem Gefolgsmann gegenüber, / und ebenso ist der Gefolgsmann über den Herrn erzürnt. / Wie gut sein Leben auch sein mag, / er würde es für den Tod hingeben wollen.")*

dass wir in dem Kampf
nicht nachlässig werden in Bezug auf das ewige Leben.
Dann sind jene überaus selig,
die unfruchtbar sind,
35 das sagte uns Gott hier [auf Erden],
als er mit dem Kreuz zu der Marter ging:
Wer auch immer dann kein Kind großzieht,
wie selig ist der bei Gott!
Sie behüten ihre Keuschheit und ihre Jungfräulichkeit,
40 dafür wird ihnen ewiger Ruhm zuteil.
Denen hat er allen gleichermaßen
seine Reiche zugesichert
samt den königlichen Ehren,
sie sind alle Bräute des obersten Herrn.
45 Dann ist
weder die Herrin der Dienerin getreu
noch der Ehemann der Ehefrau,
sie leiden alle unter Missgunst.
So hasst sie ihn dann,
50 ebenso wie der Herr den Gefolgsmann
und auch der Gefolgsmann den Herrn,
ganz gleich, wie gut das Lehen für ihn sein mag.
Hierauf regiert die Irrlehre,
dann trauert die gesamte Christenheit.
55 Überaus große Not und Schmerz
leidet dann die Christenheit.
An ihrem bekümmerten Gemüt
verdorren die Guten;
die Menge wird unterjocht.

33 *Dann ... 38 Gott.* Der Verweis auf Lk 23,29 und damit auf eine Prophezeiung Jesu selbst dient zur Unterstreichung des Geltungsanspruchs der Aussage. **44** *Bräute.* Die Bezeichnung *gemahel* ist nicht geschlechtsspezifisch, doch klingen darin das Bild der Kirche als Braut Christi (vgl. dazu z. B. SEIBERT, Lexikon der christlichen Kunst, S. 89) und die *unio mystica* („mystische Hochzeit") der Seele als Braut mit Gott an (ebd., S. 146; vgl. auch FREYTAG, Summa Theologiae, S. 156). **45** *Dann ... 46 getreu.* Eine gewisse Parallele findet sich in der wohl etwa Mitte des 12. Jhs. entstandenen Dichtung *Vom Rechte*, in der Treue zwischen Herrin und Magd als wünschenswert hervorgehoben wird: *die vrouwen joch die diuwe, / die schulen haben triwe* (VR V. 191f. – „Die Herrin und auch die Dienerin / sollen sich in Treue üben"). Die soziale Beziehung zwischen Herrin und Dienerin wurde dabei im Mittelalter vielfach auf das Verhältnis der Seele (Herrin) zum Leib (Magd) ausgedeutet (vgl. dazu ausführlich FREYTAG, Summa Theologiae, S. 153–159), eine Symbolik, die hier zwar nicht explizit ausgeführt wird, aber der Dichterin und dem Publikum präsent gewesen sein mag. Noch um eine Komponente erweitert wird diese Ausdeutung in der frühmittelhochdeutschen *Summa Theologiae*: *Gotis brûth dû sêli adilvrôwi, / vorchti dû der ir dûwi. / der lichami ist der sêli chamerwîb / er mag ir vlîsin den êwigin lîb* (ST V. 27,1–4 – „Gottes Braut, die Seele, ist eine adlige Dame, die Gottesfurcht ihre Magd. Der Körper ist die Kammerfrau der Seele, er kann sich für sie eifrig um das ewige Leben bemühen.").

60 sô chumet uns ingegene
der von Dane geborn ist,
der ist genennet Antchrist.
An dem jungisten ende,
sô wirt uns gesendet
65 Elyas unde Enoch,
die gewarnen doch,
ê daz zît ane gê,
daz uns der wuotrich bestê.
vil grimmech wirt diu nôt,
70 si ligent beide von ime tôt.
Sô getân gesturme ist michel reht,
sô des tieveles chneht
mit gewalte vure gât.
hie, wie vaste er uns bestât
75 mit manegen sînen listen.
die aller wirsisten,
arme und rîche,
er muot si alle gelîche,
er entlîbet in niht,

66 die…doch] *nach V mit* MAURER; *G* di warnent uns îdoch; *SCHACKS bessert entsprechend zu* die gewarnent unsich iedoch *(vgl.* SCHACKS, *Dichtungen, S. 244f., Anm., Apparat und krit. Text zu V. 66).*

60 Daraufhin kommt uns derjenige entgegen,
der vom Stamme Dan geboren ist,
der wird Antichrist genannt.
Am Ende der letzten Zeit
werden uns dann
65 Elias und Enoch gesandt;
die jedoch warnen uns,
bevor die Zeit beginnt,
in der sich uns der Wüterich entgegenstellen wird.
Diese Drangsal wird besonders schrecklich,
70 beide werden von ihm getötet.
Ein so ausgefochtener Kampf ist nur recht und billig,
wenn des Teufels Knecht
mit Gewalt vorgeht.
Hei, wie heftig er uns angreift
75 mit seinen zahlreichen Schlichen.
Die Allerschlimmsten,
Arme und Reiche –
er hat es auf alle gleichermaßen abgesehen,
er verschont sie nicht,

61 *der*[1] *... ist.* Grundlage der Vorstellung, dass aus Dan der Antichrist kommt, ist Gen 49,17: „Zur Schlange am Weg wird Dan, zur zischelnden Natter am Pfad. Sie beißt das Pferd in die Fesseln, sein Reiter stürzt rücklings herab" (vgl. GREINEMANN, Quellenfrage, S. 160; dort auch Verweis auf Parallelstelle aus der Genesisdichtung [PIPER, P.: Wiener und Vorauer Moses. ZfdPh 20 (1888), S. 280f.]: *Der gihurnter wurm / daz ist des antichristes zorn / der giborn wirt vone dân / sôsich gilesin hân. / der zi iungist chumit, / sô diu werlt ente nimit. / des giwalt wirt sô grôz, / daz er ni will haben niheinin gnôz"* (V. 5736–40 – „Die gehörnte Schlange, das ist der Zorn des Antichristen, der aus Dan geboren wird, wie ich es gelesen habe, der zuletzt kommt, wenn es mit der Welt ein Ende nimmt. Dessen Macht wird so groß, dass er keinen dulden will, der ihm gleichkommt." Übers. d. Hgg). Eine Auslegung der Bibelstelle findet sich auch in *De ortu et tempore Antichristi* (Von Ursprung und Zeit des Antichristen) des Adso von Montier-en-Der (10. Jh.): *Sicut ergo auctores nostri dicunt, Antichristus ex populo Iudeorum nascetur de tribu scilicet Dan secundum prophetiam dicentem: ‚Fiat Dan coluber in via, cerastes in semita'* (ebd., S. 106 – „So sagen denn auch unsere Gewährsleute, dass der Antichrist aus dem Volk der Juden geboren wird, nämlich aus dem Stamme Dan, gemäß der Prophezeiung, die da lautet: ‚Dan wird eine Schlange werden auf dem Wege und eine Otter auf dem Steige.'"). Adsos Text und seine zahlreichen Adaptationen waren weitverbreitet (vgl. NESKE, Sibyllenweissagung, S. 24), so etwa die *Tiburtinische Sibylle* (ein ab dem 11. Jh. verbreiteter Weissagungstext, zur Datierung vgl. SACKUR, Sibyllinische Texte, S. 125): *In illo tempore surget princeps iniquitatis de tribu Dan, qui vocabitur Antichristus* (ebd., S. 185; „In jener Zeit wird sich der Fürst der Ungerechtigkeit aus dem Stamme Dan erheben, den man den Antichristen nennen wird." Übers. d. Hgg). **62** *Antichrist.* In den Evangelien wird der Begriff Antichrist nicht genannt, sondern taucht nur in den Johannesbriefen (1 Joh 2,18.22; 4,3; 2 Joh 7) auf. **77** *Arme ... Reiche.* Die Komplementärformel hat eine ständische Konnotation: Den Armen zeichnet nicht unbedingt nur „materielle Armut" aus, sondern auch „die soziale Schwäche als gesellschaftliches Phänomen" (OEXLE, Potens und Pauper, S. 143; vgl. allgemeiner zum Thema auch SULLIVAN, Justice, S. 67). Gemeint ist also, dass alle Gesellschaftsschichten betroffen sind.

80 der guoten gestêt vil chûme iht.
Sô heizet er verbieten
unde heizet si mieten,
daz niemen geloube
uberlût noch tougen
85 an der magde sun
Sancte Marien.
Sô beginnet er zeichenon,
si wânent, er sî gotesun.
aver diu zeichen, diu er tuot,
90 diu nesint niemen guot:
er nekûchet niht den tôten,
ouch nemachet er niht den stein ze brôte,
daz wazzer niht ze dem wîne,
daz verhilt er die sîne.
95 mit gewalte er si toubet,
unze si an in geloubent.
Er rîchsenôt, daz ist wâr,
rehte vierdehalp jâr
in allen den enden,
100 dâ got gie bredigende.
vil michel wirt sîn gewalt,
sîniu wîze werdent manichvalt:
er heizet si stechen,
mit chrouwelen zebrechen.
105 der vil ungehiure,
der brâtet si in dem fiure.
fur diu tier er si leget,
mit den besemen er si slehet.
mit hunger tuot er in vil nôt,
110 in diu wazzer er si senchet.
owî, wie veste si sint,
daz lîden al diu gotes chint!
Sô ers denne aller minniste wânet,
der tôt im nâhet.
115 sînen ubermuot

91 er nekûchet] *V* erne kuchet *wird von* SCHACKS *aufgelöst zu* er nechucket *(vgl.* SCHACKS*, Dichtungen, S. 246f., Anm. Apparat und krit. Text zu V. 91). Da ‚die Toten behauchen' in übertragener Bedeutung mit* SCHACKS' *Besserung vergleichbar ist, folgen wir V (vgl.* LEXER*, Mhd. Handwörterbuch, Bd. 1, Sp. 1761* kûchen, *„hauchen", aber ebd., Bd. 2, Sp. 325* kücken/quicken/kücken/chuchen *(„lebendig machen, beleben, erwecken").* **97** rîchsenôt] *V* richesont; *G* rihsent – DIEMER *bessert zu* richsenet, MAURER *zu* richsenot, *dem wir folgen (vgl.* SCHACKS*, Dichtungen, S. 246f., Anm. Apparat und krit. Text zu V. 97).* **115** sînen… 116 tôt] *G (Schreibweise angepasst):* sîn ubermuot in vellet, / der tôt in bechrellet. *(„Sein Hochmut bringt ihn zu Fall, / der Tod schlägt die Krallen in ihn.")*

80 kaum einer von den Guten hält stand.
Dann befiehlt er [den Glauben an Christus] zu verbieten
und sie zu bestechen,
damit niemand [mehr] glaube –
weder öffentlich noch heimlich –
85 an den Sohn der Jungfrau
Sankt Maria.
Hierauf beginnt er Zeichen zu wirken,
damit sie meinen, er sei der Gottessohn.
Aber die Wunderzeichen, die er tut,
90 die sind für niemanden gut:
Er erweckt den Toten nicht auf,
auch macht er nicht den Stein zu Brot,
das Wasser nicht zum Wein,
das enthält er den Seinen vor.
95 Mit Gewalt macht er sie gefügig,
bis sie an ihn glauben.
Er herrscht, das ist wahr,
genau dreieinhalb Jahre
in allen Gegenden,
100 in die Gott sich begab, um zu predigen.
Seine Macht wird überaus groß,
er verhängt vielerlei Strafen:
Er befiehlt, auf sie einzustechen,
sie mit Forken zu zerfleischen.
105 Der überaus Schreckliche
brät sie im Feuer.
Er wirft sie den wilden Tieren vor,
mit den Ruten schlägt er sie.
Mittels Hunger fügt er ihnen viel Schaden zu,
110 er versenkt sie in Gewässern.
Oh weh, wie standhaft sie sind,
das erdulden alle Kinder Gottes!
Wenn er [der Antichrist] dann am allerwenigsten damit rechnet,
naht ihm der Tod.
115 Seinen Hochmut

80 *kaum … stand.* Vgl. Mt 24,13. **82** *sie.* Gemeint sind die verbliebenen aufrechten Menschen. **89** *Aber … 94 vor.* Kontrastierung der Scheinwunder mit den Wundern Jesu (vgl. KIENAST III, S. 101) **103** *sie*[1]. Vgl. Kommentar zu V. 82. **112** *das … Gottes.* Alternativ ist auch folgende Übersetzung möglich: „Das alles erdulden die Kinder Gottes.“

vellet der tôt.
sô nist denne niht mêre
niwan durnahtigiu bechêrde.

bringt der Tod zu Fall.
Daraufhin gibt es dann nichts mehr
bis auf vollkommene Bekehrung.

Nu sol ich rede rechen
vil vorhtlîchen
von dem jungisten tage,
als ich vernomen habe,
5 unde von der êwigen corone,
die got gibet ze lône
swelche wole gestrîten
an dem jungisten zîte.
Finfzehen zeichen gescehent,
10 sô die wîsten jehent,
wir nevernâmen nie niht mêre
von sô bitterme sêre.
sô bibent allez daz der ist,
sô nâhet uns der heilige Crist.
15 An dem êrsten tage
sô hevet sich diu chlage,
sô wirt daz zeichen dâ ze stunt:
diu wazzer smiegent sich an den grunt.
vierzech clâfter iz în gêt,
20 einen tach iz alsô gestêt.
An dem anderen tage,
daz sul wir iu sagen,
sô gêt iz aver wider ûz,
vil hôhe leinet iz sich wider ûf.
25 sô biginnet iz pellen
mit michelen wellen,
daz iz alle die hôrent,
die den sin dare chêrent.

10 sô…wîsten] *nach V. SCHACKS liest* wîsisten *(vgl. SCHACKS, Dichtungen, S. 251, Apparat und krit. Text zu V. 10; statt* sô die *verzeichnet G* als die*). Vermutlich handelt es sich hier um eine Zusammenziehung aus* wîsesten, *da laut PAUL / SCHRÖBLER / WIEHL / GROSSE, Mittelhochdeutsche Grammatik, §203, Anm. 3 das „e“ im Superlativ häufig weggelassen wird.* **15** An…tage] *V lässt an dieser Stelle einen gemeinhin als unechte Einfügung betrachteten Vers folgen, der als 15a gezählt wird:* alsô ich vernomen habe *(vgl. SCHACKS, Dichtungen, S. 250f., Anm., Apparat und krit. Text zu V. 15a).* **16** chlage] *nach V. „Kienast tritt in ZfdA. 77,102 für G* ungehabe *ein“, was MAURER übernimmt, „entscheidet sich im Manuskript aber für* grôze chlage.*“ (SCHACKS, Dichtungen, S. 252, Anm. zu V. 16).* **24** wider ûf] *Dieses zweite, beiden Hs. gemeinsame* wider *hält KIENAST für eine „fehlerhafte Dittographie aus Vers 23“ (KIENAST III, S. 102). Seit KIENAST und MAURER wird* ûf *aus G ergänzt (vgl. SCHACKS, Dichtungen, S. 253, Apparat und krit. Text zu V. 24).*

DAS JÜNGSTE GERICHT

Nun soll ich sehr furchtsam
Rechenschaft ablegen
über den Jüngsten Tag,
so wahr ich es vernommen habe,
5 und über die ewige Krone,
die Gott all jenen zum Lohn gibt,
welche gut gekämpft haben
am Ende der Zeit.
Fünfzehn Zeichen werden geschehen,
10 so sagen die Weisesten,
noch nie haben wir mehr
von solch bitterer Qual gehört.
Dann erbebt alles, was da ist,
dann naht uns der heilige Christus.
15 Am ersten Tag,
da erhebt sich die Wehklage,
da geschieht dort sogleich das Zeichen:
Die Gewässer schmiegen sich an ihren Grund.
Vierzig Klafter tief sinkt das Wasser [in die Erde] ein,
20 einen Tag lang verbleibt es so.
Am zweiten Tag,
das müssen wir euch sagen,
da strömt es aber wieder heraus,
überaus hoch bäumt es sich wieder auf.
25 Dann beginnt es zu tosen
mit großen Wellen,
damit all diejenigen es hören,
die mit Sinn und Verstand darauf achten.

5 *Krone*. Ebenso wie bei der von Ava gebrauchten Wortform *cruce* für „Kreuz" scheint es sich auch bei *corone* („Krone") um einen bewussten Latinismus zu handeln, den die Dichterin aus lat. *corona* („Kranz, Krone") und dem mhd. gebräuchlichen *krône/chrône* gebildet hat. **9** *Fünfzehn Zeichen*. Die weit verbreitete Legende von den fünfzehn unheilvollen Zeichen der Apokalypse ist biblischen Ursprungs (vgl. Lk 21, Mt 24,27–31, Mk 13,22–27, Offb; vgl. VOLLMANN-PROFE, Fmhd. Literatur, S. 240). Ungeklärt ist, in welchem Text zuerst die Zusammenstellung der Zeichen und ihre Aufteilung auf fünfzehn Tage erfolgte (vgl. KETTLER, Jüngstes Gericht, S. 402, und GREINEMANN, Quellenfrage, S. 166). Avas recht eigenständige Version ordnet die Zeichen nach Themengebieten (vgl. VOLLMANN-PROFE, Fmhd. Literatur, S. 240f.). Ähnlichkeiten bestehen zur *Historia evangelica* des Petrus Comestor sowie dem *Linzer Antichrist* (vgl. die tabellarische Gegenüberstellung bei KETTLER, Jüngstes Gericht, S. 403–417). **19** *Klafter*. Maß der ausgebreiteten Arme (vgl. LEXER, Mhd. Handwörterbuch, Bd. 1, Sp. 1598).

uber elliu diu rîche,
30 sô stêt iz vorhtlîchen.
An dem driten tage,
alse ich vernomen habe,
sô wider fliuzet ob der erde
daz wazzer al ze berge;
35 wider gêt im der strâm,
daz sihet wîp unde man.
sô trûret allez daz der ist,
wande daz urteile nâhen ist.
An dem vierden tage,
40 sô hevet sich diu chlage,
sô hevet sich von grunde
viske unde allez merwunder.
ob dem mere si vehtent,
vil lûte si brahtent.
45 sô wirt des lutzel rât,
swaz flozzen unde grât hât.
An dem vinften tage,
sô wirt ein mêre chlage.
sô hevet sich daz gevugele,
50 daz ê flouch under himele,
ûfen daz gevilde,
iz sî zam oder wilde.
si wuofent unde weinent
mit michelem gescreie.
55 si bîzent unde chrouwent,
ein ander si houwent.
des tages harte zergât,
swaz vettech unde chlâ hât.
Sô chumet vil rehte
60 mit sêre tach der sehste.
der himel sich verwandelôt,
er wirt tunchel rôt.
an dem mânen unde an dem sunnen
sihet man michel wunder.
65 der tach wirt alse vorhtlîch,
in die erde bergen si sich.
An dem sibenten tage,
sô wirt der luft al enwage.

62 tunchel rôt] *nach V. Laut* KIENAST *ist* tunchel rôt *„als Komposition für so frühe Zeit unmöglich; G hat mit Recht* unde *eingeschoben" (*KIENAST *III, S. 102).* MAURER *folgt ihm darin,* SCHACKS *bleibt, wenn auch unter Bedenken, bei V (vgl.* SCHACKS*, Dichtungen, S. 254f., Anm., Apparat und krit. Text zu V. 62).*

Über allen Königreichen
30 steht es dann fürchterlich.
Am dritten Tag,
so wahr ich es vernommen habe,
da ändert auf der Erde alles Wasser seine Richtung
und fließt bergauf,
35 gegen den Strom;
das sehen Frauen und Männer.
Dann trauert alles, was da ist,
denn das [Jüngste] Gericht ist nahe.
Am vierten Tag,
40 da erhebt sich die Wehklage,
da erheben sich vom Meeresgrund
die Fische und alle Seeungeheuer.
Über dem Meer kämpfen sie
und lärmen überaus laut.
45 Dann ergeht es allem,
was Flossen und Gräten hat, gar nicht gut.
Am fünften Tag,
da kommt eine noch größere Wehklage auf.
Dann erheben sich die Vögel,
50 die zuvor unter dem Himmel flogen,
über dem offenen Feld,
seien sie nun zahm oder wild.
Sie klagen und weinen
mit großem Geschrei.
55 Sie beißen und kratzen,
sie schlagen aufeinander ein.
An diesem Tag geht völlig zugrunde,
was auch immer Fittiche und Klauen hat.
Dann kommt höchst recht und billig
60 mit Drangsal der sechste Tag.
Der Himmel verändert sich,
er wird dunkelrot.
Am Mond und an der Sonne
sieht man große Wunderzeichen.
65 Der Tag wird so schrecklich,
dass man unter der Erde Schutz sucht.
Am siebten Tag,
da gerät die Luft ganz und gar in Wallung.

sô vihtet [er] an daz trum,
70 die winde an daz firmamentum,
diu wazzer dar widere
diezent under dem himele.
[an dem mânen unde an dem sunnen
sihet man michel wunder.]
75 sô hôret man dicke
doner unde blicze.
sô chrimmet sich ze wâre
der arme suntâre,
deme sîn gewizzede daz saget,
80 daz [er] gotes hulde niene habet.
An dem ahtoden tage,
sô wirt diu erde elliu enwage.
an der stunde
si erweget sich von grunde.
85 sô nemach niht des gestân,
des ûf der erde sol gân.
sô trûret wîp unde man,
si nemach getrôsten nieman.
An dem niunten tage,
90 alse ich vernomen habe,
brestent die steine –
daz gescihet vor dem urteile –,
si chliebent sich envieren;
sô zergêt iz allez sciere.
95 daz vurhtet wîp unde man
unde swer iht verstên chan.
An dem zehenten tage,
vil lutzel sul wir daz chlagen,
sô zevallent die burge,
100 die durch ruom geworht wurden.
berge unde veste,
daz muoz allez zebresten.
sô ist got ze wâre
ein rehter ebenâre.
105 An dem einleften tage,

69 er] *Die auf* SCHACKS *zurückgehende Ergänzung* [er] *(vgl.* SCHACKS, *Dichtungen, S. 254f., Anm., Apparat und krit. Text zu V. 69–70) ist nicht zwingend, öffnet jedoch den Blick für verschiedene Interpretationsmöglichkeiten (siehe Stellenkommentar).* **73** an[1] ... 74 wunder] *V. 73–74 stellen eine in beiden Hs. auftretende „fehlerhafte Dittographie“ (*KIENAST *III, S. 102) von V. 63–64 dar und werden deshalb von* MAURER *und* SCHACKS *in Klammern gesetzt, jedoch im Text belassen und mitgezählt (vgl.* SCHACKS, *Dichtungen, S. 254f., Anm. und krit. Text zu V. 73f.).* **80** er] *gemäß G von* MAURER *und* KIENAST *zum besseren Verständnis in die Edition eingesetzt (vgl.* SCHACKS, *Dichtungen, S. 256f., Anm., Apparat und krit. Text zu V. 80).*

Dann bekämpfen zum Ende hin
70 die Winde das *firmamentum*,
die Gewässer, die unter dem Himmel sind,
branden gegen sie an.
[Am Mond und an der Sonne
sieht man große Wunderzeichen.]
75 Dann hört man oft
Donner und Blitze.
Dann windet sich wahrlich
der arme Sünder,
dem sein Gewissen sagt,
80 dass er Gottes Wohlwollen nicht besitzt.
Am achten Tag,
da gerät die gesamte Erde in Bewegung.
Zu diesem Zeitpunkt
erbebt sie von Grund auf.
85 Dann kann nichts stehen bleiben,
was auf der Erde gehen sollte.
Dann trauern Frauen und Männer,
niemand vermag sie zu trösten.
Am neunten Tag,
90 so wahr ich es vernommen habe,
zerbersten die Steine –
das geschieht vor dem [Jüngsten] Gericht –,
sie spalten sich in vier Teile auf;
so geht alles schnell zugrunde.
95 Das fürchten Frauen und Männer –
jeder, der [auch nur] etwas verständig ist.
Am zehnten Tag –
das müssen wir nicht beklagen –,
da zerfallen die Burgen,
100 die aus Ruhmsucht erbaut wurden.
Mauerringe und Festungen,
das muss alles zerbrechen.
So ist Gott wahrlich
ein gerechter Gleichmacher.
105 Am elften Tag –

69 *Dann ... hin.* SCHACKS ergänzt *er*, das VOLLMANN-PROFE übernimmt, die „Sie kämpft gegen ihre Begrenzung an" übersetzt (vgl. VOLLMANN-PROFE, Fmhd. Literatur, S. 241, Anm. 69), mithin also *trum* rein räumlich auffasst; unsere Interpretation wird von KIENAST gestützt: „Der Himmel kämpft gegen die Winde" (KIENAST III, S. 102). **70** *firmamentum.* Lat.: Firmament, Himmelsgewölbe.

des sul wir unsich wol gehaben,
sô zergêt vil sciere,
dâ diu werlt mit ist gezieret:
golt unde silber
110 unde ander manech wunder,
nusken unde bouge,
daz gesmîde der frouwen,
goltvaz unde silbervaz,
chelche unde chirchscaz.
115 sô muoz daz allez zergân,
daz von listen ist getân.
nu wizzet, daz iz wâr ist:
iz zergêt unde wirt ein valewisk.
An dem zwelften tage,
120 sô hilfet uns daz vihe chlagen.
sô diu tier gênt ûz dem walde
wider daz vihe ûf dem velde,
vil lûte si rêrent,
sô si zesamene chêrent
125 mit lûteme gescreie
ingegen dem urteile.
An dem drîzehenten tage,
sô nemach sich niemen wol gehaben.
sô tuont sich diu greber ûf,
130 diu gebaine machent sich dâr ûz
alle gemeine
ingegen dem urteile.
iz ist allen den forhtlîch,
die gewizzen sint der sunden ane sich.
135 An dem vierzehenten tage,
sô wirt diu bitterste chlage.
sô gênt diu liute alle ûz,
ir nebestêt neheinez in deme hûs.
si wuofent unde weinent
140 mit lûteme gescreie.
in dem selben dinge,
sô zergênt in die sinne.
sô nemach nieman gesagen
die nôt, diu ist in den tagen,
145 uber swen got des verhenget,
daz sich sîn leben dar gelenget.
Sô chumet der vinfzehente tach,

das soll für uns ein Anlass zur Freude sein –,
da vergeht sehr schnell,
womit die Welt geschmückt ist:
Gold und Silber
110 und vielerlei andere Wunderdinge,
Mantelspangen und Ringe,
das Geschmeide der Damen,
Goldgefäße und Silbergefäße,
Kelche und Kirchenschatz.
115 Auf diese Weise muss all das vergehen,
was Handwerkskunst erschaffen hat.
Nun wisset, dass es wahr ist:
Es gerät in Verfall und wird zu Asche.
Am zwölften Tag,
120 da hilft uns das Vieh wehklagen.
Dann treten die Tiere aus dem Wald
dem Vieh auf dem Feld entgegen;
sie brüllen ohrenbetäubend,
wenn sie
125 mit lautem Geschrei zusammentreffen
zum [Jüngsten] Gericht.
Am dreizehnten Tag,
da hat niemand mehr Anlass zur Freude.
Da tun sich die Gräber auf,
130 und die Gebeine machen sich
alle gemeinsam auf
zum [Jüngsten] Gericht.
Das ist für all jene fürchterlich,
die sich ihrer Sünden bewusst sind.
135 Am vierzehnten Tag,
da kommt die bitterste Wehklage auf.
Da gehen die Leute alle hinaus,
keiner von ihnen bleibt im Haus.
Sie klagen und weinen
140 mit großem Geschrei.
Dabei schwinden ihnen
dann die Sinne.
Dann kann niemand die Not in Worte fassen,
die in diesen Tagen all jene leiden,
145 über die Gott es verhängt,
dass sich ihr Leben bis dahin in die Länge zieht.
Danach kommt der fünfzehnte Tag,

139 *Sie ... weinen.* Wdh. von V. 53; die Wiederholungen könnten ein Stilmittel sein, um Eingängigkeit zu erzeugen.

sô nâhet uns der gotes slach.
sô sculn alle die ersterben,
150 die der ie geborn wurden,
alle gemeine
vor dem urteile.
sô hevent sich vier winde
in allen den enden.
155 ein fiur sich enbrennet,
daz dise werlt verendet.
daz liuteret iz allez.
sô brinnet stein unde holze,
wazzer unde buhele,
160 die der sint under dem himele.
sô chumt der jungiste tach
alsô sciere sô ein brâslach.
Sô chomen von Christe
die vier êvangeliste.
165 daz gebeine si chukent,
die tôten si weckent.
sô samenent sich mit êren
lîp unde sêle.
daz ist vil wunnechlîch,
170 die guoten sint dem sunnen gelîch.
die engel vuorent scône
daz cruce unde die corone
vor Christe an daz tagedinch,
daz werdent sorchlîchiu dinch.
175 Sô chumet Christ der rîche
vil gewaltichlîchen,
der ê tougen in die werlt chom:
dâ sihet in wîp unde man,
im ist sîn scare vil breit.
180 wâ er die versmâcheit leit
von sînen vîanden,

159 buhele] *nach V; G* huhele, *falls dies als* hülwe *(„Pfütze, Pfuhl, Sumpfllache“, Lexer, Mhd. Handwörterbuch, Bd. 1, Sp. 1382) zu lesen ist, ginge es um „See und Sumpf“ (Kienast III, S. 102).* **174** sorchlîchiu] nach *Schacks; V* so reichilichiu*; G* sorgechlichev *(vgl. zur Besserung Kienast III, S. 103, und Schacks, Dichtungen, S. 236, Apparat und krit. Text zu V. 174).* **180** *wâ er] V* wander, *G* wand er hie*; Besserung nach Maurer und Schacks, Dichtungen, S. 267f., Anm., Apparat und krit. Text zu V. 180.*

da naht uns der Gottesschlag.
Dann sollen all diejenigen sterben,
150 die bis dahin je geboren wurden,
alle gemeinsam
vor dem [Jüngsten] Gericht.
Dann kommen vier Winde
aus allen Himmelsrichtungen auf.
155 Ein Feuer entzündet sich,
das diese Welt vertilgt.
Dieses läutert alles.
So brennen Stein und Holz,
Wasser und Hügel,
160 die dort unter dem Himmel sind.
Dann kommt der Jüngste Tag
ebenso schnell wie ein Wimpernschlag.
Dann kommen von Christus [gesandt]
die vier Evangelisten.
165 Sie beleben die Knochen,
sie erwecken die Toten.
Auf diese Weise vereinigen sich aufs Schönste
Leib und Seele.
Das ist überaus freudvoll,
170 die Guten sind der Sonne gleich.
Die Engel tragen auf schöne Weise
das Kreuz und die Krone
vor Christus zum Gerichtstag,
das werden furchteinflößende Verhandlungen.
175 Dann kommt Christus, der Mächtige,
mit großer Gewalt,
der zuvor heimlich in die Welt kam:
Nun sehen ihn Frauen und Männer,
er hat eine große [Heer-]Schar.
180 Wo er Schmach erlitt
durch seine Feinde,

161 *Dann ... 164 Evangelisten.* Die Auferweckung der Toten durch die Evangelisten ist sonst nicht belegt (vgl. dazu und zum möglichen Zusammenhang mit Ez 37,1–14 VOLLMANN-PROFE, Fmhd. Literatur, S. 241). **172** *Krone.* Die Krone ist wohl als Dornenkrone zu deuten, deren Präsentation durch die Engel zur typischen Weltgerichtsikonographie gehört (vgl. GUTFLEISCH-ZICHE, Bildliches Erzählen, S. 255f., Anm. 587), sie ist aber auch schon als reines Herrschaftssymbol interpretiert worden (vgl. HÖRNER, Gnade und Gerechtigkeit, S. 23f.). Beides schließt sich nicht aus, hebt Ava doch im *Leben Jesu* hervor, dass Christus die Dornenkrone *vil scône* (LJ V. 1572) trägt: Die Verspottung Christi durch das einer Krone nachgebildete Marterwerkzeug misslingt, da er selbst in der Erniedrigung noch majestätische Würde ausstrahlt. **175** *Dann ... 179 Heer-Schar.* Zur geläufigen Kontrastierung „von ärmlicher Geburt im Stall und triumphaler Wiederkehr“ Christi vgl. VOLLMANN-PROFE, Fmhd. Literatur, S. 241.

dâ wil er iz anden.
Sô chumet [got] in den luften
in sîner magencrefte.
185 sô rihtet er rehte
dem hêrren unde dem chnehte,
der frouwen unde der diuwe;
sô ist ze spâte diu riwe,
die wir haben solden,
190 ob wir genesen wolden.
sô werdent die vil harte gêret,
die hie von der werlt chêrent.
die sitzent dâ ineben gote
in der scare der zwelfpoten,
195 wande si durch gotes minne
verchurn werltlîche wunne.
die sint alle geheiligôt;
die wirseren sint erteilôt.
Sô wirdet der vil guot rât,
200 die die werlt gezogenlîchen hânt,
die gotes nie vergâzen,
dô si ze wirtscefte sâzen.
doch wil ich iu sagen dâ bî,
wie der leben sol getân sîn.
205 Si sulen got minnen
von allen ir sinnen,
von allem ir herzen,
in allen ir werchen.
si sulen wârheit phlegen,
210 ir almuosen wol geben,
mit mâzen ir gewant tragen,
mit chiuske ir ê haben,

183 *got] Fehlt in V, ergänzt nach* Schacks*, Dichtungen, S. 263, krit. Text zu V. 183.* **185** sô… 186 chnehte] *nach G (vgl. auch* Kienast *III, S. 103 und die Editionen von* Schacks *und* Maurer*).* *V* er richtet dem herren / unde dem chnehte.

da will er es rächen.
Dann kommt [Gott]
in seiner Majestät in den Lüften [herbei].
185 Hierauf richtet er gerecht
über den Herrn und den Knecht,
über die Herrin und die leibeigene Dienerin;
dann kommt die Reue zu spät,
die wir empfinden sollten,
190 wenn wir davonkommen wollten.
Dann werden jene aufs Höchste geehrt,
die sich hier von der Welt abkehren.
Die sitzen dort neben Gott
in der Schar der zwölf Apostel,
195 weil sie aus Liebe zu Gott
weltlicher Freude entsagten.
Diese sind alle geheiligt;
die Schlechteren sind verurteilt.
Deshalb wird es jenen wohlergehen,
200 die sich auf der Welt anständig verhalten,
die Gott nie vergaßen,
wenn sie beim Gastmahl zusammensaßen.
Doch ich will euch darüber hinaus sagen,
wie deren Leben beschaffen sein soll.
205 Sie sollen Gott lieben
mit allen Gedanken,
von ganzem Herzen,
in all ihren Werken.
Sie sollen aufrichtig sein,
210 gut Almosen geben,
ihre Kleidung mit Bescheidenheit tragen,
eine keusche Ehe führen,

203 *Doch ... 204 soll.* Der folgende Katalog wünschenswerter Verhaltensweisen im Rahmen einer christlichen Lebensführung greift nicht nur Mt 25,35f. auf, sondern ähnelt auch in manchen Zügen dem vierten Kapitel der *Benediktsregel* (vgl. GUTFLEISCH-ZICHE, Bildliches Erzählen, S. 150, und GREINEMANN, Quellenfrage, S. 178). Ava konzentriert sich auf für ein Leben in der Welt relevante Aspekte, während spezifisch klösterliche Gesichtspunkte fehlen (vgl. HINTZ, Learning, S. 127). **205** *Sie ... 207 Herzen.* V. 205–207 wirken wie eine freie Paraphrase des Eingangsgebots von Kap. 4 der *Benediktsregel*: *In primis Dominum Deum diligere ex toto corde, tota anima, tota virtute* – „Zuerst: Gott, den Herrn, lieben von ganzem Herzen, mit ganzer Seele und mit ganzer Kraft" (übers. v. HOLZHERR, Benediktsregel, S. 94; vgl. zur möglichen Abhängigkeit auch GREINEMANN, Quellenfrage, S. 176). **212** *keusche.* Entsprechend der im Mhd. umfassenderen Bedeutung von *chiuske* meint der Vers „nicht etwa nur eheliche Treue, sondern auch ‚Beherrschtheit' in der Ehe; diese kann das Sexualleben ebenso betreffen wie den – etwa von gewalttätigem oder zänkischem Verhalten freien – freundlichen Umgang miteinander" (VOLLMANN-PROFE, Fmhd. Literatur, S. 242). Der Ratschlag fügt sich in das bei Ava oft aufscheinende Thema der angemessenen Gestaltung menschlicher Beziehungen.

bescirmen die weisen,
die gevangen lôsen.
215 si sulen den vîanden vergeben,
gerihtes âne miete phlegen,
den armen tuon gnâde,
die ellenden phâhen.
si sulen ze chirchen gerne gên,
220 pîhte unde puoze bestên.
swer niht vasten nemege,
der sol sîn almuosen geben.
nemege er des niht gewinnen,
sînen besemen sol er bringen,
225 dâ mit er sich reine;
der ist aller sâligiste, der sîne sunde weinet.
Swer daz mit triwen begât,
des wirt dâ vil guot rât.
ze dem sprichet der gotesun:
230 „var ze mîner zeswen!
venite benedicti!
mînes vater rîche ist iu gerihtet.“
Daz gescihet an dem jungisten zorne,
dâ sceidet sich diu helewe von dem chorne,
235 diu guoten ze der zesewen,
daz sint diu genesen,
diu ubelen ze der winsteren,
si werdent al gewindet
an dem vrône tenne;
240 dar denche, swer sô welle!
Sô sprichet got mit grimme
ze sînen widerwinnen.
er zeiget in sîne wunden
an den vuozen unde an den henden.
245 vil harte si bluotent.

218 phâhen] *nach V; G* enphahen. *SCHACKS liest* vâhen *(„empfangen“, vgl. SCHACKS, Dichtungen, S. 264f., Anm., Apparat und krit. Text zu V. 218), V* phâhen *entspricht laut LEXER, Mhd. Handwörterbuch, Bd. 2, Sp. 222* enphâhen *(„aufnehmen, empfangen“).* **234** dâ…237 winsteren] *V. 234–237 sind in V unvollständig (*dâ sceidet sich diu helewe / diu guten ze der winsteren*), ergänzt nach G (vgl. HOFFMANN, Fundgruben, S. 201,26–29, und SCHACKS, Dichtungen, S. 266f., Anm., Apparat und krit. Text zu V. 234ff.), Schreibweise behutsam an V und unsere Edition angepasst.*

die Waisen beschirmen,
die Gefangenen befreien.
215 Sie sollen den Feinden vergeben,
ohne Bestechung Gericht halten,
den Armen Gnade erweisen,
die Fremden aufnehmen.
Sie sollen gerne zur Kirche gehen,
220 Beichte und Buße auf sich nehmen.
Wer auch immer nicht fasten kann,
der soll Almosen geben.
Wenn er sich das nicht leisten kann,
soll er seine Rute holen
225 und sich damit läutern;
der ist am allerseligsten, der seine Sünde beweint.
Wer auch immer das getreulich tut,
dem wird es dort sehr gut ergehen.
Zu demjenigen spricht der Gottessohn:
230 „Komm her zu meiner Rechten!
Venite benedicti!
Meines Vaters Reich ist euch bereitet.“
Das geschieht am Jüngsten Tag, dem Tag des Zorns,
da scheidet sich die Spreu vom Weizen,
235 die Guten zur Rechten,
das sind die Erretteten,
die Bösen zur Linken,
sie werden alle geworfelt
auf der heiligen Tenne;
240 daran denke, wer auch immer will!
Dann spricht Gott voller Zorn
zu seinen Widersachern.
Er zeigt ihnen seine Wunden
an den Füßen und an den Händen:
245 Sie bluten sehr heftig.

218 *die ... aufnehmen.* Wohl Anspielung auf Mt 25, 35: „Ich bin ein Fremder gewesen und ihr habt mich aufgenommen“. **226** *der*[1] *... beweint.* Dem reuevollen Beweinen der Sünden wird im Mittelalter die symbolische Funktion einer reinigenden zweiten Taufe oder ‚Tränentaufe‘ beigelegt (vgl. dazu ausführlich FREYTAG, Summa Theologiae, S. 144). Dieser Aspekt des Weinens ist bei Ava fast durchgängig präsent (vgl. dazu auch Kommentar zu LJ V. 1693–1730). **227** *Wer ... 232 bereitet.* Vgl. Mt 25,34. **231** *Venite benedicti.* Lat.: Kommt, Gesegnete! – Die Anrede an die Erlösten erscheint im geistlichen Spiel oft im Kontext der Höllenfahrt Christi (vgl. DE BOOR, Osterfeiern, S. 319), wird aber von Ava ins *Jüngsten Gericht* versetzt (vgl. hierzu THORAN, Quellen und Einflüsse, S. 327f.). **234** *da ... Weizen.* Zum Bild der Trennung von Spreu und Weizen vgl. Mt 3,12, Lk 3,17 und LJ V. 1354f..

si nemegen dâ niht widere gebieten.
von sîneme rehte sprichet er in zuo:
„mînes willen newolt ir niht tuon.
ir hêtet mîn vergezzen,
250 ir negâbet mir trinchen noch ezzen,
selede noch gewâte,
ubel waren iuwere getâte.
dem tievele dienotet ir mit flîze,
mit im habet diu êwigen wîze.“
255 Dâ ist der tievel von helle
mit manegeme sînem gesellen,
sô vâhet er die armen,
vil lutzel si im erbarment.
mit chetenen unde mit seilen,
260 er bintet si algemeine.
er fuoret si mit grimme
zuo anderen sînen gesinden
in den êwigen tôt,
âne twâle lîdent si iemer nôt.
265 mit peche unde mit swebele
dâ dwinget si furder des tieveles ubele.
Dâ nehilfet golt noch scaz.
ê bedahten wir iz baz!
dâ ist viur unde swebel.
270 wir sturben gerne unde muozen leben.
durst unde hunger,
aller slahte wunder,
frost unde siechtuom
gêt uns alle tage zuo.
275 fiurîn gebende
dwinget uns die hende,
machet uns die vuoze
harte unsuoze.
mit viurvarwen seilen
280 bindet man si beide.
man schenchet uns den wîn,
des wir gerne ubere mohten sîn,

263 êwigen] *allgemein ergänzt aus G (vgl. SCHACKS, Dichtungen, S. 269, Apparat und krit. Text zu V. 263).*

Dem haben seine Feinde nichts entgegenzusetzen.
Kraft seiner Gerechtigkeit spricht er zu ihnen:
„Meinen Willen wolltet ihr nicht erfüllen.
ihr hattet mich vergessen,
250 ihr gabt mir weder zu trinken noch zu essen,
weder Herberge noch Kleidung,
eure Taten waren böse.
Dem Teufel habt ihr mit Eifer gedient,
mit ihm sollt ihr die ewige Höllenstrafe erhalten."
255 Dort ist der Teufel aus der Hölle
mit vielen seiner Gesellen,
dann fängt er die Armen,
er hat kein bisschen Erbarmen mit ihnen.
Mit Ketten und Seilen
260 bindet er sie alle zusammen.
Er führt sie voller Ingrimm
zu seinen anderen Hausgenossen
in den ewigen Tod;
unverzüglich leiden sie für immer Not.
265 Mit Pech und mit Schwefel
bedrängt sie dort fürderhin des Teufels Bosheit.
Da hilft weder Gold noch Reichtum.
Hätten wir es [nur] früher besser bedacht!
Dort sind Feuer und Schwefel.
270 Wir würden gerne sterben und müssen [dennoch] leben.
Durst und Hunger,
allerlei Ungeheuer,
Frost und Krankheit
sind uns Tag für Tag beschieden.
275 Eine aus Feuer bestehende Fessel
schnürt uns die Hände zusammen
[und] lässt uns die Füße
unerträglich schmerzen.
Mit feuerfarbenen Seilen
280 bindet man sie beide.
Man schenkt uns jenen Wein ein,
dessen wir uns gerne enthalten möchten:

246 *Dem ... 252 böse.* Vgl. Mt 25,41–43. *nichts entgegenzusetzen. niht widere gebieten*: Spielterminologie; „gegen die Wunder Christi haben seine Gegner nichts aufzuweisen, nichts einzusetzen." (KIENAST III, S. 103) **259** *Mit ... 260 zusammen.* Möglicher Ursprung der Bildvorstellung der Fesselung der Verdammten ist die schon bei Augustinus belegte Metapher des Angeschlossenseins an eine Kette für das Gefangensein in der Sündhaftigkeit (vgl. dazu OHLY, Sündenstufen, S. 142). Das Motiv erscheint in geistlichen Spielen (vgl. SCHOTTMANN, Redentiner Osterpiel, S. 235, Anm. zu V. 1143) und in der bildenden Kunst, so z. B. am Fürstenportal des Bamberger Doms aus dem 13. Jh. (Abb. bei WARD, Bamberg, S. 40).

ezzich unde gallen
sam si viures wallen.
285 ezzen haiziu si uns gebent,
daz ist pech unde swebel.
vil grôz wirt unser smerze,
die wurme ezzent uns daz herze.
daz ist uns gewizzenheit,
290 diu tuot uns alsô michel leit.
Si stechent uns zedem nabele
mit eisnînen gabelen.
ir angesiht tuot uns vil wê
guot wær uns mohte wir zergên.
295 durch smæh geluste
stechent si uns an di bruste.
einen wuorm haizzet aspis,
des sult ir sîn vil gewis.
der ander basiliscus,
300 der gilt unrehtez huos,
diu wir ofte tâten,
dô wir sîn stat hêten.
aitter daz grüene,
des gît er uns genuge,
305 er spiet ez inden munt.
er tuot uns alt sunde chunt,
die wir niht chlagten
den bîhtern, di wir hâten.
daz gesûn der ubeln geiste
310 daz ist witze aller meist.
vil michel weinen mit allen nôten
ettwenne sehent si di tôten
in abrahames parme,
daz habent si ze harme.
315 Sô der tievel dane gevert,

285 ezzen…gebent] *V* ezzen haizeu si uns gebent, *G* ezzen haizen si uns geben. – *Während in V die Teufel selbst am Werk sind, erteilen sie in G einen Befehl an Unterteufel (vgl.* SCHACKS, *Dichtungen, S. 270, Anm. zu V. 285, mit Begründung seiner Entscheidung für die lectio difficilior* ezzen haiziu*).* **291** Si…314 harme] *Die folgenden 24 Verse (291–314) fehlen in V,* SCHACKS *nimmt sie in den diplomatischen Abdruck auf, nicht aber in seinen kritischen Text, da er sie* KIENASTs *Einwänden folgend für unecht hält (vgl.* SCHACKS, *Dichtungen, S. 270, Anm. zu V. 291–314), und auch* MAURER *und* RUSHING *drucken sie nicht ab.*

Essig und Galle,
die brodeln, als würden sie über dem Feuer erhitzt.
285 Heißes Essen geben sie uns,
das besteht aus Pech und Schwefel.
Unser Schmerz wird überaus groß,
die Würmer fressen uns das Herz.
Das ist unser Gewissen,
290 das uns so großes Leid zufügt.
Sie stechen uns in den Nabel
mit eisernen Gabeln.
Ihr Anblick tut uns sehr weh,
es wäre gut für uns, wenn wir vergehen könnten.
295 Aus schmählicher Begierde
stechen sie uns in die Brust.
Eine Schlange heißt Aspis,
dessen sollt ihr sehr gewiss sein,
die andere *Basiliscus*,
300 der vergilt [uns] die ungebührliche Lebensführung,
der wir uns oft hingaben,
als wir Gelegenheit dazu hatten.
Grünen Eiter,
davon gibt er uns genug,
305 er spuckt ihn [uns] in den Mund.
Er zeigt uns alte Sünde auf,
die wir nicht
den Beichtvätern klagten, die wir hatten.
Der Anblick der bösen Geister
310 ist [für uns] die größte Erkenntnis.
Sie weinen sehr in höchster Not,
wenn sie zuweilen die Toten
in Abrahams Barmherzigkeit sehen,
das empfinden sie als Qual.
315 Wenn der Teufel von dannen zieht,

297 *Schlange ... 299 Basiliscus*. Lat. *basiliscus*: Basilisk. – Basilisk und Aspis werden schon in der Bibel genannt: *Super aspidem et basiliscum ambulabis* (Vulgata, Psalm 90,13, die diese Bezeichnungen schon aus der Septuaginta übernimmt: ἐπ' ἀσπίδα καὶ βασιλίσκον ἐπιβήσῃ; „Über Löwen und Ottern wirst du gehen“ [Lutherbibel, Psalm 91,13]; die Übersetzung „Löwe[n]“ ergibt sich wohl aus der Deutung von griech. *βασιλίσκος*, wörtlich „kleiner König“, als Antonomasie für den seit der Antike als König der Tiere betrachteten Löwen). Die Aussage kann auf Christus bezogen werden, der das Böse überwindet (vgl. SEIBERT, Lexikon christlicher Kunst, S. 51). SEIBERT führt dazu aus: „Der giftige Basilisk, König der Schlangen (...), kommt mehrfach im Alten Testament vor. Im Mittelalter stellte man ihn sich als phantastisches, aus Schlange und Hahn gemischtes Fabelwesen mit todbringendem Blick und Atem vor (...). Aspis (griechisch aspis: Schildviper) (...) erscheint verschiedentlich mit einem Ohr am Boden, das andere mit dem Schwanz zustopfend: Symbol des Bösen und der Verstocktheit“ (SEIBERT, Lexikon christlicher Kunst, S. 51f.).

vile wol unser dinch vert.
sô scînet uns scône
diu edele persône.
sich zaiget got mit minnen
320 allen sînen chinden.
sô sint die arbeite fure,
sô singe wir zwire
alleluja, daz frôsanch,
wir sagen got gnâde unde danch,
325 wir loben gotes êre
mit lîbe unde mit sêle.
Sô vâhet ane, daz ist wâr,
Jubileus, daz guote wunnejâr.
sô beginne wir minnen
330 die inneren sinne,
vernunst unde ratio,
diu edele meditatio.
dâ mit erchenne wir Crist,
daz er iz allez ist.
335 sô habe wir vil michel wunne,
sô sî wir siben stunde scôner denne der sunne.
zuo der selben scône
sô gibet uns got ze lône
eine vil stâtige jugende
340 unde manige hêrlîche tugende.
wir sulen starche werden.
wolten wir di berge
zebrechen alse daz glas,
ze wâre sag ich iu daz,
345 die craft habent dâ diu gotes chint,
die hie mit flîze guot sint.
Dô habe wir daz êwige lieht,
neheines siechtuomes niht.

324 wir[1] ... danch] *seit DIEMER ergänzt nach G, Vers 324 fehlt in V (vgl. SCHACKS, Dichtungen, S. 273, Apparat und krit. Text zu V. 324).* **327** Sô] *mit KIENAST und SCHACKS nach G, V* Do *(MAURER, vgl. SCHACKS, Dichtungen, S. 274f., Anm., Apparat und krit. Text zu V. 327).* **329** wir ... 330 sinne] *seit DIEMER ergänzt nach G, Vers 329 ist unvollständig, 330 fehlt in V (vgl. SCHACKS, Dichtungen, S. 275, Apparat und krit. Text zu V. 329f.).* **347** Dô] *V. 347 müsste, laut KIENAST (und SCHACKS, vgl. Dichtungen, S. 276f., Anm., Apparat und krit. Text zu V. 347), mit der lokalen Partikel* dâ *beginnen, beide Handschriften hätten hier einen Fehler, V* do, *gelesen als* dô *allerdings meine „bei der bayerischen Herkunft des Schreibers das richtige* dâ*“ (KIENAST I, S. 11). Siehe Stellenkommentar Übersetzung. G* sô.

ergeht es uns sehr gut.
Dann erscheint uns die herrliche Gottheit
in voller Schönheit.
Gott zeigt sich voller Liebe
320 all seinen Kindern.
Dann sind die Mühen vorbei,
dann singen wir zweimal
Halleluja, den Freudengesang,
und bekunden Gott kniefällig unsere Dankbarkeit.
325 Wir preisen Gottes Triumph
mit Leib und Seele.
Hierauf beginnt, das ist wahr,
Jubileus, das gute Jubeljahr.
Da beginnen wir
330 die geistigen Kräfte zu lieben,
Einsicht und *ratio*,
die vornehme *meditatio*.
Dadurch erkennen wir Christus,
und dass er all dies ist.
335 Dann wird uns überaus große Freude zuteil,
dann sind wir siebenmal schöner als die Sonne.
Zu ebendieser Schönheit
gibt uns Gott sodann zum Lohn
eine sehr beständige Jugend
340 und eine große Zahl herrliche, vortreffliche Eigenschaften.
Wir werden stark sein.
Wenn wir die Berge
zerbrechen wollten wie Glas,
wahrlich, das sage ich euch,
345 diese Kraft haben dort die Kinder Gottes,
die hier voller Eifer gut sind.
Dort besitzen wir das ewige Licht
und [leiden an] keinerlei Krankheit.

328 *Jubileus*. Lat. *iubilaeum*: Freudenzeit. **331** *ratio*. Lat.: Vernunft, vernünftiges Betragen und Handeln, Klugheit etc. **332** *meditatio*. Lat.: das Nachdenken über etwas bzw. über eine Sache, um sie ins Werk zu setzen. **336** *dann … Sonne*. Möglicherweise beeinflusst von Jes 30,26: „Zu der Zeit, wenn der Herr die Leiden seines Volkes heilt und seine Wunden verbindet, wird das Licht des Mondes so hell sein wie das Licht der Sonne und das Licht der Sonne wird siebenmal so stark sein wie das Licht von sieben Tagen." **347** *Dort*. KIENAST und SCHACKS plädieren für Lokaladverb *dâ* (SCHACKS, Dichtungen, S. 276, Anm. zu V. 345), doch auch ein zeitlicher Verweis auf das *wunnejâr* ist möglich (Temporaladverb *Do* in V).

dâ ist diu veste winescaft,
350 diu milteste trûtscaft,
diu chunechlîche êre,
die haben wir iemer mêre.
daz unsagelîche lôn
in dem himeliscen trôn
355 habent die gotes erben,
die dâ nâch wolten werven.
enphliehe wir hie die sunde,
wir sîn dâ sneller denne die winde.
Nu vernemet alle dâ bî:
360 dâ sît ir edele unde frî,
dâ nedwinget iuch sunde noch leit,
daz ist diu ganze frîheit.
dâ ergetzet uns got sciere
aller der sêre,
365 die wir manege stunde
liten in ellende.
Dâ ist daz êwige leben,
daz ist uns alzoges gegeben;
Crist, unser hêrtuom,
370 unser vernunst unde unser wîstuom,
der ist gechêret an in;
vil edele ist unser sin.
unser herze unde unseriu ougen
sehent die gotes tougen.
375 vil zierlîch wirt daz selbe lieht,
iz newirt zerganclîch niht.
Daz habent allez diu gotes chint,
diu hie diemuote sint,
diu ir scephâre lobent
380 unde hie ir vîanden vergebent;

353 unsagelîche] *nach V, G* êwichlich. **354** in … trôn] *ergänzt nach G (dort* trône*), Vers fehlt in V (vgl. SCHACKS, Dichtungen, S. 277, Apparat und krit. Text zu V. 254).* **365** stunde] *V* stunden – *von MAURER übernommen, von KIENAST und SCHACKS angezweifelt und mit Berufung auf G zu* stunde *gebessert (vgl. SCHACKS, Dichtungen, S. 277, Apparat und krit. Text zu V. 265).*

Dort herrscht die feste Freundschaft,
350 die gütigste Liebe;
das königliche Ansehen
besitzen wir immerdar.
Die unaussprechliche Belohnung
auf dem himmlischen Thron
355 wird den Erben Gottes zuteil,
welche danach streben wollten.
Wenn wir hier der Sünde entfliehen,
sind wir dort schneller als die Winde.
So lasst euch denn alle gesagt sein:
360 Dort seid ihr vornehm und frei,
dort bedrückt euch weder Sünde noch Schmerz,
das ist die vollkommene Freiheit.
Dort entschädigt uns Gott sogleich
für alle Qualen,
365 die wir so manche Stunde
in der Verbannung erduldeten.
Dort ist das ewige Leben,
das ist uns immerfort gegeben.
Unsere Einsicht und unsere Weisheit,
370 die sind auf ihn,
Christus, unseren Herrscher, gerichtet;
unsere Gesinnung ist überaus edel.
Unser Herz und unsere Augen
sehen die Geheimnisse Gottes.
375 Dieses Licht wird sehr prächtig,
es wird unvergänglich.
Das alles besitzen die Kinder Gottes,
die hier demütig sind,
die ihren Schöpfer preisen
380 und hier ihren Feinden vergeben;

349 *Dort ... 356 wollten.* Die Verse 349 bis 356 „stimmen z. T. wörtlich überein mit einem Abschnitt des wohl im letzten Drittel des 11. Jh.s entstandenen Werkes *Himmel und Hölle* (Text bei HAUG, Lit., S. 674, Z. 37–39)“ (VOLLMANN-PROFE, Fmhd. Literatur, S. 242). DIEMER, Deutsche Gedichte, Anhang S. 73, Anm. 291,9 verweist auf die mit V. 323–324 fast gleichlautende ahd. Glaubens- und Beichtformel (nach einer Hs des 11. Jhs.): *Da ist diû ueste weneskaft. aller salidone meîst. diû miltiste drûtscaft* (zit. nach ebd. – „Dort herrscht die feste Freundschaft, die allerhöchste Glückseligkeit, die gütigste Liebe“, Übers. d. Hgg.). **360** *Dort ... frei.* Indirekter Verweis auf Gal 4,1–7 und Hebr 2,15, in denen Christi Erlösungstat als Befreiung aus der irdischen Knechtschaft gedeutet wird; ähnlich auch im *Annolied* anlässlich der Befreiung der Seelen bei der Höllenfahrt Christi: *wir wurdin al in vrîe gezalt* (AL V. 4,12 – „Wir wurden alle zu Freien erklärt“, übers. v. NELLMANN, Annolied, S. 9). Ähnlich auch in der *Wahrheit*, dort auf das stellvertretende Abwaschen der Sünden in der Jordantaufe bezogen: *in dem Jordane / wurde wir zeware / alle frige gezalt* (W V. 6,7–9 – „im Jordan wurden wir wahrhaftig alle zu Freien erklärt“, Übers. d. Hgg.). Der Begriff *edele* ist eine Einfügung Avas (vgl. SULLIVAN, Justice, S. 65).

diu versmâhent hie nidene,
swie sô sî dâ ze himele
mit gote geren ze habene,
dâ ist vil guot ze lebenne.
385 dâ wirt ir geloube ain wârheit,
ir gedinge mit habenne ein sicherheit,
ir minne vil innechlîch,
si sint den engeln gelîch.
daz habent si âne ende.
390 nu weset vil wol gesunde
in der selben râwe,
dar muozet ir chomen! Amen.
Dizze buoch dihtôte
zweier chinde muoter.
395 diu sageten ir disen sin.
michel mandunge was under in.
der muoter wâren diu chint liep,
der eine von der werlt sciet.
nu bitte ich iuch gemeine,
400 michel unde chleine,
swer dize buoch lese,
daz er sîner sêle gnâden wunskende wese.
umbe den einen, der noch lebet
unde der in den arbeiten strebet,
405 dem wunsket gnâden
und der muoter, daz ist ÂVA.

387 ir…innechlîch] *nach G (Schreibweise folgt SCHACKS, vgl. Dichtungen, S. 279, Apparat und krit. Text zu V. 387), Vers fehlt in V.* **393** Dizze…406 ÂVA] *V. 393–406 sind lediglich in V überliefert, V. 403–404 in dieser (von MAURER übernommenen) Form:* umbe den einen der noch lebet / unde er in den arbeiten strebet. *SCHACKS hingegen liest (ähnlich wie KIENAST III, S. 104, der V. 404* der *auslässt):* unde dem äinen, der noch lebet / unde der in den arbeiten strebet. *Vgl. SCHACKS, Dichtungen, S. 280f., Anm., Apparat und krit. Text zu V. 403ff.*

die hier unten all das geringschätzen,
womit sie sich dann dort im Himmel
bei Gott aufzuhalten wünschen,
wo es sich überaus gut lebt.
385 Dort wird ihr Glaube zu einer Wahrheit,
das ihnen Verheißene dadurch, dass sie es [nun] haben, zur Gewissheit,
ihre Liebe überaus inniglich;
sie sind den Engeln gleich.
Das besitzen sie ohne Ende.
390 Nun gehabt euch wohl
in eben jener Ruhe,
zu der ihr gelangen müsst! Amen.
Dieses Buch dichtete
die Mutter zweier Kinder.
395 Die vermittelten ihr diese Auslegung.
Sie hatten viel Freude miteinander.
Die Mutter hatte die Kinder lieb,
der eine [Sohn] schied von dieser Welt.
Nun bitte ich euch alle zusammen,
400 Groß und Klein,
dass, wer auch immer dieses Buch lese,
seiner Seele Gottes Gnade wünsche.
Auch dem einen, der noch lebt
und der mit allerlei Mühsal ringt,
405 dem wünschet Gottes Gnade –
und [auch] der Mutter, sie heißt AVA.

393 *Dieses ... 406 AVA*. Diese vom eigentlichen Gedichtzyklus abgesetzte Passage bildet eine Art Epilog oder Coda und ist in V durch eine zweizeilige Initiale als neuer Sinnabschnitt hervorgehoben (vgl. PRICA, Frau Ava, S. 88). **394** *Mutter ... Kinder*. Zu den autobiographischen Angaben und ihrer möglichen Deutung vgl. Einleitung, S. VIIf.

BIBLIOGRAPHIE

1 BENUTZTE AVA-EDITIONEN

Ava: Das jüngste Gericht, in: WALTER HAUG (Hg.): Frühe deutsche Literatur und lateinische Literatur in Deutschland, 800–1150 (Edition WALTER HAUG u. BENEDIKT KONRAD VOLLMANN), Frankfurt a. M. 1991, S. 728–751. – Edition und Übersetzung.

Ava's New Testament Narratives: „When the Old Law Passed Away". Introduction, Translation, and Notes, hg. v. JAMES A. RUSHING, Kalamazoo, Michigan 2003. – Edition (basierend auf MAURER, 1965) und Übersetzung ins Englische.

Beschreibung eines alten deutschen evangelischen Codex, hg. v. GEORG ANDREAS WILL u. der Altdorfischen deutschen Gesellschaft, Altdorf 1763–1765. – Edition des *Johannes* und eines Teils des *Lebens Jesu* nach Hs G.

Deutsche Gedichte des XI. und XII. Jahrhunderts, hg. v. JOSEPH DIEMER. Aufgefunden im regulierten Chorherrenstifte zu Vorau in der Steiermark und zum ersten Male mit einer Einleitung und Anmerkungen herausgegeben, Wien 1849, S. 227–292. – Diplomatischer Abdruck von Vorau, Stiftsbibliothek, Cod. 276.

Die deutschen Gedichte der Vorauer Handschrift (Kodex 276 – II. Teil): Faksimile-Ausgabe des Chorherrenstifts Vorau, hg. v. KARL KONRAD POLHEIM, Graz 1958. – Faksimile der Hs V.

Die Dichtungen der Frau Ava, hg. v. FRIEDRICH MAURER, Tübingen 1966. – Verweise auf MAURERs Edition beziehen sich auf diese Ausgabe.

Die Dichtungen der Frau Ava, hg. v. KURT SCHACKS, Graz 1986. [Dazu: DERS.: Lemmatisierte Konkordanz zu den Dichtungen den Frau Ava, Bern u. a. 1991.]

Die Gedichte der Ava, hg. v. PAUL PIPER, in: Zeitschrift für deutsche Philologie 19 (1887), S. 129–196 und 275–321.

Die geistliche Dichtung des Mittelalters. Erster Teil: Die biblischen und die Mariendichtungen, hg. v. PAUL PIPER, Berlin / Stuttgart 1888 (Nachdruck Tokyo / Tübingen 1974), S. 223–234.

Frau Ava, in: FRIEDRICH MAURER (Hg.): Die religiösen Dichtungen des 11. und 12. Jahrhunderts, Bd. II, Tübingen 1965, S. 369–513.

Frau Ava: „Das Jüngste Gericht", in: GISELA VOLLMANN-PROFE (Hg.): Frühmittelhochdeutsche Literatur. Mittelhochdeutsch / Neuhochdeutsch. Auswahl, Übersetzung und Kommentar, Stuttgart 1996, S. 34–57. – Edition und Übersetzung.

The Poems of Ava. Translation, introduction and notes, hg. v. ANDREW L. THORNTON, Collegeville, Minnesota 2003. – Übersetzung ins Englische.

Vom Leben und Leiden Jesu, vom Antichrist und vom Jüngsten Gericht, ein Gedicht aus dem XII. Jahrh., in: (AUGUST) HEINRICH HOFFMANN (VON FALLERSLEBEN) (Hg.): Fundgruben für Geschichte deutscher Sprache und Litteratur I, Breslau 1830 (Nachdruck Hildesheim 1969), S. 127–204. – Diplomatischer Abdruck von Görlitz, Bibl. der Oberlausitzischen Gesellschaft der Wissenschaften, Cod. A III.1.10.

2 WEITERE PRIMÄRTEXTE

2.1 Bibelausgaben und Apokryphen

Apokryphen zum Alten und Neuen Testament, hg., eingeleitet u. erl. v. ALFRED SCHINDLER, mit 20 Handzeichn. von Rembrandt, Zürich 1998.

Die Bibel. Altes und Neues Testament. Einheitsübersetzung, hg. im Auftrag der Bischöfe Deutschlands, Österreichs u. a., Freiburg i. Breisgau / Basel u. a. 1991. – Bibelzitate auf Deutsch sind überwiegend dieser Edition entnommen.
Die Bibel nach der Übersetzung Martin Luthers. Bibeltext in der revidierten Fassung von 1984, hg. v. der Evangelischen Kirche in Deutschland, Stuttgart 1999.
Biblia Sacra Iuxta Vulgatam Versionem, hg. v. ROBERT WEBER / ROGER GRYSON, 4., verbesserte Aufl. Stuttgart 1994. – Bibelzitate auf Latein sind überwiegend dieser Edition entnommen.
Biblia Sacra, Vulgatæ Editionis (Auctoritate Sixti V. et Clementis VIII.) / Heilige Schrift, hg. v. R. P. THOMÆ (Lateinisch-deutsch), Pars I und II, Editio Quarta Augsburg 1735.
Elberfelder Bibel mit Erklärungen und zahlreichen farbigen Fotos zur Welt der Bibel, 4., verbesserte Aufl. Dillenburg 2011.

2.2 Sonstige Primärtexte

Adso von Montier-en-Der: Epistola Adsonis ad Gerbergam reginam de ortu et tempore Antichristi, in: ERNST SACKUR (Hg.): Sibyllinische Texte und Forschungen. Pseudomethodius, Adso und die Tiburtinische Sibylle, Halle a. d. Saale 1898, S. 104–113.
Anegenge, in: PETER F. GANZ (Hg.): Geistliche Dichtung des 12. Jahrhunderts. Eine Textauswahl, Berlin 1960, S. 13–29.
Das Annolied, hg., übers. u. kommentiert v. EBERHARD NELLMANN, 6. Aufl. Stuttgart 2005.
Arnold: Von der Siebenzahl, in: PETER F. GANZ (Hg.): Geistliche Dichtung des 12. Jahrhunderts. Eine Textauswahl, Berlin 1960, S. 31–45.
Die Benediktsregel: Eine Anleitung zu christlichem Leben. Der vollständige Text der Regel, hg., übers. u. erklärt von GEORG HOLZHERR, em. Abt von Einsiedeln, 7., überarbeitete Aufl. Fribourg 2007.
Eusebius, Ausgewählte Schriften, Bd. II: Kirchengeschichte, hg. u. aus dem Griechischen übers. v. PHILIPP HÄUSER, München 1932.
Eusebius von Caesarea: Historia Ecclesiastica, in: PG 20, Sp. 9–906.
Des Flavius Josephus Jüdische Altertümer, hg., übers. u. mit Einleitung und Anmerkungen versehen v. HEINRICH CLEMENTZ, Bd. II: Buch XI bis XX nebst Namenregister, Berlin / Wien 1923.
Geistliche Dichtung des 12. Jahrhunderts. Eine Textauswahl, hg. v. PETER F. GANZ, Berlin 1960.
Heliand und Genesis, hg. v. OTTO BEHAGHEL, 6. Aufl. Halle a. d. Saale 1948.
Das Hessische Weihnachtsspiel, in: RICHARD FRONING (Hg.): Das Drama des Mittelalters, Stuttgart 1891/1892 (Unv. Nachdruck Darmstadt 1964), S. 904–937.
Das Innsbrucker Osterspiel / Das Osterspiel von Muri. Mittelhochdeutsch / Neuhochdeutsch, hg., übers., mit Anmerkungen und einem Nachwort versehen v. RUDOLF MEIER, Stuttgart 1962.
Der Millstätter Physiologus, in: PETER F. GANZ (Hg.): Geistliche Dichtung des 12. Jahrhunderts. Eine Textauswahl, Berlin 1960, S. 47–58.
Das Redentiner Osterspiel, hg., übers. u. kommentiert v. BRIGITTA SCHOTTMANN, Stuttgart 1975.
Reinmar: Lieder, hg., übers. u. kommentiert v. GÜNTHER SCHWEIKLE, 5. Aufl. Stuttgart 1986.
Rupert von Deutz: Commentaria in Evangelium S. Ioannis, PL 169, Sp. 197–1570.
Sedulii Opera Omnia, hg. u. kommentiert. v. JOHANN HUEMER, Wien 1885.
Sueton (Gaius Suetonius Tranquillus): Vespasian, in: Vespasian – Titus – Domitian. Lateinisch / Deutsch. Übers. u. hg. von HANS MARTINET, Stuttgart 1991.
Summa Theologiae, in: KARL MÜHLENHOFF / WILHELM SCHERER (Hgg.): Denkmäler deutscher Poesie und Prosa aus dem 8. bis 12. Jahrhundert, Berlin 1864, S. 84–93.
Das St. Trudperter Hohe Lied. Kritische Ausgabe, Text, Wörterverzeichnis und Anmerkungen, hg. v. HERMANN MENHARDT, Halle a. d. Saale 1934.

Die Tiburtinische Sibylle (Explanatio somnii), in: ERNST SACKUR (Hg.): Sibyllinische Texte und Forschungen. Pseudomethodius, Adso und die Tiburtinische Sibylle, Halle a. d. Saale 1898, S. 177–187.

Vom Rechte, in: GISELA VOLLMANN-PROFE (Hg.): Frühmittelhochdeutsche Literatur. Mittelhochdeutsch / Neuhochdeutsch. Auswahl, Übersetzung und Kommentar, Stuttgart 1996, S. 154–187.

Die Wahrheit, in: FRIEDRICH MAURER (Hg.): Die religiösen Dichtungen des 11. und 12. Jahrhunderts, Bd. I, Tübingen 1964, S. 426–432.

3 NACHSCHLAGEWERKE UND WÖRTERBÜCHER

FÖRSTEMANN, ERNST WILHELM: Altdeutsches Namenbuch, Bd. 1: Personennamen, Nordhausen u. a. 1856.

HAUCK, FRIEDRICH / SCHWINGE, GERHARD: Theologisches Fach- und Fremdwörterbuch. Mit einem Verzeichnis von Abkürzungen aus Theologie und Kirche und einer Zusammenstellung lexikalischer Nachschlagewerke, 9., aktualisierte Aufl. Göttingen 2002.

HEINZLE, JOACHIM: Das Mittelalter in Daten. Literatur, Kunst, Geschichte 750–1520, München 1993.

KLAUSER, THEODOR (Hg.): Reallexikon für Antike und Christentum. Sachwörterbuch zur Auseinandersetzung des Christentums mit der antiken Welt, Bd. I, Stuttgart 1950.

LEXER, MATTHIAS: Mittelhochdeutsches Handwörterbuch, 3 Bde., Stuttgart 1992. – Verweise in den Kommentaren beziehen sich auf diese Ausgabe.

LEXER, MATTHIAS: Mittelhochdeutsches Taschenwörterbuch. Mit den Nachtr. v. ULRICH PRETZEL, 38. Aufl. Stuttgart 1992.

PAUL, HERMANN / (SCHRÖBLER, INGEBORG): Mittelhochdeutsche Grammatik, 24. Aufl., überarbeitet v. PETER WIEHL u. SIEGFRIED GROSSE, Tübingen 1998.

SCHÜTZEICHEL, RUDOLF: Althochdeutsches Wörterbuch, 6. Aufl., überarbeitet u. um die Glossen erweitert, Tübingen 2006.

SCHMIDT, WILHELM: Geschichte der deutschen Sprache. Ein Lehrbuch für das germanistische Studium, 10., verbesserte u. erweiterte Aufl., erarbeitet unter der Leitung von HELMUT LANGNER u. NORBERT RICHARD WOLF, Stuttgart 2007.

SOCIN, ADOLF: Mittelhochdeutsches Namenbuch. Nach oberrheinischen Quellen des 12. und 13. Jahrhunderts, Basel 1903.

STOWASSER, JOSEF M. / PETSCHENIG, M. / SKUTSCH, F.: Der kleine Stowasser: Lateinisch-deutsches Schulwörterbuch, 2. unv. Aufl. München 1987.

4 SEKUNDÄRLITERATUR

ARNOLD, KLAUS: Die Frau als Autorin – und die Autorin als Frau im europäischen Mittelalter, in: JOCHEN MARTIN / RENATE ZOEPFFEL (Hgg.): Aufgaben, Rollen und Räume von Frau und Mann, Freiburg i. Breisgau 1989, Bd. 2, S. 709–729.

BAYLESS, MARTHA: Parody in the Middle Ages. The Latin Tradition, Ann Arbor 1996.

BERGDOLT, KLAUS / KEIL, GUNDOLF: Humoralpathologie, in: ROBERT-HENRI BAUTIER u. a. (Hgg): Lexikon des Mittelalters, 9 Bde. u. ein Registerbd., München / Zürich / Stuttgart 1980–1999, ND München 2003, Bd. V, Sp. 211–213.

BIERITZ, KARL-HEINRICH: Das Kirchenjahr. Feste, Gedenk- und Feiertage in Geschichte und Gegenwart, 7., aktualisierte Aufl. München 2005.

BJØRNSKAU, KJELL: Frau Ava – die erste Dichterin der deutschen Sprache, in: KURT ERICH SCHÖNDORF (Hg.): Aus dem Schatten treten. Aspekte weiblichen Schreibens zwischen Mittelalter und Romantik, Frankfurt a. M. 2000, S. 213–231.

BORMANN, KARL: Ratio, in: ROBERT-HENRI BAUTIER u. a. (Hgg.): Lexikon des Mittelalters, 9 Bde. u. ein Registerbd., München / Zürich / Stuttgart 1980–1999, ND München 2003, Bd. VII, Sp. 459–460.

BORST, ARNO: Der Turmbau von Babel. Geschichte der Meinungen über Ursprung und Vielfalt der Sprachen und Völker. Bd. I: Fundamente und Aufbau, Stuttgart 1957. – Bd. IV: Schlüsse und Übersichten, Stuttgart 1963.

DE BOOR, HELMUT: Die Textgeschichte der lateinischen Osterfeiern, Tübingen 1967.

DE BOOR, HELMUT: Frühmittelhochdeutsche Studien. Zwei Untersuchungen, Halle a. d. Saale 1926, S. 151–182.

DEMANDT, ALEXANDER: Pontius Pilatus, München 2012.

DINZELBACHER, PETER: Unglaube im „Zeitalter des Glaubens". Atheismus und Skeptizismus im Mittelalter, Badenweiler 2009.

DORIA, ARIANNA: Frau Ava. Forschungsbericht, Kommentar und italienische Übersetzung, Triest 2003.

DRONKE, PETER: Women Writers of the Middle Ages. A Critical Study of Texts from Perpetua († 203) to Marguerite Porete († 1310), Cambridge u. a. 1984.

EHRISMANN, GUSTAV: Geschichte der deutschen Literatur bis zum Ausgang des Mittelalters. Zweiter Teil: Die mittelhochdeutsche Literatur. I. Frühmittelhochdeutsche Zeit, München 1922.

EUW, ANTON VON: Imago Mundi, in: ANTON LEGNER (Hg.): Monumenta Annonis. Köln und Siegburg – Weltbild und Kunst im hohen Mittelalter, Köln 1975, S. 89–99.

FLASCH, KURT: Meister Eckhart. Die Geburt der „Deutschen Mystik" aus dem Geist der arabischen Philosophie, 2. Aufl. München 2008.

FREYTAG, HARTMUT: Kommentar zur frühmittelhochdeutschen Summa Theologiae, München 1970.

GOETZ, HANS-WERNER: Leben im Mittelalter vom 7. bis zum 13. Jahrhundert, 7. Aufl. München 2002.

GOEZ, WERNER: Zwei-Schwerter-Lehre, in: ROBERT-HENRI BAUTIER u. a. (Hgg): Lexikon des Mittelalters, 9 Bde. u. ein Registerbd., München / Zürich / Stuttgart 1980–1999, ND München 2003, Bd. IX, Sp. 725–726.

GÖSSMANN, ELISABETH: Die Selbstverfremdung weiblichen Schreibens im Mittelalter. Bescheidenheitstopik und Erwählungsbewusstsein. Hrotsvith v. Gandersheim, Frau Ava, Hildegard v. Bingen, in: EIJIRO IWASAKI (Hg.): Begegnung mit dem „Fremden". Grenzen – Traditionen – Vergleiche. Akten des VIII. Internationalen Germanisten-Kongresses Tokyo 1990, Bd. 10 (hg. v. YOSHINORI SHICHIJI), München 1991, S. 193–200.

GREINEMANN, SR. EOLIBA OSB: Die Gedichte der Frau Ava. Untersuchungen zur Quellenfrage, Freiburg i. Breisgau 1968.

GROTEN, MANFRED: Die deutsche Stadt im Mittelalter, Stuttgart 2013.

GUTFLEISCH-ZICHE, BARBARA: Volkssprachliches und bildliches Erzählen biblischer Stoffe: die illustrierten Handschriften der *Altdeutschen Genesis* und des *Leben Jesu* der Frau Ava, Frankfurt a. M. / Berlin 1997.

GUTWENGER, ENGELBERT S. J.: The Anti-Marcionite Prologues, in: Theological Studies VII (1946), S. 393–409.

HAAS-GEBHARD, BRIGITTE: Die Baiuvaren. Archäologie und Geschichte, Regensburg 2013.

HAIM, MANFRED / SCHWEIGER, GEORG: Orden und Klöster. Das christliche Mönchtum in der Geschichte, München 2002.

HARTMANN, MICHAEL: Der Tod Johannes' des Täufers. Eine exegetische und rezeptionsgeschichtliche Studie auf dem Hintergrund narrativer, intertextueller und kulturanthropologischer Zugänge, Stuttgart 2001.

HELM, KARL: Untersuchungen über Heinrich Heslers Evangelium Nicodemi, in: Beiträge zur Geschichte der deutschen Sprache und Literatur 24 (1899), S. 85–187.

HINTZ, ERNST RALF: Frau Ava, in: FRANCIS G. GENTRY (Hg.): *Semper idem et novus*. Festschrift für Frank Banta, Göppingen 1988, S. 209–230.

HINTZ, ERNST RALF: Learning and Persuasion in the Middle Ages, New York / London 1997.

HÖRNER, PETRA: Gedenke der Gnade und Gerechtigkeit. Tradition und Wandel des Jüngsten Gerichts in der literarischen Darstellung des Mittelalters, Berlin 2005.

IRTENKAUF, WOLFGANG: Hirsau. Geschichte und Kultur, 2., überarb. Aufl. Stuttgart 1966.

JAKOBI-MIRWALD, CHRISTINE: Das Mittelalterliche Buch. Funktion und Ausstattung, Stuttgart 2004.

KARTSCHOKE, DIETER: Geschichte der deutschen Literatur im frühen Mittelalter, 3., akt. Aufl. München 2000.

KETTLER, WILFRIED: Das Jüngste Gericht. Philologische Studien zu den Eschatologie-Vorstellungen in den alt- und frühmittelhochdeutschen Denkmälern, Berlin / New York 1977.

KIENAST, RICHARD: Ava-Studien I / II, in: Zeitschrift für deutsches Altertum und deutsche Literatur 74 (1937), S. 1–36 und 277–308.

KIENAST, RICHARD: Ava-Studien III, in: Zeitschrift für deutsches Altertum und deutsche Literatur 77 (1940), S. 85–104.

KNAPP, FRITZ PETER: Die Literatur des Früh- und Hochmittelalters in den Bistümern Passau, Salzburg, Brixen und Trient von den Anfängen bis zum Jahre 1273 (HERBERT ZEMAN [Hg.]: Geschichte der Literatur in Österreich, Bd. 1), Graz 1994.

KÖNNECKE, GUSTAV: Bilderatlas zur Geschichte der deutschen Nationallitteratur, 2., verbesserte u. vermehrte Aufl. Marburg 1895.

KRAUSS, HEINRICH: Das Paradies. Eine kleine Kulturgeschichte, München 2004.

LAUDAGE, JOHANNES: Die Salier. Das erste deutsche Königshaus, München 2006.

LE GOFF, JACQUES: Die Geburt des Fegefeuers. Vom Wandel des Weltbildes im Mittelalter, München 1990.

LIPPHARDT, WALTHER (Hg.): Lateinische Osterfeiern und Osterspiele. Teil 7: Kommentar (LOO 1–630). Aus dem Nachlaß hg. v. HANS-GERT ROLOFF, redaktionell bearbeitet v. LOTHAR MUNDT, Berlin / New York 1990.

LUTTER, CHRISTINA: Geschlecht & Wissen, Norm & Praxis, Lesen & Schreiben. Monastische Reformgemeinschaften im 12. Jahrhundert, Wien / München 2005.

MACY, GARY: The Hidden History of Women's Ordination. Female Clergy in die Medieval West, Oxford 2008.

MASSER, ACHIM: Bibel, Apokryphen und Legenden. Geburt und Kindheit Jesu in der religiösen Epik des deutschen Mittelalters, Berlin 1969.

MASSER, ACHIM: Bibel- und Legendenepik des deutschen Mittelalters, Berlin 1976.

NAUMANN, BERND: Ein- und Ausgänge frühmittelhochdeutscher Gedichte und die Predigt des 12. Jahrhunderts, in: L. PETER JOHNSEN / HANS-HUGO STEINHOFF / ROY A. WISBY (Hgg.): Studien zur frühmittelhochdeutschen Literatur, Cambridger Colloquium 1971, Berlin 1974, S. 37–57.

NESKE, INGEBORG: Die spätmittelalterliche deutsche Sibyllenweissagung. Untersuchung und Edition, Göppingen 1985.

NOTHHELFER, ULRICH: Hirsau, in: ROBERT-HENRI BAUTIER u. a. (Hgg.): Lexikon des Mittelalters, 9 Bde. u. ein Registerbd., München / Zürich / Stuttgart 1980–1999, ND München 2003, Bd. V, Sp. 35–36.

OEXLE, OTTO GERHARD: Potens und Pauper im Frühmittelalter, in: WOLFGANG HARMS / KLAUS SPECKENBACH / HERFRIED VÖGEL (Hgg.): Bildhafte Rede in Mittelalter und früher Neuzeit. Probleme ihrer Legitimation und ihrer Funktion, Tübingen 1992, S. 131–149.

OHLY, FRIEDRICH: Metaphern für die Sündenstufen und die Gegenwirkungen der Gnade, Opladen 1990.

PACE, VALENTINO: Brevier Urb. Lat. 585, in: STEFAN KRAUS / JOACHIM M. PLOTZEK / KATHARINA WINNEKES (Hgg.): Bibliotheca Apostolica Vaticana. Liturgie und Andacht im Mittelalter, Stuttgart 1992, S. 174–177.

PAPP, EDGAR: Ava, in: KURT RUH / WOLFGANG STAMMLER / KARL LANGOSCH (Hgg.): Die deutsche Literatur des Mittelalters. Verfasserlexikon, 13 Bde., 2. Aufl. Berlin u. a. 1978–2007, Bd. 1, Sp. 560–565.

PARISSE, MICHEL: Die Frauenstifte und Frauenklöster in Sachsen vom 10. bis zur Mitte des 12. Jahrhunderts, in: STEFAN WEINFURTER (Hg.): Die Salier und das Reich, Bd. 2: Die Reichskirche in der Salierzeit, 2. Aufl. Sigmaringen 1992, S. 465–501.

PRICA, ALEKSANDRA: Frau Ava: *Johannes* und *Leben Jesu* (um 1120), in: CORNELIA HERBERICHS / CHRISTIAN KIENING (Hgg.): Literarische Performativität. Lektüren vormoderner Texte, Zürich 2008, S. 83–100.

REHBERG, KARL-SIEGBERT: Weltrepräsentanz und Verkörperung. Institutionelle Analyse und Symboltheorien – Eine Einführung in systematischer Absicht, in: GERT MELVILLE (Hg.): Institutionalität und Symbolisierung. Verstetigung kultureller Ordnungsmuster in Vergangenheit und Gegenwart, Köln / Weimar / Wien 2001, S. 3–49.

RIEHLE, WOLFGANG: Juliana v. Norwich, in: ROBERT-HENRI BAUTIER u. a. (Hgg.): Lexikon des Mittelalters, 9 Bde. u. ein Registerbd., München / Zürich / Stuttgart 1980–1999, ND München 2003, Bd. V, Sp. 800.

ROE, A.: Frau Ava. Das Leben Jesu, in: WALTER JENS (Hg.): Kindlers neues Literaturlexikon, 22 Bde., 1988–1992, Bd. 1, München / Frechen 1998, S. 891–893.

RÖCKELEIN, HEDWIG: Frauen im Umkreis der benediktinischen Reformen des 10. bis 12. Jahrhunderts. Gorze, Cluny, Hirsau, St. Blasien und Siegburg, in: GERT MELVILLE / ANNE MÜLLER (Hgg.): Female *vita religiosa* between Late Antiquity and the High Middle Ages. Structures, developments and spatial contexts, Berlin / Zürich 2011, S. 275–327.

SAUER, EBERHARD: The Archaeology of Religious Hatred in the Roman and Early Medieval World, Stroud 2003 (ND 2009).

SCHERER, WILHELM: Geistliche Poeten der deutschen Kaiserzeit. Studien II, Drei Sammlungen geistlicher Gedichte, Straßburg 1875.

SCHILLER, GERTRUD: Ikonographie der christlichen Kunst, 5 Bde., Bd. I: Inkarnation, Kindheit, Taufe, Versuchung, Verklärung, Wirken und Wunder Christi, Gütersloh 1966 (3., durchgesehene Aufl. 1981).

SCHRÖDER, EDWARD: Aus der Gelehrsamkeit der Frau Ava, in: Zeitschrift für deutsches Altertum und deutsche Literatur 66 (1929), S. 171–172.

SCHRÖDER, EDWARD: Frau Ava und die Osterfeier, in: Zeitschrift für deutsches Altertum und deutsche Literatur 50 (= NF Bd. 38) (1908), S. 312–313.

SCHRÖDER, WERNER: Mönchische Reformbewegungen und frühdeutsche Literaturgeschichte, in: DERS.: Kleinere Schriften (1950–1989), Bd. IV, Stuttgart 1993, S. 252–263.

SCHULZE, URSULA: Ava, in: ROBERT-HENRI BAUTIER u. a. (Hgg.): Lexikon des Mittelalters, 9 Bde. u. ein Registerbd., München / Zürich / Stuttgart 1980–1999, ND München 2003, Bd. I, Sp. 1281–1283.

SEIBERT, JUTTA: Lexikon christlicher Kunst. Themen, Gestalten, Symbole, Freiburg i. Breisgau 2002.

SOETEMAN, CORNELIS: Deutsche geistliche Dichtung des 11. und 12. Jahrhunderts, Stuttgart 1963.

STEIN, PETER K.: Stil, Struktur, historischer Ort und Funktion. Literarhistorische Beobachtungen und methodologische Überlegungen zu den Dichtungen der Frau Ava, in: GERLINDE WEISS (Hg.): Festschrift für Adalbert Schmidt zum 70. Geburtstag, hg. u. Mitw. v. GERD-DIETER STEIN, Stuttgart 1976, S. 5–85.

STURLESE, LORIS: Philosophie im Mittelalter. Von Boethius bis Cusanus, München 2013.

SULLIVAN, ROBERT G.: Justice and the Social Context of Early Middle High German Literature, New York / London 2001.

THORAN, BARBARA: Frau Avas ‚Leben Jesu' – Quellen und Einflüsse. Eine Nachlese, in: ANNEGRET FIEBIG / HANS-JOCHEN SCHIEWER (Hgg.): Deutsche Literatur und Sprache von 1050–1200: Festschrift für Ursula Hennig zum 65. Geburtstag, Berlin 1995, S. 321–331.

TOMAN, ROLF: Einführung, in: DERS. (Hg.): Romanik. Architektur, Malerei, Skulptur, Berlin 2002, S. 6–15.

VOLLMANN-PROFE, GISELA: Frühmittelhochdeutsche Literatur. Mittelhochdeutsch / Neuhochdeutsch; Auswahl, Übersetzung und Kommentar, Stuttgart 1996, Stellenkommentare S. 239–243.

WARD, SUSAN L.: Bamberg, in: JOHN M. JEEP (Hg.): Medieval Germany. An Encyclopedia, New York 2001, S. 39–41.

WEEBER, KARL-WILHELM: Alltag im alten Rom. Das Leben in der Stadt. Ein Lexikon, 4. Aufl. Mannheim 2011.

WEHRLI, MAX: Sacra Poesis, in: DERS.: Formen mittelalterlicher Erzählung. Aufsätze, Zürich / Freiburg i. Breisgau 1969, S. 51–71.

WEINFURTER, STEFAN: Canossa. Die Entzauberung der Welt, 3. Aufl. München 2007.

WIEDENHOFER, SIEGFRIED: Von der Grammatik religiöser Symbolsysteme zur Logik religiöser Traditionsprozesse, in: GERT MELVILLE (Hg.): Institutionalität und Symbolisierung. Verstetigung kultureller Ordnungsmuster in Vergangenheit und Gegenwart, Köln / Weimar / Wien 2001, S. 165–180.

WOELFERT, ROSEMARIE: Wandel der religiösen Epik zwischen 1100 und 1200. Dargestellt an Frau Avas Leben Jesu und der Kindheit Jesu des Konrad von Fussesbrunnen, Tübingen 1963.

YEANDLE, DAVID N.: Shame in Middle High German Literature: The Emotional Side of a Medieval Virtue, in: Euphorion 99 (2005), S. 295–321.

ZIMMERMANN, ALBERT: Intellectus agens/possibilis, in: ROBERT-HENRI BAUTIER u. a. (Hgg.): Lexikon des Mittelalters, 9 Bde. u. ein Registerbd., München / Zürich / Stuttgart 1980–1999, ND München 2003, Bd. V, Sp. 457–459.

ZSCHOCH, HELLMUT: Die Christenheit im Hoch- und Spätmittelalter, Göttingen 2004.

5 ONLINERESSOURCEN

Handschriftencensus: *http://www.handschriftencensus.de/*

Findebuch zum mittelhochdeutschen Wortschatz: *http://woerterbuchnetz.de/FindeB/*

Monumenta Germaniae Historica: *http://www.mgh.de/*

ABKÜRZUNGSVERZEICHNIS

A	Ava: *Der Antichrist*
AL	*Das Annolied*
An	*Anegenge*
AJ	Flavius Josephus: *Jüdische Altertümer (Antiquitates Judaicae)*
CP	Caelius Sedulius: *Carmen paschale*
Ex	Exodus
Ez	Buch Ezechiel
Gen	Genesis
Hs G	Görlitzer Handschrift
Hs V	Vorauer Handschrift
IOs	*Innsbrucker Osterspiel*
J	Ava: *Johannes*
Jer	Buch Jeremias
JG	Ava: *Das Jüngste Gericht*
Joh	Evangelium nach Johannes
Kor	Korintherbrief
LJ	Ava: *Das Leben Jesu*
Lk	Evangelium nach Lukas
Mk	Evangelium nach Markus
Mt	Evangelium nach Matthäus
Offb	Offenbarung des Johannes
PG	Migne, Jacques-Paul (Hg.): Patrologiae cursus completus omnium patrum, doctorum scriptorumque ecclesiasticorum, Series Graeca. Paris 1857–1866.
PL	Migne, Jacques-Paul (Hg.): Patrologiae cursus completus omnium patrum, doctorum scriptorumque ecclesiasticorum, Series Latina. Paris 1844–1855.
ROs	*Redentiner Osterspiel*
RUB	Reclams Universal-Bibliothek
Sam	Buch Samuel
SG	Ava: *Die Sieben Gaben des Heiligen Geistes*
Spr	Buch der Sprichwörter / Sprüche Salomos
ST	Summa Theologiae
StH	*St. Trudperter Hohelied*
VR	*Vom Rechte*
W	*Die Wahrheit*

RELECTIONES 2

Das Münchner Weltgerichtsspiel

und Ulrich Tenglers Büchlein vom Jüngsten Gericht

Ursula Schulze (Hg.)

Das Münchner Weltgerichtsspiel
und Ulrich Tenglers Büchlein vom Jüngsten Gericht

Herausgegeben von
Ursula Schulze.

2014. XXVIII, 173 Seiten.
Relectiones, Band 2. Kartoniert.
ISBN 978-3-7776-2388-7

E-Book, PDF.
ISBN 978-3-7776-2460-0

Am Ende der Zeiten steht das Weltgericht. Seine Vorführung stellte im Geistlichen Spiel des Mittelalters und der Frühen Neuzeit ein zentrales Thema dar. Alle Menschen werden für ihre Lebensleistung belohnt oder bestraft. Die theatrale Inszenierung korrespondiert mit zahlreichen Darstellungen in der Bildenden Kunst: Christus erscheint als Richter und spricht das Urteil über Gute und Böse.

Die handschriftliche Aufzeichnung des *Münchner Weltgerichtsspiels* schließt sich an eine Aufführung im Jahre 1510 an und fällt durch die Eigenartigkeit seiner Komposition und der verwendeten Motive auf. Offenbar war das Spiel auch für Zeitgenossen sehr beeindruckend; Ulrich Tengler hat es schon kurze Zeit später für das Rechtshandbuch *Der neu Layenspiegel* bearbeitet, um die Rechtsprechenden zur Verantwortung ihrer Tätigkeit vor Gott zu mahnen. Diese Überführung des Geistlichen Spiels in das Medium des Rechtshandbuchs stellt ein einzigartiges Rezeptionszeugnis dar.

Der vorliegende Band enthält sowohl das *Münchner Spiel* als auch seine Bearbeitung, beide in frühneuhochdeutscher Sprachform; ihnen ist eine Übertragung in heutiges Deutsch nebst Einführung und Erläuterungen an die Seite gestellt. So werden die beiden Weltgerichtstexte zum ersten Mal in ihrem besonderen Zusammenhang lesbar – man sieht die Inszenierungen biblischer Vorstellungen für eine Spieldarbietung und die Aufbereitung für die geistliche Belehrung im Zusammenhang mit der Rechtspraxis.

www.hirzel.de

RELECTIONES

Eine Bibliothek der anderen Literaturen des Mittelalters und der Frühen Neuzeit

Herausgegeben von Frank Bezner, Nathanael Busch, Robert Fajen, Wolfram Keller, Björn Reich und Markus Schürer

Mit der Reihe Relectiones sollen wenig bekannte, schwer greifbare oder marginalisierte Texte des Mittelalters und der Frühen Neuzeit wieder zugänglich gemacht werden. Die Bände, die in der universitären Forschung und Lehre Verwendung finden sollen, sich darüber hinaus aber auch an ein breiteres Publikum wenden, bieten jeweils den Text nebst einer Übersetzung in modernes Deutsch. Ein Kommentar zur Übersetzung gibt erste Verständnishilfen.

S. Hirzel Verlag ISSN 2199-6539

1. Jörg O. Fichte (Hg.)
   Mittelenglische Artusromanzen
   Sir Percyvell of Gales, The Awntyrs off Arthure, The Weddynge of Sir Gawain and Dame Ragnell
   2014. XXIV, 276 S., kt.
   ISBN 978-3-7776-2318-4
2. Ursula Schulze (Hg.)
   Das Münchner Weltgerichtsspiel und Ulrich Tenglers Büchlein vom Jüngsten Gericht
   2014. XXVIII, 173 S. mit 5 Abb., kt.
   ISBN 978-3-7776-2388-7
3. Maike Claußnitzer / Kassandra Sperl (Hg.)
   Ava: Geistliche Dichtungen
   2014. XXII, 224 S., kt.
   ISBN 978-3-7776-2382-5